ユーキャンの

運行管理者

2025
年版

貨物

管理者

合格テキスト
&問題集

JN023958

ユーキャンが よくわかる！ その理由

● でるポイントを重点マスター！

■頻出度（A，B，Cの3段階）を表示
過去問題を徹底的に分析。そのデータをもとに頻出度を表示しています。

■キーポイントをピックアップ
特に学習の『ポイント』となる部分は，わかりやすくピックアップしています。

● やさしい解説ですぐわかる

■平易な表現と簡潔な文章
読んですぐに理解できるよう，平易な表現と簡潔な文章で，学習内容を解説しています。

■豊富なイラスト&チャート図
学習内容をイメージで理解できるよう，イラストやチャート図，必要なデータなどを豊富に盛り込んでいます。

● 問題を解いて理解度アップ

■学習のまとめに《過去問題》&《予想模擬試験》が効く！
各レッスン末の問題で，理解度を上げ，知識をしっかり定着させることができます。さらに，一問一答50問と巻末の過去問題と予想模擬試験で，試験前の実力確認＆総仕上げが可能です。

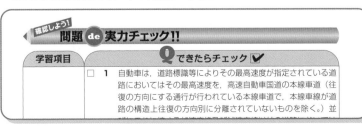

確認しよう！
問題 de 実力チェック!!

学習項目		Q できたらチェック ✔
☐	1	自動車は，道路標識等によりその最高速度が指定されている道路においてはその最高速度を，高速自動車国道の本線車道（往復の方向にする通行が行われている本線車道で，本線車線が道路の構造上往復の方向別に分離されていないものを除く。）並

目　次

第1章　道路交通法関係

第2章　貨物自動車運送事業法関係

学習の流れ

本書の4ステップ学習なら，インプット＆アウトプットが効率よくこの1冊でできます。

しっかり教えますから，合格目指して頑張りましょう！

皆さんと一緒に学習します。よろしくね！

1 レッスンの内容と頻出度をつかむ

まずはレッスンの大まかな内容と3段階の頻出度を確認してから学習しましょう。

欄外で理解を深めよう！

ここが重要!!

本文のなかでもポイントとなる部分をより詳しく解説します。

PLUS ONE プラス1

本文にプラスして覚えておきたい事項です。

ひっかけ注意!

試験でひっかけとして問われるポイントがわかります。

用語

本文中のわかりにくい用語を解説します。

本書における科目の順番について
本書の科目の順番は『学びやすさ』という観点から，実際の試験の科目順とは異なっています。

第1章 道路交通法関係
Lesson **1**
頻出度 **A**
道路交通法の用語

道路交通法では，さまざまな交通用語について定めており，試験では毎回のように基本的な用語の定義が出題されます。よく出題されるのは「路側帯」「進行妨害」「駐車」「車道」「追越し」などです。

ここが重要!!
用語の定義は試験で頻出です。よく似た用語がねらわれやすいので，赤字のキーワードに注意して，どこが違うかを意識して覚えましょう。

1 道路交通法の目的

道路交通法（以下「道交法」）では，以下のことを目的としています。
①道路における危険を防止すること
②交通の安全と円滑を図ること
③道路の交通に起因する障害の防止に役立つこと

2 用語の定義

Point 「歩道」と「路側帯」，「自動車」と「車両」，「進路変更」と「進行妨害」など，似た用語の定義を整理して覚える。

用語
縁石線
歩道（または自転車道）と車道との境界に沿って設けられるもの。歩道と車道を分離して，運転者に車道端を明示し，車両が歩道へ出てしまうことを防止する目的がある。

PLUS ONE プラス1
道交法が改正され，令和5年4月より，「駐車」「自動車」「歩行者」等の定義が変更された。

（1）道交法で定義されている用語のうち，重要なもの

車道	車両の通行の用に供するため，縁石線，柵，その他これに類する工作物または道路標示によって区画された道路の部分	 車道
車両通行帯	車両が道路の定められた部分を通行すべきことが道路標示により示されている場合における，その道路標示により示されている道路の部分	第一通行帯 第二通行帯
本線車道	高速自動車国道または自動車専用道路の本線車線により構成する車道	

2 レッスン末問題で学習内容を復習

レッスン末の「問題de実力チェック!!」にチャレンジしましょう。知識の定着に役立ちます。

※「3年3月」の表記は「令和3年3月実施の試験」を意味しますが、「2年度CBT」は「令和2年度実施のCBT試験」を意味します。

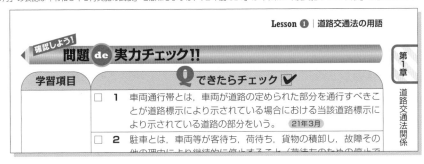

3 一問一答50問で重要ポイントを確認

試験で繰り返し問われるポイントをまとめました。赤シートを用いると解説部分は穴埋め問題としても活用できます。

4 過去問題&予想模擬試験にチャレンジ

学習の総仕上げに、過去問とオリジナルの予想模擬試験に挑戦しましょう。間違えた問題は解説をしっかり読み、本文に戻って復習し理解を深めましょう!

過去問題〈令和4年度CBT試験出題例〉

使いやすい!
別冊の
解答解説付き

1．貨物自動車運送事業法関係

問1　貨物自動車運送事業に関する次の記述のうち、【正しいものを2つ】選びなさい。
　　なお、解答にあたっては、各選択肢に記載されている事項以外は考慮しないものとする。 改

運行管理者〈貨物〉の資格について

1 運行管理者〈貨物〉とは

運行管理者〈貨物〉は，事業用自動車の安全運行を管理するスペシャリストで，**国家資格**です。貨物自動車運送事業者（バイク便などの貨物軽自動車運送事業者を除きます）には，事業用自動車を有している営業所ごとに，一定の人数以上の運行管理者を選任することが義務づけられています。

運行管理者は，事業用自動車の運転者の乗務割の作成，休憩・睡眠施設の管理，運転者の指導監督，点呼による運転者の疲労・健康状態などの把握や安全運行の指示など，事業用自動車の**運行の安全を確保するための業務**を行います。

2 受験資格

「運行管理者試験〈貨物〉」は，国土交通大臣が指定した指定試験機関である「公益財団法人 運行管理者試験センター」によって実施され，試験の期日や場所などについては，試験の実施のつど，あらかじめ公示されます。

受験に年齢や性別の制限はありませんが，以下のいずれかに該当する者でなければ**受験資格**がありません。

①実務経験が1年以上	試験日の前日において，自動車運送事業（貨物軽自動車運送事業を除く）の用に供する事業用自動車または特定第二種貨物利用運送事業者の事業用自動車（緑色のナンバーの車）の運行の管理に関し，1年以上の実務の経験を有する方（①事業用自動車の運転業務，②営業，③総務，経理等の管理業務等は，事業用自動車の運行の管理についての実務経験に該当しません）
②基礎講習を修了	貨物自動車運送事業輸送安全規則に基づき国土交通大臣が認定する講習実施機関において，平成7年4月1日以降の「基礎講習」を修了された方
③基礎講習を修了予定	貨物自動車運送事業輸送安全規則に基づき国土交通大臣が認定する講習実施機関において，指定の期日までに基礎講習を修了予定の方（修了証書等の写しが指定の期日までに未提出の方は受験できません）

③ 運行管理者試験〈貨物〉について

●試験実施時期

一年度（4月〜翌年3月）に**2回**，**8月頃**（第1回）および**3月頃**（第2回）に，それぞれ1か月程度の期間で実施されます（試験会場等の予約の際に希望する日時を選択します）。

●試験方法

試験方法は**CBT試験**のみとなります。筆記試験は実施されません。

※CBT試験とは，問題用紙やマークシートなどの紙を使用せず，パソコンの画面に表示される問題に対しマウス等を用いて解答する試験です。

※受験者間の公平性を確保する観点から，後日の試験問題および正答の公表は行われません。

●受験申請方法

新規受験，再受験とも**インターネット申請**に限ります。運行管理者試験センターのホームページから申請できます。

●試験地・試験会場

試験は**全国47都道府県**にある試験会場で受験できます。

試験会場は，**会場日時を予約する際に選択**した試験会場となります。

インターネット申請で提出した書類の審査が完了すると，運行管理者試験センターから会場予約等手続きの案内メールが届き，その後に試験会場と試験日時を予約します。

●試験科目・出題数・合格基準・試験時間

以下の試験科目について行われます。

試験科目（出題分野）	出題数	合格基準	試験時間
①貨物自動車運送事業法関係	8問	各1問以上	90分
②道路運送車両法関係	4問		
③道路交通法関係	5問		
④労働基準法関係	6問		
⑤その他運行管理者の業務に関し，必要な実務上の知識および能力（以下「実務上の知識および能力」）	7問	2問以上	
合　計	30問	18問以上	

※**合格基準** 次の（1）および（2）を同時に満たす得点が必要です。

> （1）原則として，総得点が満点の**60%**（30問中**18問**）**以上**
>
> （2）9ページの①～④の**出題分野ごとに正解が1問以上**であり，⑤については**正解が2問以上**

※法令等の改正があった場合は，原則として改正された法令等の施行後6か月間は改正前と改正後で解答が異なることとなる問題は出題されません。

● **受験手数料**

6,000円（非課税）

※この他，別途費用が必要です。

● **試験結果等の通知**

受験者全員に試験結果通知書が郵送されます。

※別途申込みを行った受験者には，試験結果レポートが通知されます。試験結果レポートには，総得点および分野別得点について，それぞれ当該受験者の得点と受験者全員の平均点が表示されます。

● **受験者数／合格者数／合格率**

	令和4年度第2回 （令和5年2～3月）	令和5年度第1回 （令和5年8～9月）	令和5年度第2回 （令和6年2～3月）
受験者（人）	23,759	26,293	22,493
合格者（人）	8,209	8,805	7,701
合格率（%）	34.6	33.5	34.2

● **運行管理者試験〈貨物〉に関するお問い合わせ先**

公益財団法人
運行管理者試験センター 試験事務センター

自動音声サービス ［電話］ **03-6635-9400**
（平日9時～17時はオペレータ対応）

ホームページ **https://www.unkan.or.jp/**

科目別出題傾向の分析と対策

第1章　道路交通法関係

　運行管理者試験の合格を目指そうと考えている方は，普通免許や大型免許など何らかの運転免許を持っている方がほとんどでしょうから，日頃の運転における交通ルールであり，運転免許試験における学科試験でも学習したことのある道路交通法は，最もなじみのある科目でしょう。しかし，道路交通法は，この後に学習する**貨物自動車運送事業法や道路運送車両法にも関連**しますし，運行管理者試験での出題内容は，運転免許試験での学科試験よりも細かく，難しくなっています。また，事業用自動車の運行の安全の確保に関する業務を行う運行管理者としては，当然よく理解しておくべき科目ですから，すでに知っている内容でも飛ばし読みをせず，知識を確認するつもりで学習してください。

出題傾向　「徐行・一時停止」，「追越し」，「運転者の遵守事項」，「交通事故の場合の措置」についての出題頻度が高くなっています。「最高速度」についても，数字を中心に問われています。

試験対策　道路交通法は，条文（法における規定）が全132条もあり，関連する諸法令も含めるとその数は膨大ですが，不安になる必要はありません。運行管理者試験の試験科目全体を通じても言えますが，**同じ条文などが何度も繰り返し出題**されるため，そこを重点的に覚えれば，学習は比較的楽に進みます。

第2章　貨物自動車運送事業法関係

　貨物自動車運送事業法は，運行管理者試験で**最も出題数が多い**試験科目です。また，運行管理者が勤める貨物自動車運送事業者（経営者）に課せられた義務などのほか，運行管理者の行う業務や，この試験そのものについても定めており，第1章から第4章までの**法律系**の試験科目のなかでも**最重要科目**といえます。運行管理者として実際の業務に就いた後，最も身近な内容となる科目ですから，特に力を入れて学習しましょう。

「点呼」,「運行管理者の業務」,「事故の報告」,「運転者に対する指導・監督」の内容が,特によく出題されています。「過労運転等の防止」,「業務の記録」,「運転者等台帳」,「事業計画」,「運送約款」,「運行管理者の選任」からの出題も目立ちますので,要注意です。

運行管理者試験は,基本的には**条文がそのまま問題文**(選択肢の一文)**として出題**されます。特に貨物自動車運送事業法は,関連する諸法令も含めて一つひとつの条文が長いため,問題文が長く,また,堅い言い回しが目立つことが特徴です。しかし,他の試験科目と同様,同じ条文が何度も繰り返し出題されるため,本書の**重要語句や数字をしっかり覚えておき**,問題を解く際にそこを的確に読み取り(不正解の選択肢は,正しい語句や数字を変えただけであることが少なくありません),反射的に答えを出せるようにしましょう。

第3章 道路運送車両法関係

　自動車をお持ちの方や,自動車にかかわる仕事をしている方であれば,自動車の「登録」や「車検(継続検査)」といった言葉を耳にしたことがあるでしょう。道路運送車両法は,自動車をはじめとする車両のナンバープレート(自動車登録番号標)や構造,車検制度など,道路を走る車両についてのルールを定めており,運行管理者試験では最も出題数が少ない試験科目ではあるものの,「事業用自動車」という車両にかかわる運行管理者にとっては決して軽視することのできない科目です。

「保安基準」について全般的によく問われるほか,「日常点検・定期点検」,「登録」,「自動車検査証」,「整備管理者」からの出題頻度が特に高くなっています。

「検査」と「登録」の,道路運送車両法における2つの大きな柱を中心に,それぞれの内容を整理し,知識を固めていきましょう。運行管理者試験の合格を目指そうと考えている方は,多かれ少なかれ自動車に関する知識をお持ちでしょうから,**具体的にイメージしながら学習**すると効果的です。

第4章　労働基準法関係

　利益を最優先にして，事業用自動車の運転者に対して長時間にわたって運転・業務をさせることによる，重大な事故の発生や過労死などが問題になっています。そのようななかで，労働者を守る法律である労働基準法は，事業用自動車の運行の安全を確保するための業務を行う運行管理者に対してこれを守らせることを徹底させるため，試験科目に含まれています。

出題傾向　比較的まんべんなく出題されていますが，なかでも「労働時間・休憩・休日等」については特によく問われています。また，「改善基準告示」については，毎回必ず4問ほど出題されていることが特徴です。

試験対策　「労働者の保護」という考え方を，常に念頭に置いて学習しましょう。また，この科目に含まれる，労働者のなかでも過酷な労働を強いられがちな事業用自動車の運転者を手厚く守る「改善基準告示」については，計算を必要とする出題がなされます。計算のパターンは決まっていますから，**改善基準告示の規定**をしっかり押さえたうえで，**パターンを覚えると得点源**になります。

第5章　実務上の知識および能力

　運行管理者として運行管理業務を行うにあたっては，第4章までのような法的知識だけではなく，この科目における，自動車の運転に関することといった一般知識なども必要です。この科目だけ**合格基準が2問以上**（全7問のうち最低2問は得点しないと，それだけで不合格となる）とされていることからも，その重要性をうかがい知ることができます。

出題傾向　「交通事故の防止」，「時速等の計算」から，よく出題されています。また，点呼の実施など**第2章で学習する貨物自動車運送事業法に関連する出題**や，運行計画をもとに**第4章で学習する「改善基準告示」に関連する出題**も多くみられます。

試験対策　範囲は幅広く見えますが，法律系の試験科目と同様に，同じ内容が何度も繰り返し出題されています。また，自動車の速度や走行距離などを求める計算問題が出題されますが，計算が苦手でも，**公式をしっかり覚えたうえで解く練習**をすれば，必ずできるようになります。

法改正情報と出題実績表

●法改正情報

1．大型トラック等の高速道路における最高速度の変更

道路交通法施行令が改正され，令和6年4月より，大型・特定中型貨物自動車（トレーラ等を除く）の高速自動車国道における最高速度が変更されました。

2．中間点呼の方法等の拡大

貨物自動車運送事業輸送安全規則等が改正され，令和6年4月より，中間点呼の方法として遠隔点呼等も可能となり，また，遠隔点呼等の実施場所が拡大される等の変更がされました。

3．労働条件明示のルールの変更

労働基準法施行規則が改正され，令和6年4月より，労働条件明示のルールが変更されました。

4．トラック運転者の拘束時間，連続運転時間，休息期間等の基準が変更

自動車運転者の労働時間等の改善のための基準等が改正され，令和6年4月より，トラック運転者の拘束時間，連続運転時間，休息期間等の基準が変更されました。

●出題実績表

ここでは，公開された試験問題を分析しました。◇は該当する選択肢が含まれている問題の数で，◇＝1問，◇◇＝2問，◇◇◇＝3問以上を表しています。

第1章　道路交通法関係	令和2年第1回	令和2年第2回	令和2年度CBT	令和3年度CBT	令和4年度CBT
L1 道路交通法の用語					◇
L2 自動車の種類と最高速度	◇	◇◇	◇	◇	◇◇
L3 徐行・一時停止	◇◇◇	◇	◇	◇◇	◇
L4 通行区分・追越し等	◇◇	◇	◇		◇
L5 左折・右折，交差点の通行	◇				◇
L6 駐停車の禁止		◇	◇		
L7 積載制限および過積載		◇			
L8 自動車使用者の義務					
L9 運転者の遵守事項，合図		◇◇	◇◇◇	◇◇◇	◇
L10 運転免許					
L11 道路標識	◇	◇	◇	◇	
L12 罰　則	◇			◇	◇

第2章　貨物自動車運送事業法関係	令和2年第1回	令和2年第2回	令和2年度CBT	令和3年度CBT	令和4年度CBT
L1 貨物自動車運送事業	◇		◇		◇
L2 事業計画と運送約款	◇	◇		◇	◇
L3 運輸安全マネジメント	◇				
L4 輸送の安全		◇		◇	◇
L5 過労運転等の防止	◇	◇	◇◇◇	◇	◇◇
L6 点呼①	◇	◇	◇◇	◇	
L7 点呼②	◇	◇	◇	◇◇	
L8 運行指示書と運転者等台帳	◇	◇◇		◇	◇
L9 業務の記録・事故の記録	◇◇◇	◇◇		◇	◇
L10 運転者に対する指導・監督	◇◇◇	◇		◇	◇
L11 運行管理者の選任	◇		◇◇		
L12 運行管理者の業務	◇	◇		◇◇	◇◇◇
L13 運行管理規程その他			◇		
L14 運行管理者資格者証			◇		
L15 事故の報告	◇	◇		◇	◇
L16 行政処分その他		◇			
第3章　道路運送車両法関係	令和2年第1回	令和2年第2回	令和2年度CBT	令和3年度CBT	令和4年度CBT
L1 法の目的と定義				◇	
L2 新規登録と自動車登録番号	◇◇	◇			◇
L3 変更・移転・抹消登録	◇	◇			◇
L4 日常点検・定期点検		◇		◇	◇
L5 整備管理者と整備命令				◇	◇◇
L6 自動車の検査および検査証	◇◇	◇	◇◇		◇
L7 保安基準①	◇	◇	◇		
L8 保安基準②	◇	◇	◇◇		◇
L9 保安基準③		◇		◇	
第4章　労働基準法関係	令和2年第1回	令和2年第2回	令和2年度CBT	令和3年度CBT	令和4年度CBT
L1 基本原則		◇			
L2 労働契約・労働条件の明示	◇			◇	◇
L3 労働契約の終了		◇	◇	◇	
L4 賃金・災害補償		◇		◇	
L5 労働時間・休憩・休日等	◇	◇◇	◇		
L6 年少者・妊産婦等の保護				◇	
L7 就業規則・労働者名簿等	◇				
L8 労働時間等の改善基準	◇◇◇	◇◇◇	◇	◇◇◇	◇
第5章　実務上の知識および能力	令和2年第1回	令和2年第2回	令和2年度CBT	令和3年度CBT	令和4年度CBT
L1 自動車に働く自然力と停止距離		◇	◇	◇◇	◇
L2 視力と視野			◇	◇	
L3 ブレーキ・タイヤに起こる現象と悪条件下の運転等			◇	◇	◇
L4 高速道路の運転と設備					
L5 運転者の健康管理等	◇◇	◇	◇	◇	◇
L6 交通事故の防止	◇◇	◇◇	◇◇	◇◇	◇◇
L7 交通公害					
L8 時速等の計算	◇◇	◇	◇◇		◇

凡 例

本書では，主な法令等について，基本的に以下の略称を使用しています。

道交法	➡	道路交通法
事業法	➡	貨物自動車運送事業法
安全規則	➡	貨物自動車運送事業輸送安全規則
事故報告規則	➡	自動車事故報告規則
車両法	➡	道路運送車両法
保安基準	➡	道路運送車両の保安基準
細目告示	➡	道路運送車両の保安基準の細目を定める告示
労基法	➡	労働基準法
改善基準告示	➡	自動車運転者の労働時間等の改善のための基準

また，本書では，これらの法令等を中心に，その条文番号（「第○条第○項第○号」）が適宜登場します。混乱しないように，条文のしくみを知っておきましょう。

（運行管理者資格者証）　◀━━━━━━━━━━ 見出し書き

第十九条　国土交通大臣は，次の各号のいずれかに該当する者に対し，運行管理者資格者証を交付する。

　一　運行管理者試験に合格した者

　二　事業用自動車の運行の安全の確保に関する業務について国土交通省令で定める一定の実務の経験その他の要件を備える者

2　国土交通大臣は，前項の規定にかかわらず，次の各号のいずれかに該当する者に対しては，運行管理者資格者証の交付を行わないことができる。

（以下省略）

号　号　項　項　条

（例）第19条第1項第2号

第1章

道路交通法関係

事業用自動車の運転手の皆さんには，交通ルールをきちんと守ってもらって，いつも安全運転で！ 無事故・無違反を目指し，安全運行の管理を徹底することは，運行管理者の大切な仕事です。

Lesson 1

道路交通法の用語

頻出度 **A**

道路交通法では，さまざまな交通用語について定めており，試験では毎回のように基本的な用語の定義が出題されます。よく出題されるのは「路側帯」「進行妨害」「駐車」「車道」「追越し」などです。

ここが重要!!

用語の定義は試験で頻出です。よく似た用語がねらわれやすいので，赤字のキーワードに注意して，どこが違うかを意識して覚えましょう。

用語

縁石線

歩道（または自転車道）と車道との境界に沿って設けられるもの。歩道と車道を分離して，運転者に車両端を明示し，車両が歩道へ出てしまうことを防止する目的がある。

縁石線

PLUS ONE プラス1

道交法が改正され，令和5年4月より，「駐車」「自動車」「歩行者に含まれる者」等の定義が変更された。

1 道路交通法の目的

道路交通法（以下「道交法」）では，以下のことを目的としています。

①道路における危険を防止すること

②交通の安全と円滑を図ること

③道路の交通に起因する障害の防止に役立つこと

2 用語の定義

Point 「歩道」と「路側帯」，「自動車」と「車両」，「進路変更」と「進行妨害」など，似た用語の定義を整理して覚える。

(1) 道交法で定義されている用語のうち，重要なもの

車道	車両の通行の用に供するため，縁石線，柵，その他これに類する工作物または道路標示によって区画された道路の部分	車道
車両通行帯	車両が道路の定められた部分を通行すべきことが道路標示により示されている場合における，その道路標示により示されている道路の部分	第一通行帯　第二通行帯
本線車道	高速自動車国道または自動車専用道路の本線車線により構成する車道	

交差点	十字路, 丁字路その他2以上の**道路が交わる**場合における, その2以上の道路(歩道と車道の区別のある道路においては, 車道)の交わる部分
安全地帯	路面電車に乗降する者や横断している歩行者の安全を図るため道路に設けられた**島状の施設**または**道路標識および道路標示により**安全地帯であることが示されている道路の部分
駐 車	車両等が客待ち, 荷待ち, 貨物の積卸し, 故障その他の理由により**継続的に停止**すること(**貨物の積卸しのための停止で5分を超えない時間内のもの, および人の乗降のための停止を除く**), または車両等が停止(特定自動運行中の停止を除く)をし, かつ, その車両等の運転をする者がその車両等を離れてただちに運転することができない状態にあること
停 車	車両等が停止することで**駐車以外**のもの
徐 行	車両等がただちに停止することができるような速度で進行すること

(2) 特に紛らわしい用語等

歩行者に含まれる者	移動用小型車, 身体障害者用の車, 遠隔操作型小型車, 小児用の車や歩行補助車, 乳母車その他の歩きながら用いる小型の車(以下「歩行補助車等」)を通行させている者, 自転車・原動機付自転車・自動二輪車, その他車体の大きさおよび構造が他の歩行者の通行を妨げるおそれのないものとして内閣府令で定める基準に該当する車両を押して歩いている者
歩 道	**歩行者の通行**の用に供するため, 縁石線または柵その他これに類する**工作物によって区画された**道路の部分
路側帯	**歩行者の通行**の用に供し, または**車道の効用を保つ**ため, 歩道の設けられていない道路または道路の歩道の設けられていない側の路端寄りに設けられた帯状の道路の部分で, **道路標示によって区画された**もの

歩道

路側帯

用語

特定自動運行

道路において, 所定の条件を満たす自動運行装置を当該自動運行装置にかかる使用条件で使用し, かつ, 当該自動運行装置を操作する者がいない状態で当該自動運行装置を備えている自動車を運行すること(いわゆる自動運転レベル4)。

移動用小型車

人の移動の用に供するための原動機を用いる小型の車。

遠隔操作型小型車

人または物の運送の用に供するための原動機を用いる小型の車であって遠隔操作により通行させることができるもの。

法令用語に「等」がついている場合は, もとの用語にほかのものが付け加わります。「車両等」の場合は車両に路面電車が付け加わり, 「車両または路面電車」という意味になります。試験ではあまり気にする必要はありません。

19

<table>
<tr><td></td><td></td></tr>
</table>

ひっかけ注意！

路側帯は「歩行者の通行の用に供し、または車道の効用を保つため」であり、「自転車の通行の用に供するため」ではないことに注意。

道路標識＝標示板、道路標示＝路面に描かれた線や文字なんですね。間違えないようにしなくちゃ！

プラス1

道路鋲は、交通量の多い道路上や交差点などで区分や目標点を示すために路面に埋め込まれている金属の鋲で、さまざまなかたちのものがある。

プラス1

例えば、以下の例の場合は、AがBの進行妨害をしている。

車両	自動車、原動機付自転車、軽車両およびトロリーバス
自動車	原動機を用い、かつ、レールまたは架線によらないで運転し、または特定自動運行を行う車であって、原動機付自転車、軽車両、移動用小型車、身体障害者用の車および遠隔操作型小型車ならびに歩行補助車等以外のもの
軽車両	自転車や荷車など、人や動物の力により、または他の車両に牽引され、かつ、レールによらないで運転する車のほか、原動機を用い、かつ、レールまたは架線によらないで運転する車で所定の条件を満たすもの。ただし、移動用小型車、身体障害者用の車、歩行補助車等は除く

道路標識	道路の交通に関し、**規制または指示を表示する標示板**
道路標示	道路の交通に関し、**規制または指示を表示する標示で、路面に描かれた道路鋲**、ペイント、石等による**線、記号**または**文字**

進路変更※	進行している車両が、車線変更や駐停車のために、右や左に走行位置（進路）を変えること
追越し	車両が他の車両等に追い付いた場合において、その進路を変えてその追い付いた車両等の**側方を通過**し、かつ、その車両等の**前方に出る**こと
進行妨害	車両等が、進行を継続し、または始めた場合においては危険を防止するため他の車両等がその**速度または方向を急に変更しなければならないこととなるおそれ**があるときに、その進行を継続し、または始めること

※は、道交法で定義されている用語ではない

確認しよう! 問題 de 実力チェック!!

学習項目			🔍 できたらチェック ✅
用語の定義	☐	1	車両通行帯とは，車両が道路の定められた部分を通行すべきことが道路標示により示されている場合における当該道路標示により示されている道路の部分をいう。　21年3月
	☐	2	駐車とは，車両等が客待ち，荷待ち，貨物の積卸し，故障その他の理由により継続的に停止すること（荷待ちのための停止で5分を超えない時間内のもの及び人の乗降のための停止を除く。），又は車両等が停止（特定自動運行中の停止を除く。）をし，かつ，当該車両等の運転をする者がその車両等を離れて直ちに運転することができない状態にあることをいう。　29年3月改
	☐	3	徐行とは，車両等が直ちに停止することができるような速度で進行することをいう。　29年3月
	☐	4	路側帯とは，歩行者及び自転車の通行の用に供するため，歩道の設けられていない道路又は道路の歩道の設けられていない側の路端寄りに設けられた帯状の道路の部分で，道路標示によって区画されたものをいう。　4年度CBT
	☐	5	道路標識とは，道路の交通に関し，規制又は指示を表示する標示で，路面に描かれた道路鋲，ペイント，石等による線，記号又は文字をいう。　29年3月
	☐	6	追越しとは，車両が他の車両等に追い付いた場合において，その進路を変えてその追い付いた車両等の側方を通過し，かつ，当該車両等の前方に出ることをいう。　27年3月
	☐	7	進行妨害とは，車両等が，進行を継続し，又は始めた場合においては危険を防止するため他の車両等がその速度又は方向を急に変更しなければならないこととなるおそれがあるときに，その進行を継続し，又は始めることをいう。　28年3月

🅐 解答

1.○／2.× 荷待ちのための停止で5分を超えない時間内のものではなく，貨物の積卸しのための停止で5分を超えない時間内のものである／3.○／4.× 歩行者および自転車の通行の用ではなく，歩行者の通行の用に供し，または車道の効用を保つためである／5.× 記述の内容は道路標示の説明である／6.○／7.○

自動車の種類と最高速度

一般道路や高速道路での貨物自動車の最高速度に関する出題が目立ちます。最高速度は自動車の種類や重さによって異なるため，まず車両総重量と最大積載量から種類を区別できるようになりましょう。

1 自動車の種類

道交法では，自動車を以下の8種類に区分しています。

自動車

①大型自動車　⑤大型自動二輪車　⑦大型特殊自動車
②中型自動車　⑥普通自動二輪車　⑧小型特殊自動車
③準中型自動車
④普通自動車

> **用語**
> **特殊自動車**
> カタピラを有する自動車，ロード・ローラ，ショベル・ローダ，フォーク・リフト，農耕作業用自動車，ロータリ除雪車などのこと。

2 大型自動車・中型自動車・準中型自動車

大型自動車・中型自動車・準中型自動車は，それぞれ以下の①〜③のいずれかに該当します。

	大型自動車	中型自動車	準中型自動車
①最大積載量	6,500kg以上	4,500kg以上 6,500kg未満	2,000kg以上 4,500kg未満
②車両総重量	11,000kg以上	7,500kg以上 11,000kg未満	3,500kg以上 7,500kg未満
③乗車定員	30人以上	11人以上 29人以下	10人以下

> 例えば，最大積載量4,150kgで車両総重量が6,550kgの貨物自動車（トラック）は，準中型自動車に区分されるんだ。

最大積載量	2,000 kg	4,500 kg	6,500 kg
普通自動車	準中型自動車	中型自動車	大型自動車
車両総重量	3,500 kg	7,500 kg	11,000 kg

❸ 最高速度

（1）道路標識等によって指定されている道路

道路標識等によって最高速度が指定されている道路では，その最高速度を超える速度で進行してはなりません。

■「最高速度」の道路標識

最高速度が時速50kmであることを示している

（2）道路標識等によって指定されていない道路

①一般道路の場合

自動車の種類	最高速度
自動車（大型自動車，中型自動車も含む）	**時速60km**
原動機付自転車	時速30km

②高速自動車国道の場合

自動車の種類	最高速度
・大型乗用自動車，中型乗用自動車，準中型乗用自動車，普通乗用自動車 ・**特定中型貨物自動車を除く中型貨物自動車**，準中型貨物自動車，普通貨物自動車 ・大型自動二輪車，普通自動二輪車	**時速100km**
大型貨物自動車，特定中型貨物自動車（ともにトレーラ等を除く）	時速90km

Point 中型自動車のうち，最大積載量5,000kg以上または車両総重量8,000kg以上の貨物自動車（特定中型貨物自動車〔トレーラ等を除く〕）は，高速自動車国道での最高速度が時速90kmである。

ここが重要!!

最高速度の問題が出たら，その道路が一般道路なのか，高速自動車国道なのかをまず確認しましょう。

プラス1

道路交通法施行令が改正され，令和2年4月より，加速車線や減速車線の最高速度も，本線車道と同じになった。また，令和6年4月より，大型・特定中型貨物自動車（トレーラ等を除く）の最高速度が時速90kmになった。

大型・特定中型貨物自動車（トレーラ等を除く）の最高速度は，「実務上の知識及び能力」における特定区間の所要時間の計算問題でも必要になるので，改正後の内容を正確に理解しておきましょう。

用語

トレーラ
ここでは，牽引自動車と被牽引自動車の全体をいう。

23

用語

牽引

引っ張ること。

④ 他の車両を牽引するときの最高速度

（1）自動車が他の車両をロープなどで牽引する場合

最高速度の指定がない**一般道路**では，以下のとおり，最高速度が定められています。

車両総重量2,000kg以下の車両を，その車両の**3倍以上**の車両総重量の自動車で牽引する場合	**時速40km**
それ以外の場合	時速30km

車両総重量　　　　車両総重量
6,000kg　　　　　2,000kg

車両総重量が3倍以上なので，最高速度は時速40km

高速自動車国道で他の車両を牽引して走ることができるのは，牽引するための構造と装置のある自動車が，牽引されるための構造と装置のある車両を牽引する場合に限られています。

（2）牽引のための構造と装置を備えている場合

牽引するための構造と装置を備えた自動車（牽引自動車）が，牽引されるための構造と装置のある車両（被牽引自動車）を牽引する場合は，以下のとおり，最高速度が定められています。

一般道路	時速60km
高速自動車国道	時速80km

セミトレーラ（被牽引自動車）

トラクタ（牽引自動車）

⑤ 最低速度

道路標識等によって最低速度が指定されている道路では，原則としてその最低速度に達しない速度で進行してはなりません。**高速自動車国道の本線車道**の場合，道路標識等による指定がされていない区間では，**時速50km**が最低速度とされています。

PLUS ONE プラス1

危険を防止するためやむを得ないなどの場合には，指定された最低速度に達しない速度で進行することが認められる。

確認しよう！
問題 de 実力チェック!!

学習項目			**Q できたらチェック ☑**
最高速度	☐	1	自動車は，道路標識等によりその最高速度が指定されている道路においてはその最高速度を，高速自動車国道の本線車道（往復の方向にする通行が行われている本線車道で，本線車線が道路の構造上往復の方向別に分離されていないものを除く。）並びにこれに接する加速車線及び減速車線以外の道路においては60キロメートル毎時をこえる速度で進行してはならない。 4年度CBT
	☐	2	貨物自動車（車両総重量12,000キログラム，最大積載量8,000キログラムであって乗車定員3名のトラック）の最高速度は，道路標識等により最高速度が指定されていない高速自動車国道の本線車道（政令で定めるものを除く。）においては，100キロメートル毎時である。 4年度CBT改
他の車両を牽引するときの最高速度	☐	3	貨物自動車運送事業の用に供する車両総重量が4,995キログラムの自動車が，故障した車両総重量1,500キログラムの普通自動車をロープでけん引する場合の最高速度は，道路標識等により最高速度が指定されていない一般道路においては，40キロメートル毎時である。 4年度CBT
	☐	4	セミトレーラ（被けん引自動車）をけん引しているトラクタ（けん引自動車）の最高速度は，一般道路においては，時速50キロメートルである。 16年8月
最低速度	☐	5	貨物自動車運送事業の用に供する車両総重量8,500キログラムの自動車は，法令の規定によりその速度を減ずる場合及び危険を防止するためやむを得ない場合を除き，道路標識等により自動車の最低速度が指定されていない区間の高速自動車国道の本線車道（政令で定めるものを除く。）における最低速度は，時速50キロメートルである。 2年度CBT

A 解答
1.○／2.× 大型貨物自動車（トラック）に該当するため，最高速度は時速90kmである／3.○／4.× 牽引のための構造と装置を備えているため，一般道路では時速60kmである／5.○

第1章　道路交通法関係

Lesson 3 徐行・一時停止

頻出度 **A**

道交法には，車両が徐行または一時停止する場合を定めた規定が数多くあります。試験では，徐行する場合なのか一時停止する場合なのかを問う問題が出題されます。しっかり区別して覚えましょう。

徐行とは，車両等がただちに停止できるような速度で進行することでしたよね。

優先道路
➡P33

プラス1

車両等（優先道路を通行している車両等を除く）は，交通整理の行われていない交差点に入ろうとする場合において，交差道路が優先道路であるとき，またはその通行している道路の幅員よりも交差道路の幅員が明らかに広いものであるときは，徐行しなければならない。

用語

横断歩道等
横断歩道または自転車横断帯のこと。

歩行者等
歩行者または自転車のこと。

① 徐行する必要がある場合

（1）徐行すべき場所

道路標識等によって徐行すべきことが指定されている道路ではもちろんのこと，以下のような場所でも徐行しなければなりません。

■「徐行」の道路標識

①左右の見とおしがきかない交差点

➡ただし，その交差点において信号機などによって交通整理が行われている場合と，優先道路を通行している場合は除きます。

②道路のまがりかど付近，上り坂の頂上付近，勾配の急な下り坂

（2）徐行すべき場合

歩道と車道の区別のない道路で，歩行者の側方を通過するときは，歩行者との間に安全な間隔を保つか，または**徐行しなければなりません**。

横断歩道等に接近する場合は，横断しようとする歩行者等がないことが明らかな場合を除き，横断歩道等の**直前で停止することができるような速度で進行**しなければなりません。

また，道路の左側部分に設けられた安全地帯の側方を通過する場合，**安全地帯に歩行者がいるとき**は，徐行しなければなりません。

❷ 一時停止する必要がある場合

（1）道路標識等により指定されている場合

交通整理が行われていない交差点またはその手前の直近で，**道路標識等**によって一時停止すべきことが指定されているときは，停止位置で一時停止しなければなりません。

■「一時停止」の道路標識

止まれ

「交通整理が行われていない交差点」というのは？

道路標識等による停止線が設けられている場合	**停止線**の直前
道路標識等による停止線が設けられていない場合	**交差点**の直前

信号機のない交差点を思い浮かべるとよいでしょう。

（2）道路標識等がなくても一時停止する場合

①横断歩道等に接近する場合に，歩行者等が横断しているときや横断しようとしているときは，横断歩道等の直前で一時停止し，歩行者等の通行を妨げないようにしなければなりません。

> **Point** 横断歩道等に接近する場合
> ・歩行者等がないことが明らかでない場合は，**徐行**する。
> ・歩行者等が横断し，または横断しようとしている場合は，**一時停止**する。

②横断歩道等またはその手前の直前で停止している車両等がある場合に，その**停止している車両等の側方を通過して前方に出ようとするとき**は，前方に出る前に一時停止しなければなりません。

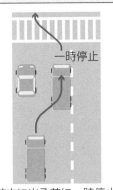
一時停止

前方に出る前に一時停止

用語

歩道等

歩道または路側帯の
こと。

車両は，歩道等と車
道の区別がある道路
では，車道を通行す
るのが原則。ただし，
道路外の施設に出入
りしたり，路側帯で
の駐停車が認められ
る場合には，歩道や
路側帯を通ることが
できる。

用語

緊急自動車

消防車，救急車，パ
トカーなどの自動車
で，緊急用務のため
運転中のもの。

児童，幼児等の乗降
のため停車している
通学通園バスの側方
を通過するときは，
徐行して安全を確認
しなければなりませ
ん。

③道路外の施設などに出入りす
るため，やむを得ず**歩道等を
横断するとき**は，歩道等に入
る直前で一時停止し，歩行者
の通行を妨げないようにしな
ければなりません。

歩道等に入る直前で一時停
止。徐行ではダメ

④法令の規定により，**路側帯に駐停車する場合**も，路側帯
に入る直前で一時停止し，歩行者の通行を妨げないよう
にします。

⑤**交差点やその付近で緊急自
動車が接近**してきたとき
は，交差点を避け，道路の
左側に寄って一時停止しな
ければなりません（一方通
行の道路で，左側に寄ると
緊急自動車の通行の妨げと
なる場合は，右側に寄って
一時停止）。

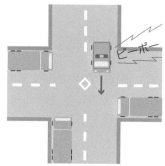

交差点を避けて一時停止

③ 一時停止または徐行する必要がある場合

❶❷以外でも，以下の場合には，**一時停止または徐行**し
て，通行や歩行を妨げないようにしなければなりません。

①身体障害者用の**車**が通行しているとき

②目の見えない人・耳の聞こえない人・身体に一定の障害
をもつ人が**つえ**を携えて通行しているとき

③目の見えない人が**盲導犬**を連れて通行しているとき

④**監護者が付き添わない児童や幼児**が歩行しているとき

⑤高齢の歩行者，身体に障害をもつ歩行者その他の歩行者
で，通行に支障のあるものが通行しているとき

確認しよう！ 問題 de 実力チェック!!

学習項目			Q できたらチェック ✔
徐行する必要がある場合	☐	**1**	車両は，歩道と車道の区別のない道路を通行する場合その他の場合において，歩行者の側方を通過するときは，これとの間に安全な間隔を保ち，又は徐行しなければならない。 29年8月
	☐	**2**	車両等（優先道路を通行している車両等を除く。）は，交通整理の行われていない交差点に入ろうとする場合において，交差道路が優先道路であるとき，又はその通行している道路の幅員よりも交差道路の幅員が明らかに広いものであるときは，その前方に出る前に必ず一時停止しなければならない。 2年8月
一時停止する必要がある場合	☐	**3**	車両等は，横断歩道等に接近する場合には，当該横断歩道等によりその進路の前方を横断し，又は横断しようとする歩行者等があるときは，当該歩行者等の直前で停止することができるような速度で進行し，かつ，その通行を妨げないようにしなければならない。 2年8月
	☐	**4**	車両等は，横断歩道等（法令で定めるものを除く。）又はその手前の直前で停止している車両等がある場合において，当該停止している車両等の側方を通過してその前方に出ようとするときは，その前方に出る前に一時停止しなければならない。 21年8月
	☐	**5**	車両は，道路外の施設又は場所に出入するためやむを得ない場合において歩道等を横断するとき，又は法令の規定により歩道等で停車し，若しくは駐車するため必要な限度において歩道等を通行するときは，徐行しなければならない。 2年8月
一時停止または徐行する必要がある場合	☐	**6**	車両等の運転者は，高齢の歩行者でその通行に支障のあるものが通行しているときは，一時停止し，又は徐行して，その通行を妨げないようにしなければならない。 3年3月
	☐	**7**	車両等の運転者は，身体障害者用の車が通行しているときは，その側方を離れて走行し，通行を妨げないようにしなければならない。 3年度CBT改

A 解答 **1.**○／**2.**✕ この場合は，前方に出る前に必ず一時停止するのではなく，徐行しなければならない／**3.**✕ この場合は，当該横断歩道等の直前で一時停止し，かつ，その通行を妨げないようにしなければならない／**4.**○／**5.**✕ この場合は，歩道等に入る直前で一時停止し，かつ，歩行者の通行を妨げないようにしなければならない。徐行するだけではダメである／**6.**○／**7.**✕ この場合は，一時停止し，または徐行して，身体障害者用の車の通行を妨げないようにしなければならない

通行区分・追越し等

出題の頻度はそれほど多くないものの，ミスをしやすい箇所です。追越しがどのような場合に禁止され，どのような場合に許されるのか，また，優先道路とは何かなどについて，じっくり学習しましょう。

頻出度 **B**

❶ 通行区分

（1）車道通行・左側通行の原則

　車両は，歩道等（歩道または路側帯）と車道の区別のある道路においては，**車道**を通行しなければなりません。また，車両は，道路（歩道等と車道の区別のある道路においては車道）の中央（軌道が道路の側端に寄って設けられている場合は当該道路の軌道敷を除いた部分の中央，また道路標識等によって中央線が設けられているときはその中央線の設けられた道路の部分）から**左側部分**を通行しなければなりません。

（2）左側通行の例外

　左側部分の**幅員**が**6ｍに満たない道路**において，他の車両を追い越そうとするとき（道路の右側部分を見とおすことができ，かつ，反対の方向からの交通を妨げるおそれがない場合に限るものとし，道路標識等により追越しのため右側部分にはみ出して通行することが禁止されている場合を除きます）など法令で定める場合は，道路の**右側部分**にその全部または一部をはみ出して通行することができます。

❷ 車両通行帯

（1）車両通行帯の設けられた道路

　車両は，**車両通行帯の設けられた道路**においては，道路の**左側端から数えて1番目**の車両通行帯を通行しなければなりません。ただし，自動車（法令に定める一部の自動車を除きます）は，その道路の左側部分（その道路が一方通

用語

幅員
道路の幅のこと。

車両通行帯
➡P18

行になっているときは、その道路）に３以上の車両通行帯が設けられているときは、その速度に応じ、その最も右側の車両通行帯以外の車両通行帯を通行することができます。

（２）指定された車両通行帯の通行

車両は、車両通行帯の設けられた道路において、道路標識等により（１）に規定する通行の区分と異なる通行の区分が指定されているときは、その通行の区分に従い、その車両通行帯を通行しなければなりません。

（３）路線バス等優先通行帯

路線バス等の優先通行帯であることが道路標識等により表示されている車両通行帯が設けられている道路において、その車両通行帯を通行している自動車（路線バス等を除きます）は、路線バス等が後方から接近してきた場合にその道路における交通の混雑のためその**車両通行帯から出ることができないこととなるとき**は、道路の状況その他の事情によりやむを得ない場合等を除き、その**車両通行帯を通行してはなりません**。また、後方から**路線バス等が接近してきたとき**は、道路の状況その他の事情によりやむを得ない場合等を除き、その正常な運行に支障を及ぼさないように、すみやかにその車両通行帯の外に出なければなりません。

③ 進路の変更

（１）進路変更の禁止

車両は、みだりに進路を変更してはなりません。特に、進路変更した後の進路と同一の進路を後方から進行してくる車両等の**速度や方向を急に変更させるおそれがあるとき**（急ブレーキや急ハンドルで避けなければならなくさせてしまうようなとき）は、進路変更をしてはなりません。

（２）進路変更を禁止する道路標示があるとき

通行している車両通行帯が、**進路変更の禁止を表示する**

最も右側の車両通行帯は、追越しや右折のために空けておきます。

進路変更とは、進行している車両が車線変更や駐停車のために、右や左に走行位置（進路）を変えることでしたよね。

道路標示によって区画されているときは，原則として，その道路標示を越えて進路を変更してはなりません。

■進路変更の禁止を表示する道路標示

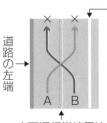

車道中央線など

道路の左端→

A，Bどちらの車両通行帯を通行する車両も，他方へ進路を変更してはならない

車両通行帯境界線
（黄色の線）

例外が認められるのは，以下の場合です。

①接近してくる緊急自動車を優先させるとき

②道路の損壊や工事などのため，その車両通行帯を通行することができないとき

③以上で進路変更したのち，元の車両通行帯にもどるとき

❹ 追越しの方法

他の車両を追い越そうとするときは，その追い越されようとする車両（**前車**）の**右側**を通行しなければなりません。これが原則です。

ただし，前車が右折するために道路の中央または右側端に寄って通行しているときは，その左側を通行して追い越すことができます。

また，追越しをしようとする車両は，反対方向や後方からの交通および前車の前方の交通にも十分に注意し，かつ前車の速度・進路や道路の状況に応じて，できる限り安全な速度と方法で進行しなければなりません。

追越しとは，車両が他の車両等（前車）に追い付いた場合に進路を変えて前車の側方を通過し，前車の前方に出ることをいいます。

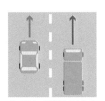

右側から追い越す

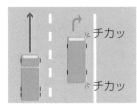

左側から追越しができる

⑤ 追越しの禁止

（1）追越しが禁止される場合

前車が他の自動車またはトロリーバスを追い越そうとしているときは，追越しを始めてはなりません（二重追越しの禁止）。

（2）追越しが禁止される場所

道路標識等によって追越しが禁止されている道路では，他の車両（特定小型原動機付自転車（以下「特定小型原付」）および軽車両を除く）を追い越すために進路を変更したり，前車の側方を通過したりしてはいけません。

■追越し禁止の道路標識

追越し禁止

追越しが禁止される車両には，一般原動機付自転車（以下「一般原付」）が含まれることに注意しましょう。

> **Point** 追越しが禁止される車両
> ➡ 自動車 ＋ 一般原付 ＋ トロリーバス

また，道路標識等がなくても，以下の場所では追越しが禁止されています。

①道路の**曲がり角付近**，**上り坂の頂上付近**，**勾配の急な下り坂**（これらは徐行すべき場所でもある➡P.26）

②**トンネル**内の車両通行帯が設けられていない道路

車両通行帯が設けられていないトンネル	追越し禁止
車両通行帯が設けられているトンネル	追越し可能

③**交差点**，**踏切**，**横断歩道**，**自転車横断帯**およびこれらの手前の側端から前に30ｍ以内の部分

　➡ただし，交差点については，車両が**優先道路**を通行している場合，その**優先道路**にある交差点は除きます。**優先道路**とは，次の①および②の道路です。

📖 用語

特定小型原動機付自転車
いわゆる電動キックボードなどをいう。

一般原動機付自転車
いわゆる一般的な原付バイクやスクーターをいう。

⚡ ひっかけ注意！
追越しが禁止されるのは，勾配の急な下り坂。勾配の急な上り坂ではないことに注意。

①道路標識により優先道路として指定されている道路

②中央線や車両通行帯の道路標示が設けられている道路

⑥ 乗合自動車の発進の保護

　停留所において、乗客の乗降のため停車していた乗合自動車（バス）が、発進するために進路を変更しようとして手または方向指示器によって合図をした場合においては、その後方にある車両は、その速度または方向を急に変更しなければならないこととなる場合を除き、その合図した乗合自動車の進路の変更を妨げてはなりません。

⑦ 踏切の通過

　車両等は、踏切を通過しようとするときは、踏切の直前（道路標識等による停止線が設けられているときは、その停止線の直前）で停止し、かつ、安全であることを確認した後でなければ進行してはなりません。

確認しよう！ 問題 de 実力チェック!!

学習項目	Q できたらチェック ☑
車両通行帯	☐ **1** 車両は，車両通行帯の設けられた道路においては，道路の左側端から数えて１番目の車両通行帯を通行しなければならない。ただし，自動車（小型特殊自動車及び道路標識等によって指定された自動車を除く。）は，当該道路の左側部分（当該道路が一方通行となっているときは，当該道路）に３以上の車両通行帯が設けられているときは，政令で定めるところにより，その速度に応じ，その最も右側の車両通行帯以外の車両通行帯を通行することができる。 `2年8月`
進路の変更	☐ **2** 車両は，進路を変更した場合にその変更した後の進路と同一の進路を後方から進行してくる車両等の速度又は方向を急に変更させることとなるおそれがあるときは，進路を変更してはならない。 `2年8月`
追越しの方法	☐ **3** 車両は，他の車両を追い越そうとするときは，その追い越されようとする車両（以下「前車」という。）の右側を通行しなければならない。ただし，法令の規定により追越しを禁止されていない場所において，前車が法令の規定により右折をするため道路の中央又は右側端に寄って通行しているときは，その左側を通行しなければならない。 `2年8月`
追越しの禁止	☐ **4** 追越しをしようとする車両（後車）は，その追い越されようとする車両（前車）が他の自動車を追い越そうとしているときは，追越しを始めてはならない。 `30年3月`
	☐ **5** 車両は，道路標識等により追越しが禁止されている道路の部分においても，前方を進行している一般原動機付自転車は追い越すことができる。 `29年8月改`
	☐ **6** 車両は，道路の曲がり角付近，上り坂の頂上付近又は勾配の急な下り坂の道路の部分においては，前方が見とおせる場合を除き，他の車両（特定小型原動機付自転車及び軽車両を除く。）を追い越すため，進路を変更し，又は前車の側方を通過してはならない。 `29年8月改`
	☐ **7** 車両は，法令に規定する優先道路を通行している場合における当該優先道路にある交差点を除き，交差点の手前の側端から前に30メートル以内の部分においては，他の車両（特定小型原動機付自転車及び軽車両を除く。）を追い越すため，進路を変更し，又は前車の側方を通過してはならない。 `30年3月改`

A 解答 1.○／2.○／3.○／4.○／5.✕ 一般原付を追い越すことはできない／6.✕ 前方が見とおせる場合であっても追い越すことはできない／7.○

Lesson 5　左折・右折，交差点の通行

頻出度 **A**

交差点での通行に左折・右折を含めた出題がほとんどです。交差点での他の車両との関係では，安全な速度と方法で進行するのか，それとも交差点に入ってはならないのか，などに注意しましょう。

（1）～（3）のいずれの場合も，道路標識等により通行すべき部分が指定されているときは，その部分を徐行します。

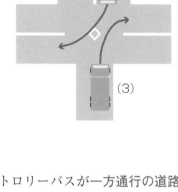

PLUS ONE プラス1

（2）（3）に特定小型原動機付自転車（以下「特定小型原付」）と軽車両が含まれないのは，これらが右折するときは，あらかじめその前からできる限り道路の左側端に寄り，交差点の側端に沿って徐行するものとされているからである。

① 左折または右折の方法

（1）左折するとき

　車両が左折するときは，あらかじめその前からできる限り道路の左側端（さそくたん）に寄り，できる限り左側端に沿って**徐行**しなければなりません。

徐行する

左側端に寄る

（2）右折するとき

　自動車，一般原動機付自転車（以下「一般原付」）またはトロリーバスが右折するときは，あらかじめその前からできる限り道路の**中央に寄り**，交差点の中心の直近の内側を**徐行**しなければなりません。

（2）

（3）

（3）一方通行の道路で右折するとき

　自動車，一般原付またはトロリーバスが一方通行の道路において右折するときは，あらかじめその前からできる限り道路の**右側端に寄り**，交差点の中心の内側を**徐行**しなければなりません。

（4）左折または右折の際の注意点

　左折または右折しようとする車両が，法令の規定により，それぞれ道路の左側端，中央または右側端に寄ろうとして

手または方向指示器による**合図をした場合**においては，その後方にある車両は，その速度または方向を急に変更しなければならないこととなる場合を除き，当該合図をした車両の進路の変更を妨げてはなりません。

② 交差点での他の車両等との関係

（1）一般的なルール

車両等は，交差点に入ろうとするときや交差点内を通行するときには，その**交差点の状況に応じ**，以下のものに特に注意して，**できる限り安全な速度と方法**で進行しなければなりません。

①交差道路を通行する車両等
②**反対方向**から進行してきて右折する車両等
③その交差点または直近で**道路を横断する歩行者**

また，交差点で**右折する場合**に，その交差点で**直進**または**左折**しようとする車両等があるときは，その車両等の**進行妨害**をしてはなりません。

（2）交通整理の行われていない交差点

交通整理の行われていない交差点では，①**交差道路が優先道路であるとき**，または②**通行している道路の幅員(ふくいん)よりも交差道路の幅員が明らかに広いとき**は，その交差道路を通行する車両等の進行妨害をしてはなりません。ただし，自分が通行している道路が優先道路である場合は除きます。

 用語

交差道路
自分が通行している道路と交差する道路のこと。

優先道路
➡P33

交差点内で停止して通行の妨害になりそうなときは，交差点に入っちゃいけないんですね？

そうです。できる限り安全な速度と方法で進行する場合とは違いますよ！

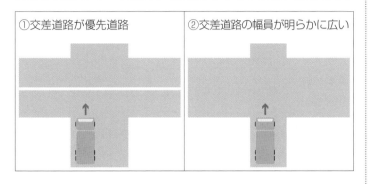

①交差道路が優先道路

②交差道路の幅員が明らかに広い

横断歩道等における
歩行者等の優先につ
いては、レッスン3
で学習しましたね。

プラス1

表中で「軽車両と一
部の一般原付、特定
小型原付を除く」と
しているのは、右折
方法が他の車両等と
異なるからである。
これらが右折しよう
とするときは右折地
点まで直進し、そこ
で右折する（二段階
右折）。青色の灯火の
場合、これら軽車両
と一部の一般原付、
特定小型原付も直進
（右折のための直進を
含む）や左折をする
ことはできる。

プラス1

下記の標識（矢印お
よび枠の色彩は青色、
地の色彩は白色）が
ある場合は、車両は、
黄色または赤色の灯
火の信号にかかわら
ず、左折することが
できる。

（3）交通整理の行われている交差点

　交通整理の行われている交差点に入ろうとする車両等
は、進行しようとする進路の**前方の車両等の状況**により、
交差点に入っても交差点内で停止することになり、交差道
路における車両等の**通行の妨害**となるおそれがあるとき
は、その**交差点に入ってはなりません。**

（4）横断歩道のない交差点での歩行者の優先

　車両等は、交差点またはその直近の**横断歩道のない場所**
で歩行者が道路を横断しているときは、その歩行者の通行
を妨げてはなりません。

③ 信号の種類と意味

信号の種類	信号の意味
青色の灯火（とうか）	車両等（軽車両と一部の一般原付、特定小型原付を除く）は直進し、左折し、または右折できる
黄色の灯火	車両等は、停止位置を越えて進行してはならない。ただし、黄色の灯火信号が表示されたときに停止位置に近接していて**安全に停止できない場合は除く**
赤色の灯火	①車両等は、停止位置を越えて進行してはならない ②交差点ですでに左折している車両等は、**そのまま進行できる** ③交差点ですでに右折している車両等（軽車両と一部の一般原付、特定小型原付を除く）は**そのまま進行できる**。ただし、青色の灯火によって進行している車両等の**進行妨害をしてはならない**
青色の灯火の矢印	車両は、黄色または赤色の灯火信号にかかわらず、**矢印の方向に進行できる**※
黄色の灯火の点滅	車両等は、他の交通に注意して進行できる
赤色の灯火の点滅	車両等は、停止位置で**一時停止**しなければならない

※右折を可能とする青色矢印信号の場合には、右折に加えて転回も可能

④ 環状交差点

環状交差点（ラウンドアバウト）とは，車両の通行の用に供する部分が環状の交差点で，道路標識等により車両が当該部分を右回りに通行すべきことが指定されているものをいいます。

■環状交差点の標識

■環状交差点の通行方法

（1）環状交差点における左折等

車両は，環状交差点において，直進，左折，右折または転回するときは，あらかじめその前からできる限り道路の左側端に寄り，かつ，できる限り環状交差点の側端に沿って（道路標識等により通行すべき部分が指定されているときは，その指定された部分を通行して），徐行しなければなりません。

（2）環状交差点における他の車両等の関係等

環状交差点に入ろうとする車両等は，以下のルールを守らなければなりません。

①環状交差点では，その交差点内を通行する車両等の進行妨害をしてはならない。

②環状交差点に入ろうとするときは，徐行しなければならない。

③環状交差点に入ろうとするとき，およびその交差点内を通行するときは，その交差点の状況に応じて他の車両等およびその交差点またはその直近で道路を横断する歩行者に特に注意し，できる限り安全な速度と方法で進行しなければならない。

（3）環状交差点における合図

環状交差点では，その交差点を出るとき，またはその交差点において徐行，停止もしくは後退するときは，手，方向指示器または灯火により合図をし，かつ，その合図は，それらの行為が終わるまで継続しなければなりません。

学習項目			Q できたらチェック ✔
左折または右折の方法	☐	1	車両は，左折するときは，あらかじめその前からできる限り道路の左側端に寄り，かつ，できる限り道路の左側端に沿って（道路標識等により通行すべき部分が指定されているときは，その指定された部分を通行して）徐行しなければならない。 2年8月
交差点での他の車両等との関係	☐	2	車両等は，交差点に入ろうとし，及び交差点内を通行するときは，当該交差点の状況に応じ，交差道路を通行する車両等，反対方向から進行してきて右折する車両等及び当該交差点又はその直近で道路を横断する歩行者に特に注意し，かつ，できる限り安全な速度と方法で進行しなければならない。 2年8月
	☐	3	車両等は，交通整理の行われていない交差点においては，その通行している道路が優先道路である場合を除き，交差道路が優先道路であるとき，又はその通行している道路の幅員よりも交差道路の幅員が明らかに広いものであるときは，当該交差道路を通行する車両等の進行妨害をしてはならない。 22年3月
	☐	4	交通整理の行われている交差点に入ろうとする車両等は，その進行しようとする進路の前方の車両等の状況により，交差点に入った場合においては当該交差点内で停止することとなり，よって交差道路における車両等の通行の妨害となるおそれがあるときは，できる限り安全な速度と方法で当該交差点に入らなければならない。 25年3月
	☐	5	車両等は，交差点又はその直近で横断歩道の設けられていない場所において歩行者が道路を横断しているときは，必ず一時停止し，その歩行者の通行を妨げないように努めなければならない。 4年度CBT
信号の種類と意味	☐	6	信号機の表示する信号の種類が赤色の灯火のときは，交差点において既に右折している自動車は，青色の灯火により進行することができることとされている自動車に優先して進行することができる。 29年3月

A 解答 1.○／2.○／3.○／4.× できる限り安全な速度と方法で当該交差点に入るのではなく，当該交差点に入ってはならない／5.× 必ずしも一時停止する必要はないが，歩行者の通行を妨げてはならない。また，「努めなければならない」ではなく，歩行者の通行を「妨げてはならない」／6.× 青色の灯火によって進行している車両等の進行妨害をしてはならない

Lesson
6

頻出度 **B**

駐停車の禁止

駐停車または駐車を禁止する場所については，例えば火災報知機から1m以内というように，具体的な範囲が出題されます。一つひとつの場所について何m以内の範囲とされているか，確実に覚えましょう。

❶ 停車および駐車を禁止する場所

道路標識等によって駐停車が禁止されている道路と，以下の場所では，危険防止のために一時停止する場合などを除き，**駐停車が禁止**されています。

■「駐停車禁止」の道路標識等

道路標識

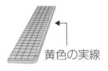
黄色の実線
道路標示

①交差点 ②横断歩道・自転車横断帯 ③踏切・軌道敷内 ④坂の頂上付近・勾配の急な坂（上り・下り） ⑤トンネル	その場所
①**交差点の側端**または**道路の曲がり角**から**5m以内**の部分 ②**横断歩道**または**自転車横断帯**の前後の側端からそれぞれ前後に**5m以内**の部分	5m以内
①**安全地帯**が設けられている道路のその安全地帯の左側の部分およびこの部分の前後の側端からそれぞれ前後に**10m以内**の部分 ②**乗合自動車の停留所**またはトロリーバスや路面電車の停留場を表示する標示柱または標示板の設けられている位置から**10m以内**の部分※ ③**踏切**の前後の側端からそれぞれ前後に**10m以内**の部分	10m以内

※その停留所・停留場の運行系統に属する乗合自動車，トロリーバス，路面電車の運行時間中に限る

駐車とは，客待ちや荷待ち，5分を超える貨物の積卸し，故障等で継続的に停止すること，または運転者が車両等を離れてただちに運転できない状態でしたよね。

そうです。5分を超えない貨物の積卸しや人の乗降のための停止は停車ですよ。

② 駐車を禁止する場所

道路標識等によって駐車が禁止されている道路と，以下の場所では，公安委員会の定めるところにより警察署長の許可を受けたときを除き，駐車が禁止されています。

■「駐車禁止」の道路標識等

道路標識

黄色の破線

道路標示

人の乗降，貨物の積卸し，駐車または自動車の格納・修理のため**道路外に設けられた施設**等の道路に接する自動車用の**出入口から3m以内の部分**	3m以内
①**道路工事**が行われている場合におけるその工事区域の側端から**5m以内の部分** ②**消防用機械器具の置場**・**消防用防火水槽**の側端またはこれらの道路に接する出入口から**5m以内の部分** ③**消火栓**，指定消防水利の標識が設けられている位置または消防用防火水槽の吸水口・吸管投入孔から**5m以内の部分**	5m以内
火災報知機から**1m以内の部分**	1m以内

③ 無余地駐車の禁止

車両の右側の道路上に3.5m（道路標識等によって距離が指定されているときはその距離）以上の余地がなくなる場所には，原則として駐車できません。ただし，以下のような例外があります。

車両の右側に3.5m以上の余地

①貨物の積卸しを行う場合で運転者が車両を離れないとき
②運転者が車両を離れたが，ただちに運転できる状態にあるとき
③傷病者の救護のためやむを得ないとき

❹ 違法駐車に対する措置

（1）違法駐車に対する責任追及の流れ

　警察署長は，警察官等に，違法駐車と認められる車両であって，その運転者が車両を離れてただちに運転できない状態にあるもの（**放置車両**といいます）を**確認**させ，確認した旨などを告知する放置車両確認標章をその車両の見やすい箇所に取り付けさせます。取り付けられた放置車両確認標章は，破ったり（破損），汚したり（汚損），取り除いてはなりませんが，車両の使用者や運転者など，その車両の管理について責任がある者は取り除くことができます。

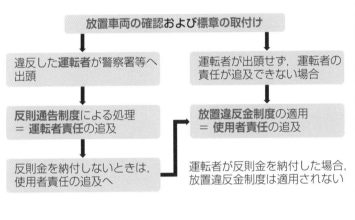

放置車両の確認および標章の取付け

違反した**運転者**が警察署等へ出頭 → **反則通告制度**による処理 ＝ 運転者責任の追及 → 反則金を納付しないときは，使用者責任の追及へ

運転者が出頭せず，運転者の責任が追及できない場合 → **放置違反金制度**の適用 ＝ 使用者責任の追及

運転者が反則金を納付した場合，放置違反金制度は適用されない

　違法駐車に対しては，違法駐車行為をして放置車両確認標章を取り付けられた車両の**運転者**に，警察署等へ出頭させて反則金を納付させる（反則通告制度），すなわち運転者に責任を追及するのが第一です。

　しかし，運転者が反則金を納付しないなど，運転者の責任追及ができない場合は，車両の**使用者**に対して**放置違反金**の納付が公安委員会によって命じられることになります（放置違反金制度）。

（2）違法駐車取締り関係事務の民間委託

　放置車両の確認等の事務は，民間の**放置車両確認機関**に委託することができます。この機関の選任した**駐車監視員**が放置車両の確認等を行うときは，駐車監視員資格者証を

用語

警察官等
警察官または交通巡視員のこと。交通巡視員は駐車違反の取締りや交通安全指導などを行う警察職員。

ひっかけ注意！
車両の使用者や運転者は，取り付けられた放置車両確認標章を取り除くことができる。このとき警察署長の許可などはいらない。

「車両の使用者」とはその車両の運行を支配・管理する者をいい，通常，自動車検査証に記載されている使用者がこれに当たります。例えば，運送会社が所有しているトラック（車両）を従業員が運転している場合，運送会社が「車両の使用者」（従業員が「運転者」）ですね。使用者の義務については，レッスン8でくわしく学習します。

携帯し，警察官等から提示を求められた場合は提示しなければなりません。

確認しよう！ 問題 de 実力チェック!!

学習項目		Q できたらチェック ✔
停車および駐車を禁止する場所	☐ 1	車両は，交差点の側端又は道路の曲がり角から5メートル以内の道路の部分においては，法令の規定若しくは警察官の命令により，又は危険を防止するため一時停止する場合のほか，停車し，又は駐車してはならない。 3年3月
駐車を禁止する場所	☐ 2	車両は，火災報知機から3メートル以内の部分においては，駐車してはならない。 23年3月
	☐ 3	車両は，道路工事が行なわれている場合における当該工事区域の側端から5メートル以内の道路の部分においては，駐車してはならない。 2年度CBT
	☐ 4	車両は，人の乗降，貨物の積卸し，駐車又は自動車の格納若しくは修理のため道路外に設けられた施設又は場所の道路に接する自動車用の出入口から5メートル以内の道路の部分においては，駐車してはならない。 3年3月
	☐ 5	車両は，消防用機械器具の置場若しくは消防用防火水槽の側端又はこれらの道路に接する出入口から5メートル以内の道路の部分においては，駐車してはならない。 2年度CBT
無余地駐車の禁止	☐ 6	車両は，法令の規定により駐車しようとする場合には，当該車両の右側の道路上に3メートル（道路標識等により距離が指定されているときは，その距離）以上の余地があれば駐車してもよい。 3年3月
違法駐車に対する措置	☐ 7	何人も，警察署長の許可を受けなければ，法令の定めるところにより車両に取り付けられた放置車両確認標章を破損し，若しくは汚損し，又はこれを取り除いてはならない。 19年8月

A 解答 1.○／2.× 3m以内ではなく，1m以内である／3.○／4.× 5m以内ではなく，3m以内である／5.○／6.× 3m以上ではなく，3.5m以上である／7.× 車両の使用者や運転者は，警察署長の許可がなくても放置車両確認標章を取り除くことができる

Lesson 7 積載制限および過積載

頻出度 **A**

積載制限や過積載防止に関する問題はほぼ毎回出題されます。積載物の大きさなどを確実に覚えましょう。過積載の防止措置は，「警察署長が荷主に対し」のように，誰が誰に対してという点が重要です。

1 積載の制限

運転者は，政令で定める積載物(せきさい)の重量・大きさ・積載方法（積載重量等）の制限を超えた積載をして車両を運転してはなりません。この制限の内容は，以下のとおりです。

（1）積載物の重量

自動車の積載物の重量は，基本的に**自動車検査証**に記録され，または**保安基準適合標章**に記載されている最大積載重量を超えてはなりません。

（2）積載物の大きさ

①長 さ

自動車の長さにその長さの**10分の2の長さ**を加えたものを超えてはなりません（＝自動車の長さの1.2倍以内）。

②幅

自動車の幅にその幅の**10分の2の幅**を加えたものを超えてはなりません（＝自動車の幅の1.2倍以内）。

③高 さ

3.8mからその自動車の積載場所の高さを減じたものを超えてはなりません（＝荷台に積載した状態で高さ3.8m以内）。

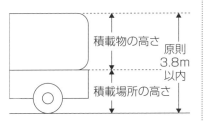

自動車検査証
➡P188

📖 **用語**

保安基準適合標章
車検の終了後，国が自動車検査証を発行するまで民間車検場が代わりに交付する標章のこと。

🚚 **プラス1**

道交法が改正され，令和4年5月より，積載物の長さと幅の制限が変更となった。

🚚 **プラス1**

積載物の高さについては，公安委員会が道路や交通の状況により支障がないと認めた場合には3.8m以上4.1m以内とすることができる。

Point　積載物の大きさ制限のまとめ

長さ	自動車の長さにその**10分の2**の長さを加えた長さまで
幅	自動車の幅にその**10分の2**の幅を加えた幅まで
高さ	**3.8m**から自動車の積載場所の高さを減じた高さまで

試験では大型貨物自動車の積載制限に関する問題が出題されています。大型貨物自動車にもここで学習している積載制限が適用されます。

PLUS ONE プラス1

道交法が改正され，令和4年5月より，積載物の積載方法の制限が変更となった。

PLUS ONE プラス1

分割不可能貨物等のように出発地警察署長が制限外許可をしたときは，許可証が交付される。運転者は運転中，この制限外許可証を携帯していなければならない。

PLUS ONE プラス1

（4）のほか，「許可に係る人員の範囲内の人員を貨物自動車の荷台に乗車させた状態で運転すること」を認める制限外許可もある。

（3）積載物の積載方法

　自動車の車体の前後から**自動車の長さの10分の1の長さ**を超えてはみ出してはなりません。また，車体の左右から**自動車の幅の10分の1の幅**を超えてはみ出してはなりません。

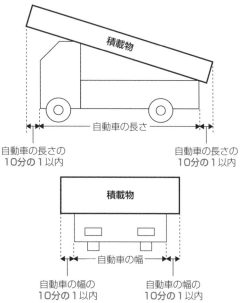

積載物

自動車の長さ

自動車の長さの
10分の1以内

自動車の長さの
10分の1以内

積載物

自動車の幅

自動車の幅の
10分の1以内

自動車の幅の
10分の1以内

（4）分割不可能な貨物の特例

　貨物が分割できないため積載重量等の制限を超えてしまう場合，出発地を管轄する**警察署長**が，車両の構造または道路・交通の状況から支障がないと認めて**許可**したときは，許可された範囲内で制限を超える積載をして運転することができます。これを**制限外許可**といいます。

❷ 過積載の防止

　過積載とは，車両に，積載物の重量の制限を超えて積載することをいいます。

　過積載は重大事故の原因となるため，道交法では，**運転者，車両の使用者**のほか，**荷主**に対しても過積載防止のための義務や措置を定めています。

（1）運転者に対して

　警察官は，過積載をしていると認められる車両が運転されているときはその**車両を停止させ**，運転者に自動車検査証や制限外許可証などの一定の**書類の提示を求め**，さらに車両の**積載物の重量を測定**することができます。

> 過積載の防止措置には以下のような関係があるんですね！
> （1）警察官
> 　　　↓
> 　　　運転者
> （2）公安委員会
> 　　　↓
> 　　　車両の使用者
> （3）警察署長
> 　　　↓
> 　　　荷　主

　また，警察官は，過積載をしている車両の運転者に対し，過積載とならないようにするため必要な**応急の措置**をとることを命じることができます（応急措置命令）。

（2）車両の使用者に対して

　運転者に応急措置命令が出された場合，車両の使用者が過積載を防止するため必要な運行の管理を行っていると認められないときには，**公安委員会は車両の使用者に対し**，過積載を防止するため必要な措置をとることを**指示**することができます。

　なお，自動車の使用者はその業務に関し，運転者に過積載運転を**命じ**たり，**容認**したりしてはなりません。

> 公安委員会から車両の使用者に対し，自動車の使用制限命令が出されることもありますよ。使用者の義務については，レッスン8でくわしく学習します。

（3）荷主に対して

　荷主は，運転者に**過積載運転を要求**したり，過積載になることを知りながら，重量の制限を超える積載物を運転者に引き渡したりしてはなりません。

　警察署長は，荷主がこれに違反した場合，**反復してこの違反行為をするおそれがある**と認めるときは，その荷主に対して，**違反行為をしてはならない旨を命じる**ことができます（再発防止命令）。

学習項目		**Q できたらチェック ✔**
積載の制限	☐ **1**	積載物の高さは，3.8メートル（公安委員会が道路又は交通の状況により支障がないと認めて定めるものにあっては3.8メートル以上4.1メートルを超えない範囲内において公安委員会が定める高さ）からその自動車の積載をする場所の高さを減じたものを超えてはならない。　30年3月
	☐ **2**	積載物の長さは，自動車の長さにその長さの10分の2の長さを加えたものを超えてはならず，積載の方法は，自動車の車体の前後から自動車の長さの10分の1の長さを超えてはみ出してはならない。　3年3月改
	☐ **3**	車両（軽車両を除く。）の運転者は，当該車両について政令で定める乗車人員又は積載物の重量，大きさ若しくは積載の方法の制限を超えて乗車をさせ，又は積載をして車両を運転してはならない。ただし，当該車両の出発地を管轄する警察署長による許可を受けてもっぱら貨物を運搬する構造の自動車の荷台に乗車させる場合にあっては，当該制限を超える乗車をさせて運転することができる。　3年3月
過積載の防止	☐ **4**	警察官は，積載物の重量の制限を超える積載をしていると認められる自動車が運転されているときは，当該自動車を停止させ，並びに当該自動車の運転者に対し，自動車検査証その他政令で定める書類の提示を求め，及び当該自動車の積載物の重量を測定することができる。　27年3月
	☐ **5**	警察官は，過積載をしている自動車の運転者に対し，当該自動車に係る積載が過積載とならないようにするため必要な応急の措置をとることを命ずることができる。　29年3月
	☐ **6**	警察署長は，荷主が自動車の運転者に対し，過積載をして自動車を運転することを要求するという違反行為を行った場合において，当該荷主が当該違反行為を反復して行うおそれがあると認めるときは，内閣府令で定めるところにより，当該自動車の運転者に対し，当該過積載による運転をしてはならない旨を命ずることができる。　3年3月

A 解答 1. ○／2. ○／3. ○／4. ○ 「政令で定める書類」として，制限外許可証などがある／5. ○／6. × 自動車の運転者ではなく，荷主に対して命じることができる。これを再発防止命令という

自動車使用者の義務

Lesson 8

頻出度 **A**

使用者の義務，公安委員会による指示，事業者と監督行政庁への通知は頻出です。文中の空欄に入れる語句を選ぶ出題が多いので，本文の赤字の語句に注意しながら，繰り返し声に出して読むと効果的です。

1 使用者の義務

　自動車の**使用者等**はその業務に関し，自動車の**運転者**に対し，以下の①〜⑦の行為を**命じたり**，または運転者がこれらの行為をすることを**容認したり**してはなりません。

① 無免許運転

② 最高速度違反運転

③ 酒気帯び運転

④ 過労・薬物運転

⑤ 無資格運転

⑥ 積載制限違反運転

⑦ 車両放置行為

用語

使用者等

使用者のほか，安全運転管理者，運行管理者など，自動車の運行を直接管理する地位にある者のこと。

 プラス1

左の①〜⑦の行為は，それぞれ道交法の以下の条文に違反するもの。

① 第64条
② 第22条第1項
③ 第65条第1項
④ 第66条
⑤ 第85条第5項・第6項等
⑥ 第57条第1項
⑦ 第44条第1項・第45条第1項等

用語

無資格運転

例えば，21歳未満の者などは中型免許を取得しても中型の緊急自動車の運転資格がない。

⇒P57

使用者等が①～⑦の行為を命じたり，容認したりして，自動車の運転者がそのいずれかの行為をした場合に，使用者がその業務に関し自動車を使用することが著しく道路における交通の危険を生じさせ，または著しく交通の妨害となるおそれがあると認めるときは，公安委員会はその自動車の使用者に対し，**6か月を超えない範囲内**で期間を定め，その自動車を運転したり運転させたりしてはならない旨を命じることができます（**自動車の使用制限命令**）。

2 公安委員会による指示

以下の場合には，公安委員会は**使用者**に対し，それぞれに応じた指示をすることができます。

過積載防止のための使用者の義務や公安委員会の措置については，レッスン7でも学習しましたね。

最高速度違反行為の防止	運転者が**最高速度違反行為**を使用者の業務に関してした場合，使用者がこれを防止するため必要な**運行の管理**を行っていると認められないとき	最高速度違反行為となる運転が行われないよう	運転者に**指導**しまたは**助言**するなど必要な措置をとることを**指示**することができる
過積載の防止	**過積載**をしている車両の運転者に対し，警察官から応急措置命令が出された場合，使用者が過積載を防止するため必要な**運行の管理**を行っていると認められないとき	あらかじめ車両の積載物の重量を確認することを	
過労運転の防止	運転者が**過労運転**を使用者の業務に関してした場合，使用者がこれを防止するため必要な**運行の管理**を行っていると認められないとき	過労運転が行われないよう	

ここが重要!!
公安委員会の指示や自動車の使用制限命令などについては，文章中の空欄に語句を埋める形式で出題されています。特に太字の語句に注意しましょう。

 用語

過労運転
過労により正常な運転ができないおそれがある状態で車両を運転する行為のこと。

 Point

使用者に対する**公安委員会による指示**は，
①**最高速度違反行為の防止**，②**過積載の防止**，③**過労運転の防止**

❸ 公安委員会による通知

運転者が，道交法・これに基づく命令の規定または道交法の規定に基づく**処分**に違反した場合，その違反が**使用者の業務**に関してなされたものであると認めるときは，公安委員会は，使用者が道路運送法の規定による自動車運送事業者などであるときは，その事業者およびその事業を監督する行政庁に対し，違反の内容を通知します。

公安委員会による通知も，空欄を埋める形式で出題されます。通知先が事業者と監督行政庁である点が重要ですよ。

❹ 放置違反金と車検拒否制度

放置車両確認標章の取り付けられた車両の運転者が反則金を納付しない場合などは，車両の**使用者**に**放置違反金**の納付が命じられることをすでに学習しました。

この場合，使用者も放置違反金を納付せず，公安委員会から督促を受けたことがあるときは，車検の際に，放置違反金を納付したことまたは徴収されたことを証する書面を提示しなければ，**自動車検査証を返付しない**ものとされています。つまり，放置違反金を納付しない限り車検手続は完了せず，車検が受けられないのと同じことになります。そのため，このしくみを車検拒否制度といいます。

放置違反金の納付についてはレッスン6で学習しましたね。

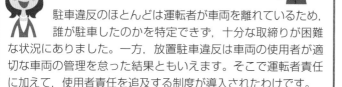

Q&A

放置駐車違反の責任は，その車両の運転者にとらせるべきではないのでしょうか？

駐車違反のほとんどは運転者が車両を離れているため，誰が駐車したのかを特定できず，十分な取締りが困難な状況にありました。一方，放置駐車違反は車両の使用者が適切な車両の管理を怠った結果ともいえます。そこで運転者責任に加えて，使用者責任を追及する制度が導入されたわけです。

学習項目	Q できたらチェック ✔
使用者の義務	☐ **1** 自動車の使用者は，その者の業務に関し，自動車の運転者に対し，道路交通法第57条（乗車又は積載の制限等）第1項の規定に違反して政令で定める積載物の重量，大きさ又は積載の方法の制限を超えて積載をして運転することを命じ，又は自動車の運転者がこれらの行為をすることを容認してはならない。 30年3月
公安委員会による指示	☐ **2** 車両の運転者が最高速度違反行為を当該車両の使用者（当該車両の運転者であるものを除く。以下同じ。）の ⬚**A** した場合において，当該最高速度違反行為に係る車両の使用者が当該車両につき最高速度違反行為を防止するため必要な ⬚**B** を行っていると認められないときは，当該車両の使用の本拠の位置を管轄する公安委員会は，当該車両の使用者に対し，最高速度違反行為となる運転が行われることのないよう運転者に ⬚**C** することその他最高速度違反行為を防止するため必要な措置をとることを ⬚**D** することができる。 27年3月
公安委員会による通知	☐ **3** 車両等の運転者が道路交通法若しくは同法に基づく命令の規定又は同法の規定に基づく ⬚**A** に違反した場合において，当該違反が当該違反に係る車両等の使用者の ⬚**B** に関してなされたものであると認めるときは，⬚**C** は，内閣府令で定めるところにより，当該車両等の使用者が道路運送法の規定による自動車運送事業者，貨物利用運送事業法の規定による第二種貨物利用運送事業を経営する者であるときは当該事業者及び ⬚**D** に対し，当該違反の内容を通知するものとする。 22年3月
放置違反金と車検拒否制度	☐ **4** 自動車検査証の返付（道路運送車両法の規定による自動車検査証の返付をいう。以下同じ。）を受けようとする者は，その自動車が最後に道路運送車両法の規定による自動車検査証の交付又は自動車検査証の返付を受けた後に督促（当該自動車が原因となった納付命令に係るものに限る。）を受けたことがあるときは，当該督促に係る放置違反金等を納付したこと又はこれを徴収されたことを証する書面を提示しなければ，自動車検査証の返付を受けることができない。 19年8月

A 解答 1.○／2. A→業務に関して B→運行の管理 C→指導し又は助言 D→指示／3. A→処分 B→業務 C→公安委員会 D→当該事業を監督する行政庁／4.○

Lesson 9

運転者の遵守事項，合図

運転者の義務のうち，運転者の遵守事項と交通事故の場合の措置がよく出題されます。交通事故の場合の措置は，文章の空欄を埋める形式が頻出です。ウインカーなどの合図の時期もここで学習しましょう。

頻出度 **A**

❶ 運転者の遵守事項

　道交法で定めている運転者の遵守事項のうち，重要なものについて確認しましょう。

①安全を確認せずに，**ドアを開いたり自動車から降りたり**しないようにし，また**乗車している他の者**がこれらの行為により**交通の危険**を生じさせないよう必要な措置を講じます。

②積載物が道路に**転落**または**飛散**したときは，すみやかにこれらの物を除去するなど，道路における**危険を防止**するため必要な措置を講じます。

③自動車が**停止しているときを除き**，携帯電話用装置などの無線通話装置（その全部または一部を手で保持しなければ送受信できないもの）を通話のために使用してはなりません。また，**画像表示用装置**に表示された画像を注視してはなりません。

自動車を徐行させれば携帯電話を使えますか？

停止しなければ使えません。ただし，傷病者の救護や公共の安全維持のため走行中に緊急やむを得ず通話することは認められます。

📖 **用語**

画像表示用装置
カーナビや携帯電話・スマートフォン等のディスプレイなどのこと。

PLUS ONE プラス1

疾病のため座席ベルトを装着することが療養上適当でない者など，一定のやむを得ない理由があるときは装着しないことが認められている。

用語

本線車道等

本線車道またはこれに接する加速車線，減速車線，登坂車線のこと。

停止表示器材
➡P210

用語

交通事故

車両等の交通による人の死傷または物の損壊のこと。

ここが重要!!

事故の際は，救急車の要請よりも負傷者の救護がまず大切です。また，道路の通行の確保ではなく危険を防止する措置を講じます。

ひっかけ注意!

事故の原因や道路の状況，遺留品の有無などは報告事項ではない。

④自動車を離れるときは，**原動機を止め**，完全にブレーキをかけるなど自動車が停止の状態を保つため必要な措置を講じます。

⑤自動車（二輪車を除く）の運転者は，**座席ベルトを装着せずに運転してはなりません**。また，座席ベルトを装着しない者を運転者席以外の乗車装置（座席）に乗車させて運転してはなりません。

⑥故障などの理由により，**高速自動車国道**や自動車専用道路の本線車道等またはこれらに接する路肩もしくは路側帯で運転できなくなったときは，停止表示器材を見やすい位置に置いて，自動車が故障などの理由で停止していることを表示しなければなりません。

② 交通事故の場合の措置

交通事故があったときは，その車両等の運転者その他の乗務員は，ただちに車両等の運転を停止し，負傷者を救護し，道路における危険を防止するなど必要な措置を講じなければなりません。

Point 交通事故があったときは，
①**運転を停止**，②**負傷者を救護**，③**危険を防止**

この場合に，車両等の運転者（運転者が死亡または負傷したためやむを得ないときはその他の乗務員）は，警察官が現場にいるときはその**警察官**に，警察官が現場にいないときはただちに最寄りの警察署（派出所または駐在所を含む）の警察官に，以下の事項を**報告**しなければなりません。

①事故が発生した**日時および場所**

②事故における**死傷者の数**および**負傷者の負傷の程度**

③事故で損壊した物および損壊の程度

④事故にかかわる車両等の**積載物**

⑤事故について**講じた措置**

54

3 運転者が行う合図

　車両（自転車以外の軽車両を除く）の運転者は，左折し，右折し，転回し，徐行し，停止し，後退し，または同一方向に進行しながら進路を変えるときは，手，**方向指示器**または灯火により合図をし，これらの**行為が終わるまで**その**合図を継続**しなければなりません。

　自動車の運転者が合図を行う時期は，以下のとおりです。

合図を行う場合	合図を行う時期
左折するとき	左折しようとする地点（交差点で左折する場合はその交差点の手前の側端）から**30m手前**の地点に達したとき
右折または**転回**するとき	右折または転回しようとする地点（交差点で右折する場合はその交差点の手前の側端）から**30m手前**の地点に達したとき
同一方向に進行しながら進路を**左方**に変えるとき	進路を左方に変えようとする時の**3秒前**のとき
同一方向に進行しながら進路を**右方**に変えるとき	進路を右方に変えようとする時の**3秒前**のとき
徐行または**停止**するとき	徐行または停止しようとするとき
後退するとき	後退しようとするとき

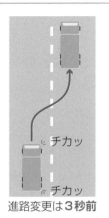

チカッ
チカッ
左折・右折は**30m手前**

チカッ
チカッ
進路変更は**3秒前**

プラス**1**

自動車運転者が合図する場合は，方向指示器（ウインカー）を操作したり，制動灯（ブレーキランプ）や後退灯（バックランプ）をつけたりする。

第1章　道路交通法関係

問題 de 実力チェック!!

学習項目			🅠 できたらチェック ✔
運転者の遵守事項	☐	**1**	自動車を運転する場合においては，当該自動車が停止しているときを除き，携帯電話用装置（その全部又は一部を手で保持しなければ送信及び受信のいずれをも行うことができないものに限る。）を通話（傷病者の救護等のため当該自動車の走行中に緊急やむを得ずに行うものを除く。）のために使用してはならない。 `2年度CBT`
	☐	**2**	車両等に積載している物が道路に転落し，又は飛散したときは，必ず道路管理者に通報するものとし，当該道路管理者からの指示があるまでは，転落し，又は飛散した物を除去してはならない。 `3年3月`
交通事故の場合の措置	☐	**3**	交通事故があったときは，当該交通事故に係る車両等の運転者その他の乗務員は，直ちに車両等の運転を停止して，　**A**　し，道路における危険を防止する等必要な措置を講じなければならない。この場合において，当該車両等の運転者（運転者が死亡し，又は負傷したためやむを得ないときは，その他の乗務員）は，警察官が現場にいるときは当該警察官に，警察官が現場にいないときは直ちに最寄りの警察署の警察官に当該交通事故が発生した日時及び場所，当該交通事故における　**B**　及び負傷者の負傷の程度並びに損壊した物及びその損壊の程度，当該交通事故に係る車両等の積載物並びに　**C**　を報告しなければならない。 `2年度CBT`
運転者が行う合図	☐	**4**	車両の運転者が同一方向に進行しながら進路を左方又は右方に変えるときの合図を行う時期は，その行為をしようとする地点から30メートル手前の地点に達したときである。 `3年3月`
	☐	**5**	車両（自転車以外の軽車両を除く。）の運転者は，左折し，右折し，転回し，徐行し，停止し，後退し，又は同一方向に進行しながら進路を変えるときは，手，方向指示器又は灯火により合図をし，かつ，これらの行為が終わるまで当該合図を継続しなければならない。（環状交差点における場合を除く。） `2年度CBT`

🅐 解答 **1.**○／**2.**× すみやかに除去するなど，道路における危険を防止するために必要な措置を講じなければならない／**3. A**→負傷者を救護 **B**→死傷者の数 **C**→当該交通事故について講じた措置／**4.**× 30ｍ手前の地点に達したときではなく，進路を左方または右方に変えようとする時の3秒前のときである／**5.**○

Lesson 10

頻出度 **C**

運転免許

大型免許・中型免許・準中型免許で運転できる車両等を覚えましょう。また，免許の効力の仮停止については，その期間や対象となる交通事故がよく出題されます。

1 運転免許の種類

（1）第一種免許の種類

　自動車等を運転するには，公安委員会の運転免許を受けなければなりません。運転免許には第一種免許，第二種免許および仮免許の3つの区分があります。**第一種免許**のうち，主な免許で運転できる自動車等を確認しましょう。

第一種免許の種類	運転できる自動車			
	大型自動車	中型自動車	準中型自動車	普通自動車
①**大型**免許	○	○	○	○
②**中型**免許	―	○	○	○
③**準中型**免許	―	―	○	○
④**普通**免許	―	―	―	○

　また，以上の①～④の免許は，すべて**小型特殊自動車**および**一般原動機付自転車**の運転ができます。

（2）政令で定める自動車の運転に関する資格制限

　大型免許や中型免許，準中型免許の場合には，政令で定める自動車の運転について以下のような資格制限があるので注意しましょう。

①**大型免許を受けた者**で，**21歳未満の者**または大型・中型・準中型・普通・大型特殊免許のいずれかを受けていた期間（免許の効力が停止されていた期間を除く）が通算して**3年に達しない者**は，政令で定める**大型自動車，中型自動車または準中型自動車**を運転できない。

②**中型免許を受けた者**（大型免許保有者を除く）で，**21歳未満の者**または大型・中型・準中型・普通・大型特殊免

用語

自動車等
自動車および一般原動機付自転車のこと。

第二種免許
バスやタクシーなどの旅客自動車を，旅客を運送する目的で運転する場合に必要な免許のこと。

政令で定める大型自動車や中型自動車，準中型自動車，普通自動車には，消防車，救急車などの緊急自動車が含まれます。無資格運転についてはレッスン8で学習しましたね。

許のいずれかを受けていた期間（免許の効力が停止されていた期間を除く）が通算して**3年に達しない者**は，**政令で定める中型自動車または準中型自動車を運転できない**。

③準中型免許を受けた者（大型免許・中型免許保有者を除く）で，**21歳未満の者**または大型・中型・準中型・普通・大型特殊免許のいずれかを受けていた期間が通算して**3年に達しない者**は，**政令で定める準中型自動車を運転できない**。また，**2年に達しない者**は，**政令で定める普通自動車を運転できない**。

2 準中型免許の新設

道交法の一部改正（平成29年3月12日施行）により，従来の普通自動車と中型自動車の間に**準中型自動車**が加えられ，これに対応して準中型免許が新設されました。

【改正前】

最大積載量	区分	乗車人数			
		車両総重量		11人	30人
				5 t	11 t
	区分	普通自動車		中型自動車	大型自動車
6.5 t▶	大型自動車	大型免許			
3 t▶	中型自動車	中型免許			
	普通自動車	普通免許			

【改正後】

最大積載量	区分	乗車人数			
		車両総重量		11人	30人
		3.5 t	7.5 t	11 t	
	区分	普通自動車	準中型自動車	中型自動車	大型自動車
6.5 t▶	大型自動車	大型免許			
4.5 t▶	中型自動車	中型免許			
2 t▶	準中型自動車	準中型免許			
	普通自動車	普通免許			

これにより，改正前は普通免許で運転できた最大積載量2,000 〜 3,000kg，車両総重量3,500 〜 5,000kgの自動車は，

大型自動車・中型自動車・準中型自動車の区分についてはレッスン2で学習しましたね。

近年は，いわゆる2tトラックでも車両総重量5tを超えるものが多くなったため，年齢や運転経験を要件とする中型免許を取得しなくても若いドライバーが小型トラックを運転できるようにしようというのが法改正のねらいです。

準中型免許を受けないと運転できなくなりました。

ただし，中型免許の新設（平成19年6月2日）から**準中型免許**が新設されるまでに普通免許を受けていた者についてはその既得権を保護するため，車両総重量5,000kg未満で最大積載量3,000kg未満の貨物自動車および乗車定員10人以下の乗用自動車を運転できます。

③ 免許の取消し・停止

免許を受けた者が，道交法・これに基づく命令の規定または道交法の規定に基づく処分に違反するなど一定の事由に該当することとなったときは，**公安委員会**は政令で定める基準に従い，その者の**免許を取り消したり，6か月**を超えない範囲内で期間を定めて**免許の効力を停止**したりすることができます。

なお，医師の診断等により，一定の病気等（自動車等の運転に支障を及ぼすおそれのある一定の症状を呈する病気等）のおそれがあるために臨時適性検査を受けることになった者で，かつて交通事故を起こし，その状況から判断して，一定の病気等が疑われる場合などは，3か月を超えない範囲内で期間を定め，暫定的に免許の効力を停止することができます。

④ 免許の効力の仮停止

免許を受けた者が，自動車等の運転により**交通事故**を起こし，人を**死亡**させたり**傷つけ**たりした場合に，一定の事由に該当するときは，事故を起こした場所を管轄する**警察署長**は，事故を起こした日から起算して**30日を経過**する日を終期として，免許の効力を仮に停止すること（仮停止）ができます。

> **Point** 免許の効力の仮停止の期間は，交通事故の日から30日経過した日を終期とする。

PLUS ONE プラス1

中型免許が新設される前（平成19年6月1日以前）に普通免許を取得し，「8t限定中型免許」を保有している者は，これまでと同様に車両総重量8,000kg未満の自動車を運転できる。

PLUS ONE プラス1

道交法が改正され，令和2年6月より，あおり運転（レッスン12で学習）をした者も免許の取消しの対象となった。

免許の効力の仮停止は，公安委員会による免許の取消しや効力の停止の処分が行われるまでの間，警察署長が道路交通上の危険（再び交通事故を起こす危険性の高い危険な運転者）を取り除くための制度です。

人を死傷させたかどうかが「仮停止」となるポイントです。

「交通事故の場合の措置」とは、ただちに車両等の運転を停止して、負傷者を救護し、道路における危険を防止するなど必要な措置を講じることでしたよね。

PLUS ONE プラス1

道交法が改正され、令和2年6月より、免許の効力の仮停止の対象となる一定の事由に、あおり運転（道路における著しい交通の危険を生じさせた場合）も含まれた。

（1）仮停止の対象となる主な交通事故

①交通事故を起こして人を死亡させ、または傷つけた場合において、**交通事故の場合の措置**の規定に違反したとき

②**酒気帯び運転や過労運転等**の禁止の規定に違反し、アルコールや薬物の影響により正常な運転ができないおそれのある状態で自動車等を運転した者が、交通事故を起こして人を死亡させ、または傷つけたとき

③**あおり運転**により道路における著しい交通の危険を生じさせた者が、交通事故を起こして人を死亡させ、または傷つけたとき

④運転中の携帯電話用装置などの**無線通話装置**の使用または**画像表示用装置**の画像の注視による違反行為をし、道路における交通の危険を生じさせた者が、交通事故を起こして人を死亡させ、または傷つけたとき

⑤**最高速度違反**や**積載制限違反**をした者が、交通事故を起こして人を死亡させたとき

（2）弁明の機会の付与

　仮停止の処分をした警察署長は、処分の日から起算して**5日以内**に、処分を受けた者に対し**弁明の機会**を与えなければなりません。

⑤ 高齢運転者対策

（1）高齢者講習

　免許証の更新を受けようとする者で更新期間が満了する日における年齢が70歳以上のもの（当該講習を受ける必要がないものとして政令で定める者を除く）は，更新期間が満了する日前6か月以内にその者の住所地を管轄する公安委員会が行った高齢者講習を受けていなければなりません。

（2）認知機能検査

　免許証の更新を受けようとする者で更新期間が満了する日における年齢が75歳以上のもの（医師による診断書を提出した場合など認知機能検査を受ける必要がないものとして内閣府令で定める場合を除く）は，更新期間が満了する日前6か月以内にその者の住所地を管轄する公安委員会等が行った認知機能検査を受けていなければなりません。

（3）運転技能検査

　免許証の更新を受けようとする者で更新期間が満了する日における年齢が75歳以上のもので，一定の違反歴がある者は，更新期間が満了する日前6か月以内にその者の住所地を管轄する公安委員会等が行った運転技能検査を受けていなければなりません。

　一定の違反歴とは，更新前の免許証の有効期間満了日の直前の誕生日の160日前の日前3年間において，次の基準違反行為をしたことがあることをいいます。

　①信号無視，②通行区分違反，③通行帯違反等，④速度超過，⑤横断等禁止違反，⑥踏切不停止等・遮断踏切立入り，⑦交差点右左折方法違反等，⑧交差点安全進行義務違反等，⑨横断歩行者等妨害等，⑩安全運転義務違反，⑪携帯電話使用等。

プラス1

道交法が改正され，令和4年5月より，75歳以上で一定の違反歴のある者は，運転技能検査の受検が義務化された。

（4）臨時高齢者講習等

　75歳以上の者が，自動車等の運転に関し**認知機能が低下した場合に行われやすい一定の違反行為**をしたときは，その違反行為をした日の3か月前の日以後に認知機能検査等を受けた場合などを除き，臨時認知機能検査を受けなければなりません。

　認知機能が低下した場合に行われやすい**一定の違反行為**とは，次の行為をいいます。

　①信号無視，②通行禁止違反，③通行区分違反，④横断等禁止違反，⑤進路変更禁止違反，⑥遮断踏切立入り等，⑦交差点右左折方法違反，⑧指定通行区分違反，⑨環状交差点左折等方法違反，⑩優先道路通行車妨害等，⑪交差点優先車妨害，⑫環状交差点通行車妨害等，⑬横断歩道等における横断歩行者等妨害，⑭横断歩道のない交差点における横断歩行者妨害，⑮徐行場所違反，⑯指定場所一時不停止等，⑰合図不履行，⑱安全運転義務違反。

　臨時認知機能検査の結果，「認知症のおそれがある」と判定された者は，臨時適性検査を受検するか，医師の診断書を提出しなければなりません。その臨時適性検査の結果または医師の診断書により，「認知症ではない」と判定された場合でも，**前回の認知機能検査時より検査結果が悪くなっている場合**は，臨時高齢者講習を受けなければなりません。

確認しよう！ 問題 de 実力チェック!!

学習項目			Q できたらチェック ✔
運転免許の種類	☐	1	第一種免許では，大型免許を受けた者であって，21歳以上かつ普通免許を受けていた期間（当該免許の効力が停止されていた期間を除く。）が通算して3年以上のものは，車両総重量が11,000キログラム以上のもの，最大積載量が6,500キログラム以上のもの又は乗車定員が30人以上の大型自動車を運転することができる。 元年8月改
準中型免許の新設	☐	2	準中型自動車とは，大型自動車，中型自動車，大型特殊自動車，大型自動二輪車，普通自動二輪車及び小型特殊自動車以外の自動車で，車両総重量3,500キログラム以上，7,500キログラム未満のもの又は最大積載量2,000キログラム以上4,500キログラム未満のものをいう。 31年3月
免許の効力の仮停止	☐	3	運転免許を受けた者に対し仮停止をするときの期間は，当該交通事故を起こした日から起算して60日を経過する日までとする。 20年8月
	☐	4	自動車等の運転者が交通事故を起こして人を死亡させ，又は傷つけた場合において，道路交通法第72条（交通事故の場合の措置）第1項前段の規定（直ちに車両等の運転を停止して，負傷者を救護し，道路における危険を防止する等必要な措置を講じること。）に違反したときは，その者に対し，仮停止をすることができる。 21年8月
	☐	5	道路交通法第65条（酒気帯び運転等の禁止）第1項の規定（何人も，酒気を帯びて車両等を運転してはならない。）に違反して自動車等を運転した者で，その運転をした場合において酒に酔った状態にあったものが，交通事故を起こして人を死亡させ，又は傷つけたときは，その者に対し，仮停止をすることができる。 21年8月
高齢運転者対策	☐	6	免許証の更新を受けようとする者で更新期間が満了する日における年齢が70歳以上のもの（当該講習を受ける必要がないものとして法令で定める者を除く。）は，更新期間が満了する日前6ヵ月以内にその者の住所地を管轄する公安委員会が行った「高齢者講習」を受けていなければならない。 2年度CBT

A 解答 1.○／2.○／3.× 交通事故を起こした日から起算して60日を経過する日までではなく，30日である／4.○／5.○／6.○

第1章　道路交通法関係

Lesson 11 道路標識

試験では，道路標識の意味が出題されます。それぞれの標識の規制対象となる車両の種類に注意しましょう。特に，最大積載量や車両総重量の大きさが関係するものは要注意です。

頻出度 **C**

試験に出題されるのは，規制標識です。

1 道路標識の種類

　道路標識は本標識と補助標識に区分されます。本標識には案内標識・警戒標識・規制標識・指示標識の4種類があります。補助標識は，本標識の意味を補足するために設置される標識で，通常は本標識の下に取り付けられます。

道路標識 ─┬─ 本標識 ─┬─ 案内標識
　　　　　 │ 　　　　　├─ 警戒標識
　　　　　 │ 　　　　　├─ 規制標識
　　　　　 └─ 補助標識 └─ 指示標識

本標識 ←　
追越し禁止 ← 補助標識

案内標識	警戒標識	指示標識
目的地・通過地の方向，距離や道路上の位置などを示す	道路上で警戒すべきことや危険などを知らせる	特定の交通方法など必要な事項を知らせる

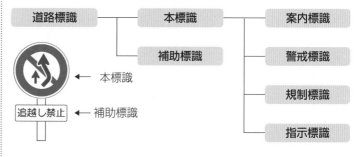

② 規制標識

　規制標識は，車両や歩行者に対し，交通の**禁止・制限・指定**を行うために設置される標識です。重要な規制標識とその意味を確認しましょう。

①		**通行止め**
		歩行者，**車両**および**路面電車**の通行を禁止する
②		**車両通行止め**
		車両の通行を禁止する
③		**車両進入禁止**
		道路における車両の通行につき一定の方向への通行が禁止される道路において，**車両がその禁止される方向に向かって進入すること**を禁止する
④		**大型貨物自動車等通行止め**
		大型貨物自動車，**特定中型貨物自動車**および大型特殊自動車の通行を禁止する
⑤		**特定の最大積載量以上の貨物自動車等通行止め**
		④の自動車に加えて，**補助標識で示された最大積載量以上の貨物自動車**の通行を禁止する
⑥		**指定方向外進行禁止**
		標示板の**矢印の示す方向以外の方向への車両の進行**を禁止する

ここが重要!!

④の標識では，貨物自動車は最大積載量5,000kg以上，または車両総重量8,000kg以上のものが規制対象となります。特定中型貨物自動車はすでに学習しましたね。

⑤の標識で「積3t」ということは，最大積載量3,000kg以上の貨物自動車も通行できないということですね！

PLUS ONE プラス1

⑨の「右側部分」とは、道路の中央から右の部分（中央線がある場合は中央線から右の部分）のことをいう。

ひっかけ注意！

⑪の制限する重量は車両総重量であって最大積載量ではないことに注意。

車両総重量が5.5 t を「超える」と通行禁止ということは、ちょうど5,500kgの場合は通行できるってことですね！

⑦		車両横断禁止
		車両の**横断**を禁止する。ただし、道路外の施設または場所に出入りするための左折を伴う横断は除く
⑧		転回禁止
		車両の転回（Uターン）を禁止する
⑨		追越しのための右側部分はみ出し通行禁止
		車両が、**追越しのために右側部分にはみ出**して通行することを禁止する
⑩		追越し禁止
	追越し禁止	車両（特定小型原動機付自転車および軽車両を除く）の**追越し**を禁止する
⑪		重量制限
	5.5t	**標示板に表示される重量を超える総重量**の車両の通行を禁止する
⑫		高さ制限
	3.3m	**標示板に表示される高さを超える高さ**（積載した貨物の高さを含む）の車両の通行を禁止する
⑬		最大幅
	2.2m	法令の規定で定まる車両の**最大幅**（積載した貨物の幅を含む）**を超える幅の車両の通行が禁止されていることを示す**

⑭	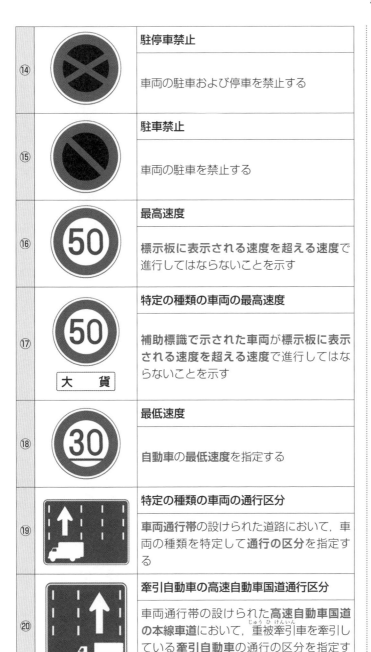	**駐停車禁止** 車両の駐車および停車を禁止する
⑮		**駐車禁止** 車両の駐車を禁止する
⑯		**最高速度** **標示板に表示される速度を超える速度**で進行してはならないことを示す
⑰		**特定の種類の車両の最高速度** **補助標識で示された車両が標示板に表示される速度を超える速度**で進行してはならないことを示す
⑱		**最低速度** **自動車の最低速度**を指定する
⑲		**特定の種類の車両の通行区分** **車両通行帯**の設けられた道路において，車両の種類を特定して**通行の区分**を指定する
⑳		**牽引自動車の高速自動車国道通行区分** 車両通行帯の設けられた**高速自動車国道の本線車道**において，重被牽引車を牽引している**牽引自動車**の通行の区分を指定する

プラス1
下記の標識は，駐停車禁止の規制が「8時から20時まで」行われることを示す。

⑰の場合は「大貨」なので，大型貨物自動車が時速50kmを超える速度で進行してはならないという意味ですね。

ここが重要!!
⑲では大型貨物自動車，特定中型貨物自動車および大型特殊自動車が最も左側の車両通行帯を通行しなければならないことを示しています。

用語
重被牽引車
牽引される側の車両で車両総重量750kgを超えるもののこと。

67

プラス1

車両の種類を表示するときの主な略称は以下のとおり。
- 「大型」
  大型自動車
- 「大貨」
  大型貨物自動車
- 「大貨等」
  大型貨物自動車
  特定中型貨物自動車
  大型特殊自動車
- 「バス」
  大型乗用自動車
  特定中型乗用自動車

プラス1

平成30年12月より，「タイヤチェーンを取り付けていない車両通行止め」の規制標識が新設された。この標識は，異例な降雪があったときに，指定区間についてタイヤチェーンを取り付けていない車両の通行を禁止する意味を表示している（いわゆるチェーン規制）。

㉑		**専用通行帯**
		車両通行帯の設けられた道路において，特定の車両が通行しなければならない**専用通行帯**を指定する
㉒		**路線バス等優先通行帯**
		路線バスや通学通園バスなどの**優先通行帯**であることを表示する
㉓		**牽引自動車の自動車専用道路第一通行帯通行指定区間**
		車両通行帯の設けられた**自動車専用道路の本線車道**において，重被牽引車を牽引している**牽引自動車**が，最も左側の車両通行帯（**第一通行帯**）を通行しなければならない区間を指定する
㉔		**環状の交差点における右回り通行**
		車両の通行の用に供する部分が**環状の交差点**において，車両が**右回り**（時計回り）に通行すべきことを指定する

Point

 ◀標識中のこの表示の規制対象

①最大積載量5,000kg以上
または
車両総重量8,000kg以上
の貨物自動車（**大型貨物自動車＋特定中型貨物自動車**）
②**大型特殊自動車**

確認しよう！ 問題 de 実力チェック!!

学習項目	🅠 できたらチェック ✔
規制標識	☐ **1** 車両は，指定された方向以外の方向に進行してはならない。 2年度CBT改
	☐ **2** 道路における車両の通行につき一定の方向にする通行が禁止される道路において，車両がその禁止される方向に向かって進入することができない。 20年8月
	☐ **3** 最大積載量が5,500キログラムを超える貨物自動車は通行できない。 17年8月
	☐ **4** 追越し禁止 車両は，他の車両（特定小型原動機付自転車及び軽車両を除く。）を追い越すことができない。 22年3月改
	☐ **5** 大型貨物自動車，特定中型貨物自動車及び大型特殊自動車は，最も左側の車両通行帯を通行しなければならない。 2年度CBT改
	☐ **6** 車両総重量が9,800キログラムで最大積載量が5,500キログラムの特定中型自動車（専ら人を運搬する構造のもの以外のもの）は通行してはならない。 29年3月

🅐 解答 **1.×** 車両の横断を禁止する道路標識であるが，道路外の施設または場所に出入りするための左折を伴う横断はできる／**2.○**／**3.×** 最大積載量ではなく，車両総重量5,500kgを超える貨物自動車が通行できない／**4.○**／**5.○**／**6.○**

罰　則

これまで学習してきたことのまとめとして，罰則を学習しましょう。試験では，違反行為に対して何年の懲役といくらの罰金が科せられるのかが問われますが，条文の番号まで覚える必要はありません。

① 罰則の意義

　罰則とは，違反行為を行った者に懲役や罰金などの刑罰を科すための規定で，道交法ではさまざまな罰則を定めています。

　罰則は，違反行為をした**運転者**だけでなく，運転者に違反行為を命じたり（**下命**），運転者の違反行為を**容認**したりした自動車の**使用者等**にも科される場合があります。

② 罰則のうち重要なもの

Point

違反行為	罰　則
救護義務違反	10年以下の懲役または100万円以下の罰金
酒酔い運転	5年以下の懲役または100万円以下の罰金
妨害運転（著しい交通の危険）	5年以下の懲役または100万円以下の罰金
妨害運転（交通の危険のおそれ）	3年以下の懲役または50万円以下の罰金
酒気帯び運転	3年以下の懲役または50万円以下の罰金
過労運転	3年以下の懲役または50万円以下の罰金
無免許運転	3年以下の懲役または50万円以下の罰金
ながら運転（交通の危険）	1年以下の懲役または30万円以下の罰金
最高速度違反	6か月以下の懲役または10万円以下の罰金
過積載運転	6か月以下の懲役または10万円以下の罰金
ながら運転（保持）	6か月以下の懲役または10万円以下の罰金

（1）救護義務違反

　車両等（軽車両を除く）の運転者が，その車両等の交通による**人の死傷**があった場合に，ただちに運転を停止し，負傷者を救護し，道路の危険を防止するなどの必要な措置をとらなかったとき，その死傷が運転者の運転に起因する場合に科されます。

（2）飲酒運転
①酒酔い運転

　酒気帯び運転の禁止に違反して車両等を運転した者で，運転中に**酒に酔った状態**（アルコールの影響で正常な運転ができないおそれがある状態）にあったものに科されます。これを下命・容認した自動車の使用者等も同様です。

②酒気帯び運転

　酒気帯び運転の禁止に違反して車両等（軽車両を除く）を運転した者で，運転中，身体に政令で定める程度以上にアルコールを保有する状態にあったものに科されます。これを下命・容認した自動車の使用者等も同様です。

　また，酒気を帯びている者で，酒気帯び運転の禁止に違反して車両等を運転することとなるおそれがあるものに対し，車両等を提供した者にも科されます。車両の運転者が酒気を帯びていることを知りながら，当該運転者に対し，当該車両を運転して自己を運送することを要求し，または依頼して，当該運転者が酒気帯び運転の禁止に違反して運転する車両に同乗した者にも科されます。

（3）妨害運転（あおり運転）
①妨害運転（交通の危険のおそれ）

　他の車両等の**通行を妨害する目的**で，次のいずれかの行為であって，当該他の車両等に道路における**交通の危険**を生じさせるおそれのある方法によるものをした者に科されます。

- 通行区分違反（対向車線からの接近など）
- 急ブレーキ禁止違反（不要な急ブレーキをかける）

プラス1 救護義務違反の場合で，警察官への報告をしなかったときは，3か月以下の懲役または5万円以下の罰金が科される。

プラス1 酒気帯び運転に該当するアルコール濃度は，呼気1Lにつき0.15mgとされている。

プラス1 道交法が改正され，令和2年6月より，妨害運転罪が新設され，妨害運転の対象となる10類型が明確にされた。

- 車間距離不保持（極端に車間距離をつめる）
- 進路変更禁止違反（割り込みなど）
- 追越し違反（左側からの追越しなど）
- 減光等義務違反（執拗なパッシングなど）
- 警音器使用制限違反（不要なクラクション）
- 安全運転義務違反（幅寄せや蛇行運転など）
- 高速自動車国道における最低速度違反（最低速度未満での走行）
- 高速自動車国道等における駐停車違反

②妨害運転（著しい交通の危険）

①の罪を犯し，よって**高速自動車国道等**において他の自動車を**停止**させ，その他道路における著しい交通の危険を生じさせた（相手車両を停車させたり，衝突事故を発生させるなど）者に科されます。

（4）過労運転

過労によって正常な運転ができないおそれのある状態で車両等を運転した者に科されます。これを下命・容認した自動車の使用者等も同様です。

（5）無免許運転

運転免許を受けている者でなければ運転できないとされている車両等を，免許を受けずに運転した者に科されます。これを下命・容認した自動車の使用者等も同様です。

（6）携帯電話使用等（ながら運転）

①ながら運転（保持）

運転中に携帯電話等を手で保持して通話のために使用し，または持ち込まれた画像表示用装置を手で保持して表示された画像を注視した者に科されます。

②ながら運転（交通の危険）

運転中に携帯電話等を手で保持して通話のために使用し，または自動車等に取り付けられもしくは持ち込まれた画像表示用装置に表示された画像を注視したことにより，道路における交通の危険を生じさせた者に科されます。

用語

高速自動車国道等
高速自動車国道または自動車専用道路のこと。

画像表示用装置
➡P53

（7）最高速度違反運転

　最高速度の規定の違反となるような行為をした者（過失による場合を除く）に科されます。これを下命・容認した自動車の使用者等も同様です。

（8）過積載運転

　車両（軽車両を除く）の運転者が，積載物の重量の制限を超える積載をしてその車両を運転したときに科されます。これを下命・容認した自動車の使用者等も同様です。

罰金も反則金も，結局はお金を払うものだから，同じ制度と考えてよいのでしょうか？

　罰金は，懲役や禁錮などと同じ刑罰の一種です。これに対し，反則金は駐車違反などの比較的軽い道路交通法違反行為（反則行為）を行った者を行政手続で処理する制度であり，刑罰ではありません。反則金の性質は通告に基づいて納付する行政上の制裁金とされており，前科として残ることはありません。一方，刑罰である罰金を科せられた場合は前科となります。

過失とは，わざとではなく不注意で違反行為をしてしまうことです。過失による最高速度違反運転の場合は3か月以下の禁錮（きんこ）または10万円以下の罰金になります。

📖 **用語**

懲役と禁錮

懲役は刑務所に収容して所定の作業を行わせる刑罰。一方，禁錮も刑務所に収容する刑罰だが，作業は行わせない。

学習項目	❓ できたらチェック ✔
罰則のうち重要なもの	☐ **1** （1）何人も，酒気を帯びて車両等を運転してはならない。 （2）何人も，酒気を帯びている者で，（1）の規定に違反して車両等を運転することとなるおそれがあるものに対し，　**A**　してはならない。 （3）（1）の規定に違反して車両等（軽車両を除く。）を運転した者で，その運転をした場合において身体に血液1ミリリットルにつき0.3ミリグラム又は呼気1リットルにつき　**B**　ミリグラム以上にアルコールを保有する状態にあったものは，3年以下の懲役又は50万円以下の罰金に処する。　4年度CBT改
	☐ **2** 道路交通法第117条の2の2第1項第8号の罪（妨害運転罪）を犯し，道路における交通の危険のおそれを生じさせた者は，5年以下の懲役又は100万円以下の罰金に処せられる。　予想
	☐ **3** 道路交通法第66条（過労運転等の禁止）の規定に違反して，過労により正常な運転ができないおそれのある状態で自動車を運転した者は，1年以下の懲役又は30万円以下の罰金に処せられる。　18年8月改
	☐ **4** 道路交通法第64条第1項（無免許運転の禁止）の規定に違反した者は，3年以下の懲役又は50万円以下の罰金に処せられる。　18年8月改
	☐ **5** 道路交通法第22条（最高速度）の規定の違反となるような行為をした者（過失による場合を除く。）は，6ヵ月以下の懲役又は10万円以下の罰金に処せられる。　18年8月

A 解答 1.**A**→車両等を提供 **B**→0.15／**2**.✕ 道路における交通の危険のおそれを生じさせた者ではなく，妨害運転罪を犯し，よって高速自動車国道等において他の自動車を停止させ，その他道路における著しい交通の危険を生じさせた者である／**3**.✕ 1年以下の懲役または30万円以下の罰金ではなく，3年以下の懲役または50万円以下の罰金である／**4**.○／**5**.○

第2章

貨物自動車運送事業法関係

安全で，確実な，高品質の輸送サービスを提供するために，運行管理者をはじめ，貨物運送にかかわる者はどうすればよいでしょう。貨物運送の安全性を高めること，そして，よりスムーズな物流を確保することを目指して，企業運営の適正化などを図るルールを学びましょう。

Lesson 1 貨物自動車運送事業

頻出度 **B**

貨物自動車運送事業のうち，出題されるのはほぼ一般貨物自動車運送事業に関する問題です。またこの章では，「許可」あるいは「認可」を必要とするのか，「届出」で足りるのかということがとても重要です。

① 貨物自動車運送事業法の目的

トラックなどの自動車を使用して，代金をとって顧客の貨物を運送する事業を貨物自動車運送事業といいます。

貨物自動車運送事業法（以下「事業法」）では，以下のことを目的としています。

> 事業法の目的については，文章の空欄を埋める形式で出題されています。

Point 事業法の目的
① 貨物自動車運送事業の運営を適正かつ合理的なものとする
② 事業法およびこれに基づく措置の遵守等を図るための民間団体等による自主的な活動を促進することによって，
　・輸送の安全を確保する
　・貨物自動車運送事業の健全な発達を図る
③ 以上の①②をもって，公共の福祉の増進に役立つ

② 貨物自動車運送事業の種類

> **PLUS ONE プラス1**
> バス・タクシーなどによる「旅客」の自動車運送事業については，道路運送法が定めている。

事業法では，貨物自動車運送事業を以下のとおり分類しています。

貨物自動車運送事業
- 一般貨物自動車運送事業
  - 特別積合せ貨物運送
  - 貨物自動車利用運送
- 特定貨物自動車運送事業
  - 貨物自動車利用運送
- 貨物軽自動車運送事業

（1）一般貨物自動車運送事業

　不特定多数の荷主から**貨物**の運送の依頼を受け，**有償**で（対価として**運賃**などを受け取って），**自動車**を使用してこれを運送する事業です。業務として**特別積合せ貨物運送**をするものとしないものとがあります。また，貨物自動車利用運送を行うものと行わないものがあります。

①特別積合せ貨物運送

　営業所等で**不特定多数**の荷主から集貨された貨物の仕分けを行い，これを**積み合わせて**他の営業所等に運送し，そこで配達に必要な仕分けを行う事業で，営業所等の間の運送を**定期的**に行うものをいいます。

②貨物自動車利用運送

　他の貨物自動車運送事業者を**利用**して貨物運送を行う事業形態です。自ら引き受けた運送を，別の事業者に下請けに出すかたちが典型的です。

（2）特定貨物自動車運送事業

　特定の荷主の依頼だけを，有償で受ける貨物自動車運送事業です。貨物自動車利用運送を行うものと行わないものがあります。特別積合せ貨物運送はしません。

（3）貨物軽自動車運送事業

　不特定多数の荷主から貨物の運送の依頼を受け，有償で，**三輪以上の軽自動車や二輪自動車**を使用してこれを運送する事業です。

PLUS ONE プラス1

一般貨物自動車運送事業と特定貨物自動車運送事業で使用する自動車には，三輪以上の軽自動車および二輪自動車は含まない。

特別積合せ貨物運送は，宅配便などをイメージすればいいんですね。

貨物軽自動車運送事業の例としては，通信販売などの商品の配送やバイク便などが挙げられます。

第2章 貨物自動車運送事業法関係

ひっかけ注意!

必要なのは「許可」であって，「認可」ではないことに注意。

プラス1

一般貨物自動車運送事業者は，事業を休止し，または廃止しようとするときは，その30日前までに，その旨を国土交通大臣に届け出なければならない。

事業計画
➡P81

プラス1

特定貨物自動車運送事業にも許可が必要とされる。これに対し，貨物軽自動車運送事業の場合は届出だけで経営ができる。

③ 一般貨物自動車運送事業の許可

> **Point** 一般貨物自動車運送事業を経営したいときは，
> • 許可を申請する。
> • 申請書には必要な書類を添付する。

一般貨物自動車運送事業を経営しようとする者は，**国土交通大臣の許可**を受けなければなりません。

許可を申請する際には，以下の事項を記載した申請書を提出する必要があります。

①氏名または名称，住所，法人の場合は代表者の氏名

②営業所の名称および位置

③事業に使用する自動車（事業用自動車）の概要

④**特別積合せ貨物運送**をするかどうかの別

⑤**貨物自動車利用運送**を行うかどうかの別

⑥その他国土交通省令で定める事項に関する事業計画

また，許可の申請書には，事業用自動車の運行管理の体制などの国土交通省令で定める事項を記載した**書類を添付**しなければなりません。

国土交通大臣は，以下の基準に適合していると認めるときでなければ，許可をしてはなりません。

①事業の計画が過労運転の防止，事業用自動車の安全性，その他輸送の安全を確保するため適切なものであること

②事業用自動車の数，自動車車庫の規模などに関し，その事業を継続して遂行するために適切な計画を有するものであること

③その事業を自ら適確に，かつ，継続して遂行するに足る経済的基礎およびその他の能力を有するものであること

④特別積合せ貨物運送にかかるものにあっては，事業場における必要な積卸施設の保有および管理，事業用自動車の運転者の乗務の管理，積合せ貨物にかかる紛失等の事故の防止その他特別積合せ貨物運送を安全かつ確実に実施するため特に必要となる事項に関し適切な計画を有するものであること

なお，一般貨物自動車運送事業者が許可を受けることができない者としては，主に以下のものが挙げられます。

・1年以上の懲役または禁錮の刑の執行終了または執行を受けることがなくなった日から5年を経過していない者
・許可の取消しを受けた日から5年を経過していない者

 プラス1

事業法が改正され，令和元年11月より許可を受けることができない欠格期間が「2年」から「5年」に延長された。

「許可」とはどういう意味を持つものですか？「認可」とはどのような違いがあるのでしょうか？

許可とは，ある行為が一般的に禁止されているとき，特定の場合にこの禁止を解いて，適法に行為できるようにする行政処分です。貨物自動車による運送事業をどんな人にも勝手に営業させるわけにはいかないので，一定の基準を満たす場合だけ許可することにしています。これに対し，認可はある行為の効力を完成させるための行政処分です。許可とは異なり，対象となる行為はもともと禁止されているわけではありませんが，認可を受けない限り完全な効力が生じません。

第2章　貨物自動車運送事業法関係

学習項目	Q できたらチェック ☑
貨物自動車運送事業法の目的	☐ **1** 貨物自動車運送事業法は，貨物自動車運送事業の運営を ☐ **A** ☐ なものとするとともに，貨物自動車運送に関するこの法律及びこの法律に基づく ☐ **B** ☐ を図るための ☐ **C** ☐ による自主的な活動を促進することにより，輸送の安全を確保するとともに，貨物自動車運送事業の ☐ **D** ☐ を図り，もって公共の福祉の増進に資することを目的とする。 25年8月改
貨物自動車運送事業の種類	☐ **2** 貨物自動車利用運送とは，一般貨物自動車運送事業，特定貨物自動車運送事業又は貨物軽自動車運送事業を経営する者が他の一般貨物自動車運送事業，特定貨物自動車運送事業又は貨物軽自動車運送事業を経営する者の行う運送（自動車を使用して行う貨物の運送に係るものに限る。）を利用してする貨物の運送をいう。 2年8月
	☐ **3** 貨物軽自動車運送事業とは，他人の需要に応じ，有償で，自動車（三輪以上の軽自動車及び二輪の自動車に限る。）を使用して貨物を運送する事業をいう。 2年度CBT
	☐ **4** 特別積合せ貨物運送とは，特定の者の需要に応じて有償で自動車を使用し，営業所その他の事業場（以下「事業場」という。）において，限定された貨物の集貨を行い，集貨された貨物を積み合わせて他の事業場に運送し，当該他の事業場において運送された貨物の配達に必要な仕分を行うものであって，これらの事業場の間における当該積合せ貨物の運送を定期的に行うものをいう。 2年度CBT
一般貨物自動車運送事業の許可	☐ **5** 一般貨物自動車運送事業を経営しようとする者は，国土交通大臣の認可を受けなければならない。 2年8月
	☐ **6** 一般貨物自動車運送事業の許可の取消しを受けた者は，その取消しの日から2年を経過しなければ，新たに一般貨物自動車運送事業の許可を受けることができない。 4年度CBT

A 解答 **1.** A→適正かつ合理的 B→措置の遵守等 C→民間団体等 D→健全な発達／**2.×** 貨物自動車利用運送とは，一般貨物自動車運送事業または特定貨物自動車運送事業を経営する者が，他の一般貨物自動車運送事業または特定貨物自動車運送事業を経営する者の行う運送を利用してする貨物の運送をいう。貨物軽自動車運送事業は含まれない／**3.○**／**4.×**「特定の者」ではなく，「他人（＝不特定多数の者）」。また，「限定された貨物の集貨を行い」ではなく，「営業所その他の事業場において集貨された貨物の仕分を行い」／**5.×** 国土交通大臣の許可を受けなければならない。認可ではない／**6.×** 5年を経過しなければ，許可を受けることができない

Lesson 2

事業計画と運送約款

事業計画と運送約款のそれぞれについて，設定や変更するときに許可や認可が必要なのか，届出で足りるのかが問われます。また，届出をあらかじめするのか，遅滞なくするのかなどの区別も重要です。

頻出度 **A**

① 事業計画

（1）設　定

　一般貨物自動車運送事業を経営しようとする者が国土交通大臣に許可の申請をする際は，申請書に**事業計画**として，以下の事項等を記載しなければなりません。

①主たる事務所の名称および位置

②営業所の名称および位置

③各営業所に配置する**事業用自動車の種別および種別ごとの数**

④自動車車庫の位置および収容能力

⑤事業用自動車の**運転者，特定自動運行保安員**および運行の業務の補助に従事する従業員の休憩または睡眠のための施設の位置および収容能力

⑥特別積合せ貨物運送をするかどうかの別

　特別積合せ貨物運送をする場合は，その運行系統や**運行車**などの事項

⑦貨物自動車利用運送を行うかどうかの別

　貨物自動車利用運送を行う場合は，利用する事業者の概要などの事項

　一般貨物自動車運送事業者は，その業務を行う場合には**事業計画に定めるところに従う義務**があります。

　これに違反していると認められる場合，国土交通大臣はその一般貨物自動車運送事業者に対し，事業計画に従って業務を行うよう命じることができます。

事業計画を許可申請書に記載することはレッスン1で学習しましたね。

📖 **用語**

事業用自動車の種別
霊柩自動車かまたは霊柩自動車以外の普通自動車かの別。

特定自動運行保安員
特定自動運行貨物運送（特定自動運行による貨物の運送）の用に供する特定自動運行事業用自動車（事業用自動車のうち，貨物自動車運送事業の用に供する特定自動運行用自動車）の運行の安全の確保に関する業務を行う者。

運行車
特別積合せ貨物運送にかかわる運行系統に配置される事業用自動車のこと。

届出で足りる場合もあるんですね。

試験でよく出題されます。「あらかじめ」なのか「遅滞なく」なのかの違いが重要ですよ。

PLUS ONE プラス1

国の定める基準に適合しなくなるような事業用自動車の数の変更とは，例えば，減車によって営業所ごとの最低車両数（5両）を下回る場合や増車しても5両を下回る場合など。

（2）変　更

　一般貨物自動車運送事業者が事業計画を変更しようとするときは，**国土交通大臣の認可を受けなければなりません。**これが原則です。ただし，以下の事項等について変更する場合は，届出をするだけでよいとされています。

①**事業用自動車に関する一定の事項**

➡あらかじめ（変更前に）届け出なければなりません。

・各営業所に配置する事業用自動車の種別ごとの数の変更（国の定める基準に適合しなくなるような事業用自動車の数の変更については，原則どおり，国土交通大臣の認可を受ける）

・各営業所に配置する運行車の数の変更

②**一定の軽微な事項**

➡変更後，遅滞なく届け出なければなりません。

・主たる事務所の名称および位置の変更

・営業所または荷扱所の名称の変更

・営業所または荷扱所の位置の変更（貨物自動車利用運送のみにかかわるものなど）

・貨物自動車利用運送を行う場合の業務の範囲，利用する事業者の概要などの変更

Point 事業計画の変更

原　則	認　可	
例　外	事業用自動車の種別ごとの数の変更※など	**あらかじめ届出**
	軽微な事項	変更後**遅滞なく届出**

※国の定める基準に適合しなくなるような事業用自動車の数の変更については，認可

Q&A

「届出」は，「許可」や「認可」と
どう違うのですか？

許可や認可の場合は，これらを申請した後，行政機関
による許可や認可の判断を待たなければなりません。
これに対し，届出の場合は所定の事項を届け出るだけで完結す
るため，行政機関による判断を待つ必要がありません。

❷ 運送約款

運送業者は，荷主からの依頼に基づいて貨物を運送し，
その対価として運賃などを受け取ります。このような契約
を運送契約といいます。

しかし，依頼を受けるたびに運賃の収受（しゅうじゅ）や貨物の取扱方
法といった契約内容を交渉していては大変です。そこで，
大量に行われる取引を画一的に処理するため，あらかじめ
定型化された契約条項を作成しておくと便利です。このよ
うな定型的な運送契約条項を運送約款（やっかん）といいます。

（1）認　可

Point 一般貨物自動車運送事業者が，運送約款を定めたとき，お
よび変更するときには，国土交通大臣の認可が必要となる。

一般貨物自動車運送事業者は，運送約款を定めるものと
されています。しかし，自分にとって都合のよい約款を作
成して，**荷主などの利益**を害するようなことがあってはい
けません。

そのため，一般貨物自動車運送事業者が運送約款を定め

🔔 ひっかけ注意！

運送約款は，設定の
ときも変更のときも
認可が必要。事業計
画の変更のときと混
同しないように。

PLUS ONE プラス1

運賃とは貨物の運送自体に対する対価であり、料金とは運送に付帯するサービスの提供などに対する対価をいう。

PLUS ONE プラス1

事業法が改正され、令和元年11月より運賃および料金は、原則としてそれぞれを分別して収受しなければならないことが明確化された。

📖 用語

標準運送約款
見本（モデル）として国土交通大臣が定めた運送約款。

認可を受けたものとみなされるということは、認可の申請をしなくてもよいということです。届出をする必要もありません。試験によく出題されるので覚えておきましょう。

たときは、**国土交通大臣**の**認可**を受けることとされています。運送約款を**変更**するときにも認可が必要です。

　運送約款に記載すべき主な事項は、以下のとおりです。

①特別積合せ貨物運送をするかどうかの別

②貨物自動車利用運送を行うかどうかの別

③運賃および料金の収受または払戻しに関する事項

④運送の引受けに関する事項

⑤受取り、引渡しおよび保管に関する事項

⑥**損害賠償**その他責任に関する事項

　なお、一般貨物自動車運送事業者が定めた、または変更した運送約款を国土交通大臣が認可するときは、主に以下の基準によります。

• 荷主の正当な利益を害するおそれがないものであること

• 少なくとも運賃および料金の収受や、一般貨物自動車運送事業者の責任に関する事項が明確に定められているものであること

（2）標準運送約款

　国土交通大臣が標準運送約款を定めて公示した場合に、一般貨物自動車運送事業者が標準運送約款と**同一の運送約款を定めたり**、現在定めている運送約款を標準運送約款と**同一のものに変更**したときは、その運送約款については**認可を受けたものとみなされます**。標準運送約款と同一であれば、運賃や責任などに関する事項が明確に定められており、荷主の利益を害するおそれもないといえるからです。

（3）運送約款の掲示等

　一般貨物自動車運送事業者は、運賃および料金（**個人を対象**とするものに限る）、運送約款その他国土交通省令で定める事項を、主たる事務所その他の営業所において**公衆に見やすいように掲示**するとともに、その事業の規模が著しく小さい場合その他の国土交通省令で定める場合を除き、国土交通省令で定めるところにより、電気通信回線に接続して行う**自動公衆送信により公衆**の閲覧に供しなけれ

ばなりません。

❸ 運賃および料金の届出

　一般貨物自動車運送事業者が，**運賃および料金**を定めたり（設定），変更したりしたときは，一定の事項を記載した**運賃料金設定（変更）届出書**を所轄の地方運輸局長に提出しなければなりません。

　この届出書は，運賃および料金の**設定または変更後30日以内**に提出することとされています。設定や変更の前にあらかじめ提出する必要はありません。

　ここで，事業計画や運送約款などの許可・認可・届出についてまとめておきましょう。

事業計画	設定	**許可**	**国土交通大臣**
	変更	**認可**（原則）	
		届出（例外） • 事業用自動車の種別ごとの数の変更※など 　➡ **あらかじめ** • 軽微な事項 　➡ 変更後**遅滞なく**	
運送約款	設定	**認可**	
	変更	**認可**	
運賃および料金	設定	**届出**	所轄の地方運輸局長
	変更	**届出**	

※国の定める基準に適合しなくなるような事業用自動車の数の変更については，認可

プラス1　公衆の閲覧は，事業者のウェブサイトへの掲載により行う。

プラス1　法人（会社など）を対象とする運賃・料金をわざわざ掲示等する必要はない。また，個人でも，事業としてまたは事業のために運送契約の当事者となる場合は掲示等する必要がない。

プラス1　運賃料金設定（変更）届出書の提出については「貨物自動車運送事業報告規則」という国土交通省令に定められている。

事業計画は一般貨物自動車運送事業を経営しようとする者が国土交通大臣に許可の申請をする際に，申請書に記載するんでしたね。

学習項目	**Q できたらチェック ✓**
事業計画	☐ **1** 一般貨物自動車運送事業者は，「自動車車庫の位置及び収容能力」の事業計画の変更をするときは，あらかじめその旨を，国土交通大臣に届け出なければならない。 3年3月改
	☐ **2** 一般貨物自動車運送事業者は，「主たる事務所の名称及び位置」の事業計画の変更をしたときは，遅滞なくその旨を，国土交通大臣に届け出なければならない。 3年3月改
	☐ **3** 一般貨物自動車運送事業者は，「各営業所に配置する事業用自動車の種別ごとの数」の事業計画の変更をするとき（当該変更後の事業計画が国の定める基準に適合しないおそれがある場合を除く。）は，あらかじめその旨を，国土交通大臣に届け出なければならない。 30年8月改
運送約款	☐ **4** 一般貨物自動車運送事業者は，運送約款を定め，又はこれを変更しようとするときは，国土交通大臣の認可を受けなければならない。 4年度CBT改
	☐ **5** 国土交通大臣が標準運送約款を定めて公示した場合（これを変更して公示した場合を含む。）において，一般貨物自動車運送事業者が，標準運送約款と同一の運送約款を定め，又は現に定めている運送約款を標準運送約款と同一のものに変更したときは，その運送約款については，国土交通大臣の認可を受けたものとみなす。 2年8月
	☐ **6** 一般貨物自動車運送事業者は，運賃及び料金（個人（事業として又は事業のために運送契約の当事者となる場合におけるものを除く。）を対象とするものに限る。），運送約款その他国土交通省令で定める事項について，主たる事務所その他の営業所において公衆に見やすいように掲示するとともに，その事業の規模が著しく小さい場合その他の国土交通省令で定める場合を除き，国土交通省令で定めるところにより，電気通信回線に接続して行う自動公衆送信により公衆の閲覧に供しなければならない。 3年3月改
運賃および料金の届出	☐ **7** 一般貨物自動車運送事業者は，運賃及び料金を定め又は変更するときは，あらかじめ所定の事項を記載した運賃料金設定（変更）届出書を所轄地方運輸局長に提出しなければならない。 21年8月

A 解答 1.× 国土交通大臣に届け出るのではなく，認可を受けなければならない／2.○／3.○／4.○／5.○／6.○／7.× あらかじめではなく，運賃および料金の設定または変更後30日以内に提出する

第2章 貨物自動車運送事業法関係

運輸安全マネジメント

輸送の安全性向上を図る運輸安全マネジメントの意義とそのしくみについて理解しましょう。情報の公表については，安全規則第2条の8が第1項と第2項の2つに区分されていることに注意してください。

頻出度 **B**

第2章

貨物自動車運送事業法関係

❶ 運輸安全マネジメント制度

運輸事業者自らが安全管理に取り組み，輸送の安全性の向上を図ることをねらいとして，運輸安全マネジメント制度が平成18年10月から導入されました。

「貨物自動車運送事業に係る安全マネジメントに関する指針」（国土交通省告示）によると，「安全マネジメント」とは，「貨物自動車運送事業の運営において輸送の安全の確保が最も重要であるという意識を貨物自動車運送事業の**経営の責任者**から**全従業員**に浸透させ，輸送の安全に関する**計画の作成・実行・評価**および**改善**の一連の過程を定め，これを継続的に実施するしくみをいう」とされています。

■運輸安全マネジメントとは

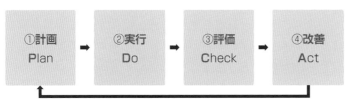

①から④の手順を継続的に繰り返すことによって，
輸送の安全のレベルアップを図ろうとするしくみ（**PDCA サイクル**）

すべての運送事業者は，経営のトップから現場の運転者に至るまで輸送の安全が最も重要であることを自覚して，運輸安全マネジメントにより絶えず**輸送の安全性の向上**に努めなければなりません。

プラス1

運輸安全マネジメント制度の導入に伴い，自動車運送事業関係の法律や規則も改正された。

試験では，安全マネジメントの定義が文章の空欄を埋める形式で出題されていますよ。

PLUS ONE プラス1

安全管理規程等義務づけ事業者は，平成30年4月より，保有車両数200両以上の事業者に対象が拡大された。

安全管理規程等義務づけ事業者以外の事業者には，安全管理規程を定めたり安全統括管理者を選任したりする義務はないのですか？

はい。しかし，この後で学習しますが，輸送の安全性の向上に努める義務や情報を公表する義務などはありますから注意してください。

📖 用語

選任
複数人のなかから選び，その任務に就かせること。

運行管理者
➡P130

② 安全管理規程等義務づけ事業者

　一般貨物自動車運送事業者のうち，事業用自動車の保有車両数が**200両以上**の事業者は，安全管理規程等義務づけ事業者とされています。

　このような規模の大きい事業者の場合，現場のすみずみまで目が届きにくく，経営トップ自らがすべての現場を直接管理することは困難です。このため，**安全管理規程の作成**を義務づけることによって事業者全体で輸送の安全を確保するとともに，**安全統括管理者を選任**して多数の運行管理者等を統括させることとしています。

（1）安全管理規程

　安全管理規程には，**輸送の安全を確保するための事業の**運営方針や，事業の実施および管理体制に関する事項などを定める必要があります。

　安全管理規程を定めたときは，国土交通大臣への**届出**が義務づけられています。安全管理規程を**変更**しようとするときも同様です。

（2）安全統括管理者

　安全統括管理者は，輸送の安全の確保のための事業に関する業務を統括管理します。このため，事業運営上の重要な決定に参画する管理的な地位にあって，一般貨物自動車運送事業に関する一定の実務経験などを備えた者から選任しなければなりません。

　安全統括管理者を**選任**または**解任**したときは，国土交通

大臣への**届出**が義務づけられています。

❸ 情報の公表

　一般貨物自動車運送事業者は，輸送の安全を確保するために講じた措置や講じようとする措置，その他の輸送の安全にかかわる情報を公表しなければなりません。貨物自動車運送事業輸送安全規則（以下「安全規則」）で，以下のように定められています。

①毎事業年度の経過後100日以内に，輸送の安全に関する基本的な方針などの輸送の安全にかかわる情報で，国土交通大臣が告示で定める事項を，インターネットの利用その他の適切な方法により公表しなければなりません。

　この①の規定に基づいて定められているのが，公表すべき輸送の安全にかかわる事項です（国土交通省告示第1091号）。

> **Point** 公表すべき輸送の安全にかかわる事項
> ・ 輸送の安全に関する**基本的な方針**
> ・ 輸送の安全に関する**目標**およびその**達成状況**
> ・ 自動車事故報告規則第2条に規定する事故に関する統計

②国土交通大臣から輸送の安全にかかわる処分を受けたときは，遅滞なく，その処分の内容，処分に基づいて講じた措置・講じようとする措置の内容を，インターネットの利用その他の適切な方法により公表しなければなりません。

　②の「輸送の安全にかかわる処分」とは，輸送の安全確保命令，事業改善命令，許可の取消し等の処分のうちで，輸送の安全にかかわるものをいいます。

U-CAN 運送 WEB
2025 運輸安全マネジメント
○○○○○○○○○○
○○○○○○○○○○
○○○○○○○○○○

①②中における規定は，安全規則の以下の条文で規定されている。
①第2条の8第1項
②第2条の8第2項

ここが重要!!
公表すべき輸送の安全にかかわる3つの事項は，よく試験に出題されます。

輸送の安全確保命令はレッスン13で，事業改善命令と許可の取消し等はレッスン16で学習します。

第2章 貨物自動車運送事業法関係

①と②の「インターネットの利用その他の適切な方法」とは，会社のホームページへの掲載や，営業所のような利用者の出入りがある施設での掲示を想定しています。

確認しよう！ 問題 de 実力チェック!!

学習項目	Q できたらチェック ✔
運輸安全マネジメント制度	☐ **1** 「貨物自動車運送事業に係る安全マネジメントに関する指針」（国土交通省告示）において，「安全マネジメント」とは，貨物自動車運送事業の運営において ＿＿**A**＿＿ の確保が最も重要であるという意識を当該貨物自動車運送事業の ＿**B**＿ に浸透させ，＿**A**＿ に関する ＿**C**＿，実行，＿**D**＿ 及び改善の一連の過程を定め，これを継続的に実施する仕組みをいう。 〔19年3月〕
安全管理規程等義務づけ事業者	☐ **2** 事業用自動車（被けん引自動車を除く。）の保有車両数が100両以上の一般貨物自動車運送事業者は，安全管理規程を定めて国土交通大臣に届け出なければならない。これを変更しようとするときも，同様とする。 〔2年8月改〕
情報の公表	☐ **3** 一般貨物自動車運送事業者は，毎事業年度の経過後100日以内に，輸送の安全に関する基本的な方針その他の輸送の安全に係る情報であって国土交通大臣が告示で定める①輸送の安全に関する基本的な方針，②輸送の安全に関する目標及びその達成状況，③自動車事故報告規則第2条に規定する事故に関する統計について，インターネットの利用その他の適切な方法により公表しなければならない。 〔2年8月改〕
	☐ **4** 一般貨物自動車運送事業者は，貨物自動車運送事業法第23条（輸送の安全確保の命令），同法第26条（事業改善の命令）又は同法第33条（許可の取消し等）の規定による処分（輸送の安全に係るものに限る。）を受けたときは，遅滞なく，当該処分の内容並びに当該処分に基づき講じた措置及び講じようとする措置の内容をインターネットの利用その他の適切な方法により公表しなければならない。 〔2年8月改〕

A 解答 1. **A**→輸送の安全 **B**→経営の責任者から全従業員 **C**→計画の作成 **D**→評価／**2**. × 保有車両数が200両以上であり，100両ではない／**3**. ○／**4**. ○

輸送の安全

Lesson 4

頻出度 A

輸送の安全を確保するための遵守事項のうち、ここでは過積載の防止を中心に学習します。特に、貨物自動車運送事業者がしてはならないことと、しなければならないことを覚えましょう。

❶ 輸送の安全の確保

　貨物自動車運送事業者は、過労運転や過積載の防止のほか、輸送の安全を確保するために国土交通省令で定める事項を遵守_{じゅんしゅ}しなければなりません。

　国土交通省令である**安全規則**では、レッスン3で学習した運輸安全マネジメントに関する規定のほか、**貨物自動車運送事業者が遵守すべき事項**として、過労運転等の防止、過積載の防止、点呼、業務の記録、運行指示書と運転者等台帳、従業員に対する指導および監督などに関する規定について細かく定めています。また、**乗務員が遵守すべき事項**についても定めています。

❷ 過積載の防止

　事業用自動車の最大積載量を超える積載をすることとなる運送を**過積載による運送**（**過積載運送**）といいます。貨物自動車運送事業者は、この過積載運送について、以下のことをしてはなりません。

用語

貨物自動車運送事業者

一般貨物自動車運送事業者、特定貨物自動車運送事業者および貨物軽自動車運送事業者のこと。

> **Point　過積載防止義務違反となる行為**
> ①過積載運送の引受け
> ②過積載運送を前提とする事業用自動車の運行計画の作成
> ③事業用自動車の運転者その他の従業員に対する過積載運送の指示

道交法でも積載制限や過積載の防止についていろいろ規定していましたね。第1章のレッスン7を中心に復習しておこう。

過積載の防止以外の貨物自動車運送事業者が遵守すべき事項については、後のレッスンで1つずつ学習していきます。

📖 **用語**

偏荷重

左右の車輪にかかる重量の差。偏荷重が大きいと、荷崩れやパンクなどの事故の原因となる。

🚚 **プラス1**

自動車車庫を営業所に併設して設けることが困難な場合、その自動車車庫を営業所から法令に規定する距離を超えない範囲（原則、自動車の使用の本拠の位置との間の距離が2km以内）で設けることができる。

　また，貨物自動車運送事業者は，過積載運送の防止について，運転者，特定自動運行保安員その他の従業員に対する**適切な指導および監督**を怠ってはなりません。

　なお，貨物自動車運送事業者が事業用自動車に貨物を積載するときは，以下の事項を守らなければなりません。

①**偏荷重**が生じないように積載すること

②貨物が運搬中に**荷崩れ**などにより事業用自動車から落下することを防止するため，貨物に**ロープ**または**シート**を掛けるなど必要な措置を講じること

❸ 自動車車庫の位置

　貨物自動車運送事業者は，事業用自動車の保管のために使用する**自動車車庫を営業所に併設**しなければなりません。これも輸送の安全を確保するために遵守すべき事項です。

❹ 事業の適確な遂行

　貨物自動車運送事業者は，①事業用自動車を保管することができる自動車車庫の整備および管理に関する事項，②法令の定めるところにより納付義務を負う保険料等の納付その他の**事業の適正な運営に関する事項**等に関し国土交通省令で定める基準を遵守しなければなりません。

❺ 乗務員が遵守すべき事項

（1）乗務員

　乗務員とは，運転者および事業用自動車の運転の補助に従事する従業員のことです。乗務員は，事業用自動車の乗務について，以下の事項を遵守しなければなりません。

①**酒気を帯びて乗務しない**

②**過積載をした事業用自動車に乗務しない**

③事業用自動車に貨物を積載するときは，偏荷重が生じないようにし，運搬中に荷崩れ等により落下することを防止するため，ロープまたはシートを掛けるなど必要な措置を講じる

④事業用自動車の故障等により踏切内で運行不能となったときは，すみやかに列車に対し適切な防護措置をとる

（2）乗務員のうち運転者

　また，**乗務員のうち運転者**は，事業用自動車の乗務について，以下の事項を遵守しなければなりません。

①**酒気を帯びた状態**にあるときは，その旨を貨物自動車運送事業者に申し出る

②**疾病，疲労，睡眠不足**その他の理由により安全な運転ができないおそれがあるときは，その旨を貨物自動車運送事業者に申し出る

③道路運送車両法の規定による**日常点検**を実施し，またはその確認をする

④貨物自動車運送事業者が行う**業務前点呼・業務後点呼・中間点呼**を受け，貨物自動車運送事業者に，規定された

PLUS ONE プラス1
事業法が改正され，令和元年11月より，事業の適正な運営に関する事項等に関して定められた基準を遵守しなければならない旨が追加された。

PLUS ONE プラス1
運転者の睡眠不足が原因となる事故の防止対策を強化するため，平成30年6月から事業者が乗務員を乗務させてはならない事由，乗務前等に行う点呼で報告・確認を行う事項，運転者が遵守すべき事項に「睡眠不足」が新たに追加された。

道路運送車両法の規定による日常点検については，第3章のレッスン4で学習します。

報告をする

⑤事業用自動車の運行中にその事業用自動車の重大な故障を発見し，または重大な事故が発生するおそれがあると認めたときは，直ちに，運行を中止し，貨物自動車運送事業者に報告する

⑥**乗務を終了**して他の運転者と交替するときは，交替する運転者に対し，その乗務する事業用自動車，道路および運行の状況について**通告**する

⑦他の運転者と交替して乗務を開始しようとするときは，他の運転者からの**通告**を受け，その事業用自動車の重要な装置の機能について点検する

⑧**業務の記録**（運行記録計の記録により記録すべき事項に付記しなくてはならない場合には，その付記による記録）をする

⑨一般貨物自動車運送事業者等が作成する**運行指示書を乗務中携行**し，運行指示書の記載事項に変更が生じた場合には，携行している運行指示書にその**変更の内容を記載**する

⑩踏切を通過するときは，変速装置を操作しない

Q&A 国土交通省令などの「省令」とは何ですか？「法律」や「政令」との違いがよくわかりません。

「法律」は国会が定めたルールであり，「政令」は内閣が定めたルールです。道交法や事業法は法律ですね。これに対し，「省令」は国土交通省などの省が定めたルールです。省令には「○○規則」という名称が多く，安全規則のほかにも，自動車事故報告規則（レッスン15）などが重要ですよ。また，法律・政令・省令などを総称して「法令」といいます。

確認しよう！
問題 de 実力チェック!!

学習項目	できたらチェック ✔
過積載の防止	☐ **1** 事業者は，過積載による運送の引受け，過積載による運送を前提とする事業用自動車の運行計画の作成及び事業用自動車の運転者その他の従業員に対する過積載による運送の指示をしてはならない。 元年8月
	☐ **2** 事業者は，過積載による運送の防止について，運転者，特定自動運行保安員その他の従業員に対する適切な指導及び監督を怠ってはならない。 23年3月改
	☐ **3** 事業者は，事業用自動車（車両総重量が5トン以上又は最大積載量が5トン以上のものに限る。）に，貨物を積載するときは，偏荷重が生じないように積載するとともに，運搬中に荷崩れ等により事業用自動車から落下することを防止するため，貨物にロープ又はシートを掛けること等必要な措置を講じなければならない。 4年度CBT
乗務員が遵守すべき事項	☐ **4** 事業用自動車の運転者（以下「運転者」という。）は，酒気を帯びた状態にあるとき，又は疾病，疲労，睡眠不足その他の理由により安全な運転をすることができないおそれがあるときは，その旨を事業者に申し出なければならない。 31年3月
	☐ **5** 一般貨物自動車運送事業者の事業用自動車の運転者は，乗務を終了して他の運転者と交替するときは，交替する運転者に対し，当該乗務に係る事業用自動車，道路及び運行の状況について通告すること。この場合において，交替して乗務する運転者は，当該通告を受け，当該事業用自動車の制動装置，走行装置その他の重要な装置の機能について異常のおそれがあると認められる場合には，点検すること。 3年3月改

A 解答 1.○／2.○／3.× 事業用自動車の車両総重量や最大積載量にかかわらず，貨物を積載するときは，偏荷重が生じないように積載するとともに，当該必要な措置を講じなければならない／4.○ 平成30年6月より「睡眠不足」が新たに追加された／5.× 事業用自動車の重要な装置の機能についての点検は，機能に異常のおそれがあると認められるか否かにかかわらず行う

第2章 貨物自動車運送事業法関係

第2章　貨物自動車運送事業法関係

過労運転等の防止

過労運転等を防止するために貨物自動車運送事業者が遵守すべき事項はよく出題されます。特に，休憩や睡眠のために利用する施設の整備，運転者の適切な勤務時間と乗務時間の設定が重要です。

過労状態による一瞬の気のゆるみから，大きな事故が起きています。

運転者が十分な休養をとれているかどうか，点呼等で確認することがとても大切です。点呼については，次のレッスン6〜7で学習します。

📖 **用語**

荷役
貨物の積込みや荷卸しなどの作業のこと。
一般貨物自動車運送事業者等
一般貨物自動車運送事業者および特定貨物自動車運送事業者のこと（貨物軽自動車運送事業者は含まれない）。

❶ 過労のもととなる要因

　貨物自動車運送事業では，深夜や早朝を含む**長時間労働**，頻繁な**深夜勤務**などの**勤務状況**と慢性的な**睡眠（休息）不足**によって，運転者に疲労が蓄積しやすい傾向があります。これに**心理的なストレス**（道路の混雑などからくる不快感によるストレス，着時間を守るために無理な運行をするなど緊張状態が続くようなストレスなど）や**生活習慣の悪化**（不規則な食事，運動不足，過度な飲酒等の生活習慣の偏りなど）などが加わって，**過労状態**が生み出されます。

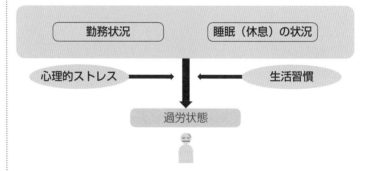

❷ 貨物自動車運送事業者が遵守すべき事項

　貨物自動車運送事業者は，「事業用自動車の**数の確保**」，「荷役など運転に付帯する作業の状況等に応じて必要となる員数の運転者や従業員の確保」，「運転者が**休憩や睡眠のために利用する施設の整備と管理**」，「運転者の**適切な勤務時間と乗務時間の設定**」など，運転者の過労運転を防止するために必要な事項を遵守しなければなりません。

また，事業用自動車の運転者が疾病により安全な運転ができないおそれがある状態で事業用自動車を運転することを防止するために必要な医学的知見に基づく措置を講じなければなりません。

過労運転等の防止について，安全規則が定めている貨物自動車運送事業者が遵守すべき事項は，以下のとおりです。

① 一般貨物自動車運送事業者等は，事業計画に従い業務を行うのに必要な員数の事業用自動車の**運転者**または特定自動運行保安員を**常時選任**しておかなければなりません。この場合，選任する運転者および特定自動運行保安員は，以下の者であってはなりません。

- 日々雇い入れられる者（いわゆる日雇い労働者）
- ２か月以内の期間を定めて使用される者
- 試みの使用期間中の者（いわゆる試用期間中の労働者）
  （14日を超えて引き続き使用されるに至った者は除く）

② 貨物自動車運送事業者は，運転者，特定自動運行保安員および事業用自動車の運行の業務の補助に従事する従業員（以下「乗務員等」）が**有効**に**利用**することができるように，**休憩**に必要な施設を**整備**し，乗務員等に睡眠を与える必要がある場合は**睡眠**に必要な施設を**整備**し，これらの施設を適切に管理し，保守しなければなりません。

PLUS ONE プラス1

安全規則が改正され，令和5年4月より特定自動運行貨物運送を行う場合には，特定自動運行保安員を選任しなければならない。

③の「国土交通大臣が告示で定める基準」は、「自動車運転者の労働時間等の改善のための基準」と同じ内容です。第4章のレッスン8でくわしく学習します。

ひっかけ注意！

勤務時間を拘束時間としたり、乗務時間を乗務距離としたりするひっかけに注意。

「運転者がフェリーに乗船している時間のうち休息期間とされる時間」については、第4章レッスン8で学習します。

③貨物自動車運送事業者は、休憩または睡眠のための時間および勤務が終了した後の休息のための時間が十分に確保されるように、国土交通大臣が告示で定める基準に従って、運転者の勤務時間および乗務時間を定め、運転者にこれらを遵守させなければなりません。

　なお、運転者が一の運行における最初の勤務を開始してから最後の勤務を終了するまでの時間（運転者がフェリーに乗船している時間のうち休息期間とされる時間を除きます）は、144時間を超えてはなりません。

④貨物自動車運送事業者は、**酒気を帯びた状態**にある乗務員等を事業用自動車の運行の業務に従事させてはなりません。

⑤貨物自動車運送事業者は、乗務員等の健康状態の把握に努め、**疾病、疲労、睡眠不足**などの理由によって、安全に運行の業務を遂行し、またはその補助ができないおそれのある乗務員等を事業用自動車の運行の業務に従事させてはなりません。

⑥一般貨物自動車運送事業者等は、運転者が**長距離運転**または**夜間の運転**に従事する場合であって、疲労等によって安全な運転を継続できないおそれがあるときは、あらかじめ、**その運転者と交替するための運転者**を配置しておかなければなりません。

⑦特別積合せ貨物運送を行う一般貨物自動車運送事業者は、特別積合せ貨物運送の運行系統で起点から終点までの距離が100kmを超えるものごとに、以下の基準を定め、その基準の遵守について乗務員等に適切な指導および監督を行わなければなりません。

　• 主な地点間の運行時分および平均速度
　• 乗務員等が休憩または睡眠をする地点および時間
　• 交替の運転者を配置する場合は、運転を交替する地点

確認しよう！
問題 de 実力チェック!!

第2章 貨物自動車運送事業法関係

学習項目			Q できたらチェック ✔
貨物自動車運送事業者が遵守すべき事項	☐	1	貨物自動車運送事業者は，運転者，特定自動運行保安員及び事業用自動車の運行の業務の補助に従事する従業員（以下「乗務員等」という。）が有効に利用することができるように，休憩に必要な施設を整備し，及び乗務員等に睡眠を与える必要がある場合にあっては睡眠に必要な施設を整備し，並びにこれらの施設を適切に管理し，及び保守しなければならない。 3年3月改
	☐	2	一般貨物自動車運送事業者は，事業用自動車の __A__ ，荷役その他の事業用自動車の運転に附帯する作業の状況等に応じて必要となる員数の運転者及びその他の従業員の確保，事業用自動車の運転者がその休憩又は睡眠のために利用することができる施設の整備及び管理，事業用自動車の運転者の適切な勤務時間及び __B__ の設定その他事業用自動車の運転者の過労運転を防止するために必要な事項に関し国土交通省令で定める基準を遵守しなければならない。 2年度CBT
	☐	3	一般貨物自動車運送事業者は，事業計画に従い業務を行うに必要な員数の事業用自動車の運転者又は特定自動運行保安員を常時選任しておかなければならず，この場合，選任する運転者及び特定自動運行保安員は，日々雇い入れられる者，2ヵ月以内の期間を定めて使用される者又は試みの使用期間中の者（14日を超えて引き続き使用されるに至った者を除く。）であってはならない。 4年度CBT改
	☐	4	事業者は，運転者が長距離運転又は夜間の運転に従事する場合であって，疲労等により安全な運転を継続することができないおそれがあるときは，あらかじめ，当該運転者と交替するための運転者を配置しておかなければならない。 2年度CBT
	☐	5	特別積合せ貨物運送を行う事業者は，当該特別積合せ貨物運送に係る運行系統であって起点から終点までの距離が200キロメートルを超えるものごとに，所定の事項について事業用自動車の運行の業務に関する基準を定め，かつ，当該基準の遵守について乗務員等に対する適切な指導及び監督を行わなければならない。 2年度CBT改

A 解答 1.○／2. A→数 B→乗務時間／3.○／4.○／5.× 「200キロメートル」ではなく，「100キロメートル」である

Lesson 6

点呼①

頻出度 **A**

点呼に関する問題は毎回必ず出題されています。業務前の点呼，業務後の点呼，中間点呼について，正確に理解しましょう。中間点呼をどんな場合に行うのかなど，非常に重要です。

対面による点呼によって過労運転を防止するんだね。

PLUS ONE プラス1

安全規則等が改正され，令和5年4月より「乗務前点呼」「乗務後点呼」が，「業務前点呼」「業務後点呼」というように文言が変更になり，また，点呼は，対面での実施のほか，対面点呼と同等の効果を有するものとして国土交通大臣が定める方法での実施も可能となった。

「対面による点呼と同等の効果を有するものとして国土交通大臣が定める方法」とは，この後，くわしく学習するIT点呼，遠隔点呼，業務後自動点呼をいいます。

1　業務前点呼

（1）対面点呼の原則

Point 貨物自動車運送事業者は，業務に従事しようとする運転者等に対し，対面による点呼をしなければならない。

　貨物自動車運送事業者は，業務に従事しようとする運転者または特定自動運行保安員（以下「運転者等」）に対して対面または**対面による点呼と同等の効果を有するものとして国土交通大臣が定める方法**により点呼を行わなければなりません。対面による点呼を行うことで，運転者の顔つきや態度の変化などを直接観察し，前日の状況や疲労・健康状態などについて細かくチェックすることができます。

（2）運行上やむを得ない場合

　点呼は対面ですることが原則ですが，運行上やむを得ない場合は，電話その他の方法によることが認められます。

　「運行上やむを得ない場合」とは，**遠隔地で業務を開始**するため，運転者等の所属する営業所で対面点呼が実施できない場合などをいいます。単に車庫と営業所が離れてい

るとか，早朝・深夜で点呼を行う者が営業所に出勤していない場合などは，運行上やむを得ない場合とはいえません。

また，「電話その他の方法」とは，携帯電話・業務無線などにより，運転者等と**直接対話**ができるものでなければならず，電子メールやファクシミリなどの一方的な連絡方法は含みません。この「電話その他の方法」による点呼は，運行中に行ってはいけません。

（3）報告事項

貨物自動車運送事業者は，運転者に対して業務前点呼を行う際に，以下の事項について**報告**を求め，および確認を行い，事業用自動車の運行の安全を確保するために必要な指示を与えなければなりません。

①**酒気帯び**の有無

②**疾病，疲労，睡眠不足**などの理由により安全な運転をすることができないおそれの有無

③**道路運送車両法第47条の2第1項および第2項**の規定による**点検**の実施またはその確認

❷ 業務後点呼

（1）対面点呼の原則

Point 貨物自動車運送事業者は，事業用自動車の運行の業務を終了した運転者等に対し，対面による点呼をしなければならない。

貨物自動車運送事業者は，事業用自動車の運行の業務を終了した運転者等に対して対面または**対面による点呼と同等の効果を有するものとして国土交通大臣が定める方法**により点呼を行わなければなりません。これにより，その日の運行で疲労がたまっていないかなどを直接確認します。

（2）運行上やむを得ない場合

運行上やむを得ない場合には，業務前点呼と同様，電話その他の方法による点呼が認められます。

第2章 貨物自動車運送事業法関係

ひっかけ注意!

業務前と業務後では報告事項の内容が異なることに注意。

（3）報告事項

　貨物自動車運送事業者は，運転者に対して業務後点呼を行う際に，以下の事項について報告を求め，および酒気帯びの有無について確認を行わなければなりません。

①業務にかかる**事業用自動車**の状況

②**道路**および**運行**の状況

③他の運転者と交替した場合は，**安全規則第17条第4号**の規定による通告

　安全規則第17条第4号は，事業用自動車の乗務員である**運転者の遵守すべき事項**を定めた規定のひとつで，その内容は，「**乗務を終了**して他の運転者と交替するときは，交替する運転者に対し，その乗務する事業用自動車，道路および運行の状況について**通告**すること」です（➡P.94）。

　つまり，乗務を終了した運転者（A）が他の運転者（B）と交替するときは，事業用自動車，道路および運行の状況を（AからBに）通告しなければなりません。

　そして，Aに対する業務後点呼の際は，Aの行ったこの通告の内容について，Aに報告を求めるというわけです。

乗務員が遵守すべき事項は，レッスン4で学習しましたね。

運転を交替したBに報告を求めるのではありません。また，Bが乗務を終了して業務後点呼を受ける際も，Aから受けた通告の内容について報告を求められることはありません。

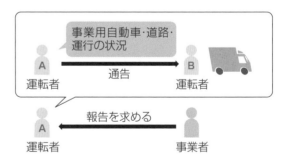

3 中間点呼（業務途中点呼）

（1）中間点呼が義務づけられる場合

　貨物自動車運送事業者は，業務前点呼および業務後点呼のいずれも対面または対面による点呼と同等の効果を有するものとして国土交通大臣が定める方法で行うことができない業務を行う運転者等に対しては，これらの点呼のほか

ひっかけ注意!

「いずれも」であり，「いずれか」ではないことに注意。

に，業務の途中において少なくとも１回，**対面による点呼と同等の効果を有するものとして国土交通大臣が定める方法**（この方法により**点呼を行うことが困難**である場合には，**電話その他の方法**）による**点呼**を行わなければなりません。これを**中間点呼**（または**業務途中点呼**）といいます。

> **Point** **中間点呼が義務づけられるのは，業務前と業務後のいずれも対面または対面による点呼と同等の効果を有する方法による点呼ができないとき。**

（2）報告事項

　運転者に対して中間点呼を行う際は，以下の事項について**報告**を求め，および確認を行い，事業用自動車の運行の安全を確保するために必要な**指示**をしなければなりません。

①**酒気帯びの有無**

②**疾病，疲労，睡眠不足**などの理由により安全な運転をすることができないおそれの有無

■運転者に対する業務前点呼・業務後点呼・中間点呼における報告事項等

	報告を求める事項	確認事項	指示事項
業務前点呼	①酒気帯びの有無 ②疾病，疲労，睡眠不足その他の理由により安全な運転をすることができないおそれの有無 ③日常点検の実施またはその確認	左記①〜③	事業用自動車の運行の安全を確保するために必要な指示
業務後点呼	①業務にかかる事業用自動車の状況 ②道路および運行の状況 ③他の運転者と交替した場合は，交替した運転者に対して行った法令の規定による通告	酒気帯びの有無	
中間点呼	①酒気帯びの有無 ②疾病，疲労，睡眠不足その他の理由により安全な運転をすることができないおそれの有無	左記①②	事業用自動車の運行の安全を確保するために必要な指示

プラス1
安全規則が改正され，令和６年４月より，中間点呼の方法として，「対面による点呼と同等の効果を有するものとして国土交通大臣が定める方法」（ここでは，IT点呼と遠隔点呼）も可能となった。

第2章　貨物自動車運送事業法関係

中間点呼の報告事項は，業務前点呼の報告事項のなかに含まれているものですね。

❹ IT 点呼

　輸送の安全の確保に関する取組みが優良であると認められる営業所（**Gマーク営業所**）において，その営業所の管理する点呼機器を用い，および当該機器に備えられたカメラ，ディスプレイ等によって，運行管理者等が運転者の酒気帯びの有無，疾病，疲労，睡眠不足等の状況を随時確認でき，かつ，運転者の酒気帯びの状況に関する測定結果を，自動的に記録および保存するとともに当該運行管理者等が当該測定結果を直ちに確認できる方法により，営業所間，営業所と車庫間，または車庫と車庫間で行う点呼（IT点呼）は，安全規則等により対面による点呼と同等の効果を有するものとして**国土交通大臣が定める方法**として実施可能とされています。

（1）Gマーク営業所

　「輸送の安全の確保に関する取組みが優良であると認められる営業所（Gマーク営業所）」とは，全国貨物自動車運送適正化事業実施機関（公益社団法人全日本トラック協会）が認定している安全性優良事業所をいいます。

（2）IT点呼の実施

　同一の事業者内のGマーク営業所において，**営業所間，営業所と車庫間**，または**車庫と車庫間**で，本来，対面によって行われる点呼を，IT点呼によって行うことができます。

PLUS ONE プラス1

IT点呼で酒気帯びの有無を確認する場合，IT機器に接続できるアルコール検知器を使用する。

PLUS ONE プラス1

次のレッスンで学習する遠隔点呼とIT点呼は別の制度なので，IT点呼も引き続き利用可能である。

PLUS ONE プラス1

IT点呼は，Gマーク営業所のみ実施が認められていたが，平成28年7月の法改正により，Gマークを取得していなくても，一定の場合に，IT点呼の実施が認められることになった。

なお，Gマーク営業所以外であっても，①開設されてか
ら３年を経過していること，②過去３年間点呼の違反にか
かる行政処分または警告を受けていないことなどの一定の
要件に該当する一般貨物自動車運送事業者等の営業所に
あっては，**当該営業所と当該営業所の車庫間（当該営業所
の車庫と当該営業所の他の車庫間を含む）で行う点呼に限
り，IT点呼を実施することができます。

（３）IT点呼の実施方法

　例えば，同一の事業者でIT点呼を行う場合，運行管理
者（または補助者）は，IT点呼を行う営業所（IT点呼実
施営業所）またはその営業所の車庫において，IT点呼を行
います。その際，運転者等の所属する営業所名および運転
者等のIT点呼実施場所を確認します。

　一方，運転者等は，IT点呼を受ける運転者等が所属する
営業所（被IT点呼実施営業所）またはその営業所の車庫
において，IT点呼を受けることができます。

　IT点呼の実施は，**１営業日のうち連続する**16時間以内
とされています。ただし，「営業所と当該営業所の車庫の間」
や「営業所の車庫と当該営業所の他の車庫の間」で実施す
るときは，時間制限はありません。

学習項目	Q できたらチェック ✔
業務前点呼	□ **1** 業務前の点呼は，対面又は対面による点呼と同等の効果を有するものとして国土交通大臣が定める方法（運行上やむを得ない場合は電話その他の方法）により行い，①酒気帯びの有無，②疾病，疲労，睡眠不足その他の理由により安全な運転をすることができないおそれの有無，③道路運送車両法の規定による定期点検の実施について報告を求め，及び確認を行い，並びに事業用自動車の運行の安全を確保するために必要な指示を与えなければならない。 〈31年3月改〉
業務後点呼	□ **2** 業務終了後の点呼における運転者の酒気帯びの有無については，当該運転者からの報告と目視等による確認で酒気を帯びていないと判断できる場合は，アルコール検知器を用いての確認は実施する必要はない。 〈31年3月改〉
	□ **3** 業務終了後の点呼においては，「道路運送車両法第47条の2第1項及び第2項の規定による点検（日常点検）の実施又はその確認」について報告を求め，及び確認を行わなければならない。 〈3年3月改〉
中間点呼（業務途中点呼）	□ **4** 2日間にわたる運行（1日目の業務が営業所以外の遠隔地で終了し，2日目の業務開始が1日目の業務を終了した地点となるもの。）については，1日目の業務後の点呼及び2日目の業務前の点呼のいずれも対面又は対面による点呼と同等の効果を有するものとして国土交通大臣が定める方法で行うことができないことから，2日目の業務については，業務前の点呼及び業務後の点呼（業務後の点呼は対面又は対面による点呼と同等の効果を有するものとして国土交通大臣が定める方法で行う。）のほかに，当該業務途中において少なくとも1回対面による点呼と同等の効果を有するものとして国土交通大臣が定める方法（当該方法により点呼を行うことが困難である場合にあっては，電話その他の方法）により点呼（中間点呼）を行わなければならない。 〈3年3月改〉

学習項目	❓できたらチェック✔
中間点呼（業務途中点呼）	☐ **5** 業務前及び業務終了後の点呼のいずれも対面又は対面による点呼と同等の効果を有するものとして国土交通大臣が定める方法で行うことができない業務を行う運転者に対しては，業務前及び業務終了後の点呼のほかに，当該業務の途中において少なくとも1回対面による点呼と同等の効果を有するものとして国土交通大臣が定める方法（当該方法により点呼を行うことが困難である場合にあっては，電話その他の方法）により点呼（中間点呼）を行わなければならない。当該点呼においては，①酒気帯びの有無，②疾病，疲労，睡眠不足その他の理由により安全な運転をすることができないおそれの有無について報告を求め，及び確認を行い，並びに事業用自動車の運行の安全を確保するために必要な指示をしなければならない。 3年度CBT改
IT点呼	☐ **6** 全国貨物自動車運送適正化事業実施機関が認定している安全性優良事業所（Gマーク営業所）以外であっても，①開設されてから3年を経過していること。②過去1年間点呼の違反に係る行政処分又は警告を受けていないことなどに該当する一般貨物自動車運送事業者の営業所にあっては，当該営業所と当該営業所の車庫間で行う点呼に限り，当該営業所で管理するIT点呼機器を使用したIT点呼を実施できる。 3年度CBT改
	☐ **7** 同一事業者内の全国貨物自動車運送適正化事業実施機関が認定している安全性優良事業所（Gマーク営業所）である営業所間で行うIT点呼の実施は，1営業日のうち連続する20時間以内とする。 3年度CBT改
	☐ **8** 同一事業者内の全国貨物自動車運送適正化事業実施機関が認定している安全性優良事業所（Gマーク営業所）と当該営業所の車庫間で行うIT点呼の実施は，1営業日のうち連続する16時間以内としなければならない。 4年度CBT

🅰解答 **1**.×「定期点検の実施」ではなく，「日常点検の実施または確認」／**2**.× 必ず運転者の属する営業所に備えられたアルコール検知器を用いて確認を行わなければならない／**3**.× この報告事項は，業務前点呼にはあるが，業務後点呼にはない／**4**.× 2日目の業務後点呼は対面又は対面による点呼と同等の効果を有するものとして国土交通大臣が定める方法で行うことができるので，中間点呼は不要／**5**.○／**6**.×「過去1年間」ではなく，「過去3年間」／**7**.×「20時間以内」ではなく，「16時間以内」／**8**.× 営業所と当該営業所の車庫間で行うIT点呼の実施には時間制限はない

Lesson 7 点呼②

頻出度 **B**

遠隔点呼と業務後自動点呼は新しく認められた制度です。概要だけでも理解しておきましょう。アルコール検知器の設置，点呼の記録とその保存期間については，正確に理解しましょう。

プラス1

安全規則等の改正により，令和5年4月より，遠隔点呼は「対面による点呼と同等の効果を有するものとして国土交通大臣が定める方法」として実施可能となった。これにより，Gマーク営業所以外の営業所でもICT機器を活用した点呼が実施できるようになった。

プラス1

点呼告示が改正され，令和6年4月より，遠隔点呼の実施場所に，運転者のトラック内等との間も追加となった。

1 遠隔点呼

　遠隔点呼とは，安全規則に基づき，貨物自動車運送事業者が，対面による点呼と同等の効果を有するものとして国土交通大臣が定める方法を定める告示（以下「点呼告示」）に定める遠隔点呼機器を用いて，遠隔地にいる運転者または特定自動運行保安員（以下「運転者等」）に対して行う点呼をいいます。

　遠隔点呼は，安全規則等により対面による点呼と同等の効果を有する**ものとして国土交通大臣が定める方法**として，実施可能とされています。

（1）遠隔点呼の実施

　遠隔点呼は，点呼を行う運行管理者等がいる自社営業所または自社営業所の車庫と，①自社営業所または当該営業所の車庫，②完全子会社等の営業所または当該営業所の車庫，③運転者等が従事する運行の業務にかかる事業用自動車内，待合所，宿泊施設その他これらに類する場所（以下「運転者のトラック内等」）のいずれかの場所との間において行うことができます。概要は，次のとおりです。

①営業所内・営業所等間

- 営業所と当該営業所の車庫との間（次図A）
- 営業所の車庫と当該営業所の他の車庫との間（次図B）
- 営業所と他の営業所との間（次図C）
- 営業所と他の営業所の車庫との間（次図D）
- 営業所の車庫と他の営業所の車庫との間（次図E）

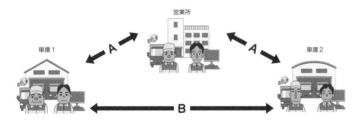

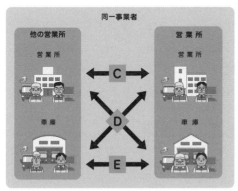

出典：全日本トラック協会ホームページ

②完全子会社等の営業所等間

・営業所と完全子会社等の営業所との間
・営業所と完全子会社等の営業所の車庫との間　など

③営業所または車庫と運転者の宿泊地等間

・営業所または当該営業所の車庫と運転者のトラック内等との間

（2）遠隔点呼機器の機能の要件

　遠隔点呼は，①基本要件（運行管理者等が「運転者等の顔の表情・全身」,「運転者の酒気帯びの有無」,「運転者の疾病，疲労，睡眠不足その他の理由により安全な運転をすることができないおそれの有無」を映像と音声の送受信により通話可能な方法により，随時明瞭に確認できる機能を有すること等），②なりすましの防止に関する要件，③運行管理者等の確認すべき情報に関する要件，④点呼結果とその記録に関する要件など点呼告示に定める点呼機器の機能の要件を満たすものを使用して行わなければなりません。

 用語

完全子会社等
事業者の完全子会社や，完全親会社または当該事業者と完全親会社が同一である他の会社（いわゆるグループ企業）のこと。

（3）遠隔点呼機器を設置する施設・環境の要件

遠隔点呼は，①環境照度の確保に関する要件，②ビデオカメラその他の撮影機器の設置に関する要件，③通信環境・通話環境の確保に関する要件など点呼告示に定める点呼機器を設置する施設・環境の要件を満たした状態で行わなければなりません。

（4）遠隔点呼実施時の遵守事項

遠隔点呼を行うときは，事業者や運行管理者等は，①事業者・運行管理者等の遵守事項，②非常時の対応に関する事項，③情報共有に関する事項など点呼告示に定める所定の事項を遵守しなければなりません。

❷ 業務後自動点呼

業務後自動点呼とは，安全規則に基づき，貨物自動車運送事業者が，点呼告示に定める自動点呼機器を用いて，事業用自動車の運行の業務を終了した運転者等に対して行う点呼をいいます。

業務後自動点呼は，安全規則等により対面による点呼と同等の効果を有するものとして**国土交通大臣が定める方法**として，実施可能とされています。

（1）業務後自動点呼の実施

業務後自動点呼は，次に掲げる場所において，業務後自動点呼を受けようとする運転者等の属する営業所の運行管理者等が当該運転者等に対し行うことができます。

①運転者等の属する営業所または当該営業所の車庫

②運転者等が従事する運行の業務を終了した場所が当該運転者等の属する営業所または当該営業所の車庫でない場合には，運転者のトラック内等

（2）自動点呼機器の機能の要件

業務後自動点呼は，①基本要件，②なりすましの防止に関する要件，③運行管理者等の対応が必要となる際の警報・通知に関する要件，④点呼結果，機器故障時の記録に関す

PLUS ONE プラス1

安全規則等の改正により，令和5年4月より，業務後自動点呼は「対面による点呼と同等の効果を有するものとして国土交通大臣が定める方法」として実施可能となった。

PLUS ONE プラス1

点呼告示が改正され，令和6年4月より，業務後自動点呼の実施場所に，運転者のトラック内等との間も追加となった。

PLUS ONE プラス1

業務後自動点呼の場合でも，従来の対面点呼と同様に，その責任は，事業者，運行管理者等が負う。

る要件など点呼告示に定める点呼機器の機能の要件を満た
すものを使用して行わなければなりません。

（3）自動点呼機器を設置する施設・環境の要件

業務後自動点呼は，点呼告示に定めるビデオカメラその
他の撮影機器の設置に関する要件を満たした状態で行わな
ければなりません。

（4）業務後自動点呼実施時の遵守事項

業務後自動点呼を行うときは，事業者や運行管理者等は，
①事業者・運行管理者等の遵守事項，②非常時の対応に関
する事項，③個人情報管理に関する事項など点呼告示に定
める所定の事項を遵守しなければなりません。

❸ アルコール検知器の設置

貨物自動車運送事業者は，アルコール検知器を営業所ご
とに備え，常時有効に保持しなければなりません。「アル
コール検知器を営業所ごとに備え」とは，①営業所または
営業所の車庫に設置されているもの，②営業所に備え置か
れたもの（携帯型アルコール検知器など），③営業所に属
する事業用自動車に設置されているものをいいます。

そして，業務前の点呼や業務後の点呼等の際，酒気帯び
の有無について確認を行う場合には，運転者の状態を目視
等で確認するほか，当該運転者の属する営業所に備えられ
たアルコール検知器を用いて行わなければなりません。

なお，アルコール検知器を使用するのは，身体に保有し
ている酒気帯びの有無を確認するためのものであり，道路
交通法施行令で定める呼気中のアルコール濃度１Ｌ当たり
0.15mg以上であるか否かを判定するためのものではありま
せん。

PLUS ONE プラス1
「自動点呼機器を設置
する施設・環境の要
件」は，なりすまし，
アルコール検知器の
不正使用，所定の場
所以外で業務後自動
点呼が行われること
を防止するためのも
のである。

PLUS ONE プラス1
「常時有効に保持」と
は，正常に作動し，故
障がない状態で保持
しておくことをいう。

❹ 点呼の記録とその保存

　貨物自動車運送事業者は，業務前点呼，業務後点呼，または中間点呼を行い，報告を求め，確認を行い，指示をしたときには，運転者等ごとに点呼を行った旨，**報告，確認および指示の内容**など所定の事項を記録しなければなりません。具体的には次ページの表の通りです。

　また，貨物自動車運送事業者は，この記録を1年間**保存**しなければなりません。

　Gマーク営業所間でIT点呼を実施した場合，点呼簿に記録する内容を，IT点呼を行う営業所およびIT点呼を受ける運転者等が所属する営業所の**双方**で記録し，保存しなければなりません。

点呼の記録保存期間が1年間だということはしっかり覚えましょう。よく出題されますよ。

■点呼の記録事項

業務前 点呼	①点呼執行者名 ②運転者等の氏名 ③運転者等が従事する運行の業務にかかる事業用自動車の自動車登録番号または識別できる記号，番号等 ④点呼日時 ⑤点呼方法(アルコール検知器の使用の有無および対面でない場合は具体的方法) ⑥運転者の酒気帯びの有無 ⑦運転者の疾病，疲労，睡眠不足等の状況 ⑧日常点検の状況 ⑨指示事項 ⑩その他必要な事項
業務後 点呼	①点呼執行者名 ②運転者等の氏名 ③運転者等が従事した運行の業務にかかる事業用自動車の自動車登録番号または識別できる記号，番号等 ④点呼日時 ⑤点呼方法(アルコール検知器の使用の有無および対面でない場合は具体的方法) ⑥自動車，道路および運行の状況 ⑦交替運転者等に対する通告 ⑧運転者の酒気帯びの有無 ⑨その他必要な事項
中間 点呼	①点呼執行者名 ②運転者等の氏名 ③運転者等が従事している運行の業務にかかる事業用自動車の自動車登録番号または識別できる記号，番号等 ④点呼日時 ⑤点呼方法（アルコール検知器の使用の有無および具体的方法） ⑥運転者の酒気帯びの有無 ⑦運転者の疾病，疲労，睡眠不足等の状況 ⑧指示事項 ⑨その他必要な事項

学習項目			Q できたらチェック ✔
遠隔点呼	☐	1	貨物自動車運送事業輸送安全規則の規定に基づき，貨物自動車運送事業者が，「対面による点呼と同等の効果を有するものとして国土交通大臣が定める方法を定める告示」に定める遠隔点呼機器を用いて，遠隔地にいる運転者等に対して行う点呼を遠隔点呼といい，対面による点呼と同等の効果を有するものとして国土交通大臣が定める方法として認められている。 予想
業務後自動点呼	☐	2	貨物自動車運送事業輸送安全規則の規定に基づき，貨物自動車運送事業者が，所定の自動点呼機器を用いて，事業用自動車の運行の業務を終了した運転者等に対して行う業務後自動点呼は，対面による点呼と同等の効果を有するものとして国土交通大臣が定める方法としては認められていない。 予想
アルコール検知器の設置	☐	3	貨物自動車運送事業輸送安全規則第7条第4項（点呼等）に規定する「アルコール検知器を営業所ごとに備え」とは，営業所又は営業所の車庫に設置されているアルコール検知器をいい，携帯型アルコール検知器は，これにあたらない。 2年度CBT
点呼の記録とその保存	☐	4	業務後の点呼において，運行の業務を終了した運転者からの当該業務に係る事業用自動車，道路及び運行の状況についての報告は，特に異常がない場合には運転者から求めないこととしており，点呼記録表に「異常なし」と記録している。 29年3月改
	☐	5	運行管理者は，事業用自動車の運転者に対する業務前点呼において，酒気帯びの有無については，目視等で確認するほか，アルコール検知器を用いて確認するとともに，点呼を行った旨並びに報告及び指示の内容等を記録し，かつ，その記録を1年間保存している。 2年8月改
	☐	6	同一事業者内の全国貨物自動車運送適正化事業実施機関が認定している安全性優良事業所（Gマーク営業所）間でIT点呼を実施した場合，点呼簿に記録する内容を，IT点呼を受ける運転者が所属する営業所で記録，保存すれば，IT点呼を行う営業所で記録，保存することは要しない。 2年度CBT

A 解答 1.○／2.× 業務後自動点呼は，対面点呼と同等の効果を有するものとして認められている／3.× 営業所または営業所の車庫に設置されているアルコール検知器だけではなく，営業所に備え置かれた携帯型アルコール検知器などでも構わない／4.× 記述の事項は特に異常がない場合でも必ず報告を求めなければならない／5.○／6.× IT点呼を行う営業所およびIT点呼を受ける運転者が所属する営業所の双方で記録し，保存しなければならない

Lesson 8 運行指示書と運転者等台帳

運行指示書をどのような場合に作成するのか，運行の途中で変更が生じたときはどうするのかなど，じっくりと理解してください。また，運転者等台帳の記載事項は頻出です。確実に覚えましょう。

頻出度 **A**

① 運行指示書による指示

（1）運行指示書が必要な運行

　一般貨物自動車運送事業者等は，**業務前および業務後の点呼のいずれも対面または対面による点呼と同等の効果を有するものとして国土交通大臣が定める方法で行うことができない業務を含む運行**ごとに，運行指示書を**作成**し，これにより事業用自動車の運転者または特定自動運行保安員（以下「運転者等」）に対し**適切な指示**を与え，その運転者等に運行指示書を**携行**させなければなりません。

　業務前と業務後のいずれも対面または対面による点呼と同等の効果を有するものとして国土交通大臣が定める方法による点呼ができない場合に中間点呼をしなければならないことはすでに学習しましたが（➡P.102），これに加えて，運行指示書の作成・指示・携行を行うことによって，**運行の安全の確保**をさらに図ろうというわけです。

　この運行指示書には，以下の事項を記載しなければなりません。

①**運行の開始**および**終了の地点**および**日時**

②運転者，特定自動運行保安員および事業用自動車の運行の業務の補助に従事する従業員（以下「乗務員等」）の氏名

③**運行の経路**および**主な経過地における発車・到着の日時**

④運行に際して**注意を要する箇所の位置**

⑤乗務員等の休憩（きゅうけい）地点および休憩時間（休憩がある場合に限る）

中間点呼については
レッスン6で学習し
ましたね。

🔍 ひっかけ注意！
平均速度や最高速度
などは運行指示書の
記載事項ではない。

⑥乗務員等の**運転または業務の交替の地点**（運転または業務の交替がある場合に限る）

⑦その他運行の安全を確保するために必要な事項

　業務前および業務後の点呼のいずれも対面または対面による点呼と同等の効果を有するものとして国土交通大臣が定める方法（以下「対面点呼」）で行うことができない業務を含む運行とは，以下のような場合です。

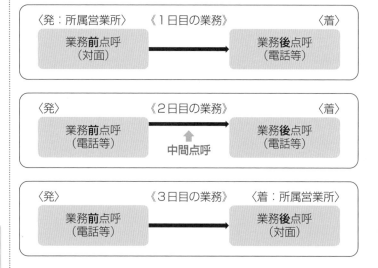

中間点呼が必要なのは２日目だけですが，運行指示書は運行全体について作成します。

　このような２泊３日の運行では，２日目の業務において業務前および業務後のいずれも対面点呼ができません。このため，運行全体についての運行指示書の作成，指示および運転者等の携行が必要となります。

　この場合，運行中は運転者等が運行指示書を携行するとともに，営業所にその**写し**を備え置きます。

（２）運行の途中で変更が生じた場合

　一般貨物自動車運送事業者等は，運行指示書を作成して運転者等がこれを携行している**運行の途中**で，以下の事項に**変更**を生じた場合には，運行指示書の**写しに変更の内容を記載**し，これにより運転者等に対し電話などの方法で変

更の内容について適切な指示を行い，運転者等が携行している運行指示書に**変更の内容を記載**させなければなりません。

①**運行の開始および終了の地点**および**日時**

②**運行の経路**および**主な経過地における発車・到着の日時**

　例えば，前の例の２泊３日の運行では，３日目に所属営業所で運行が終了していますが，これが変更となって別の目的地Ａで３日目の業務を終了し，４日目に目的地Ａから所属営業所に戻ることとなったような場合です。

〈発〉　　《変更後３日目の業務》　　〈着：目的地 A〉

業務**前**点呼（電話等）　→　中間点呼　→　業務**後**点呼（電話等）

〈発：目的地 A〉　《変更後４日目の業務》〈着：所属営業所〉

業務**前**点呼（電話等）　→　業務**後**点呼（対面）

> **Point** 運行の途中で変更が生じた場合，
> ・運行指示書の写しに変更内容を記載する。
> ・運転者等に対し，電話その他の方法で変更内容について適切な指示を行う。
> ・運転者等が携行している運行指示書に変更内容を記載させる。

（3）運行指示書を要しない運行の途中での変更

　１泊２日の運行の場合は「業務前および業務後のいずれも対面点呼ができない業務」を含まないため，運行指示書の作成を必要としません。このため，運転者等も運行指示書を携行しません。

　次の例で確認しましょう。

これらは運行指示書に記載される①と③の事項ですね。

３日目にも中間点呼が必要になりますね。

PLUS ONE プラス1

運行指示書の記載事項①または③に変更が生じたことによって④〜⑦の事項にも変更が生じた場合には，それらも一緒に記載する。

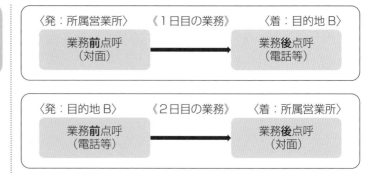

〈発：所属営業所〉　《1日目の業務》　〈着：目的地B〉

業務**前**点呼（対面）　→　業務**後**点呼（電話等）

〈発：目的地B〉　《2日目の業務》　〈着：所属営業所〉

業務**前**点呼（電話等）　→　業務**後**点呼（対面）

　このような運行の途中で変更が生じた場合，例えば，所属営業所ではなく別の目的地Cで2日目の業務を終了し，3日目に目的地Cから所属営業所に戻ることとなったような場合はどうすべきでしょう。

〈発〉　《変更後2日目の業務》　〈着：目的地C〉

業務**前**点呼（電話等）　↑中間点呼　業務**後**点呼（電話等）

〈発：目的地C〉　《変更後3日目の業務》〈着：所属営業所〉

業務**前**点呼（電話等）　→　業務**後**点呼（対面）

　このような場合，一般貨物自動車運送事業者等は，変更が生じた業務以後の運行について（1）と同様の事項を記載した運行指示書を**作成**し，これにより運転者等に対し電話などの方法で変更内容について**適切な指示**を行わなければなりません。

　運転者等は運行指示書を携帯していないため，変更内容を運行指示書に記載させることはできません。そこで運転者等には，指示の内容を業務の記録のひとつとして記録させることとしています。

（4）運行指示書およびその写しの保存

　一般貨物自動車運送事業者等は，**運行指示書およびその写し**を，**運行の終了の日から1年間保存**しなければなりません。

2 運転者等台帳

　一般貨物自動車運送事業者等は，運転者等ごとに，以下の事項を記載した**運転者等台帳を作成**し，その運転者等が所属する**営業所に備えて**置かなければなりません。

①作成番号および作成年月日

②事業者の氏名または名称

③運転者等の氏名，生年月日および住所

④雇入れの年月日および**運転者等に選任された年月日**

⑤運転者に対しては，道交法に規定する**運転免許**に関する以下の事項

　• 運転免許証の番号および**有効期限**

　• **運転免許の年月日および種類**

　• 運転免許に条件が付けられている場合は，その条件

⑥**事故を引き起こした場合**は，その概要

⑦**道交法第108条の34の規定による通知を受けた場合**は，その概要

⑧運転者等の健康状態

⑨運転者に対しては，**安全規則第10条第2項の規定に基づく指導**の実施および**適性診断**の受診の状況

　運転者等台帳には，運転者等台帳の作成前**6か月以内**に撮影した写真を貼り付けなければなりません。

　また，運転者が転任，退職その他の理由により**運転者でなくなった場合**には，ただちにその運転者の運転者等台帳に運転者でなくなった年月日および理由を記載して，これを**3年間保存**しなければなりません。

第2章 貨物自動車運送事業法関係

🖐 **ひっかけ注意！**

運転者等に選任された年月日は「初めて事業用自動車の運行の業務に従事した年月日」とは違うので注意。

「道交法第108条の34の規定による通知」とは，第1章のレッスン8で学習した公安委員会による通知のことですね。

安全規則第10条第2項の規定に基づく指導や適性診断については，レッスン10で学習します。

学習項目			**Q** できたらチェック ✔
運行指示書による指示	☐	**1**	事業者は，業務前及び業務後の点呼のいずれも対面または対面による点呼と同等の効果を有するものとして国土交通大臣が定める方法で行うことができない業務を含む運行ごとに，「運行の開始及び終了の地点及び日時」等の所定の事項を記載した運行指示書を作成し，これにより事業用自動車の運転者等に対し適切な指示を行い，及びこれを当該運転者等に携行させなければならない。 30年3月改
	☐	**2**	事業者は，運行指示書に運行の経路並びに主な経過地における発車及び到着の日時を記載しなければならない。 17年3月
	☐	**3**	運転者等は，運行指示書の作成を要する運行の途中において，運行の経路並びに主な経過地における発車及び到着の日時に変更が生じた場合には，営業所の運行指示書の写しをもって，運転者等が携行している運行指示書への当該変更内容の記載を省略することができる。 3年3月改
	☐	**4**	事業者は，法令の規定により運行指示書を作成した場合には，当該運行指示書を，運行を計画した日から1年間保存しなければならない。 3年度CBT
運転者等台帳	☐	**5**	運転者等台帳には，雇入れの年月日及び初めて事業用自動車の運行の業務に従事した年月日を記載しなければならない。 22年3月改
	☐	**6**	事業者は，運転者が転任，退職その他の理由により運転者でなくなった場合には，直ちに，当該運転者に係る法令に基づき作成した運転者等台帳に運転者でなくなった年月日及び理由を記載し，これを1年間保存しなければならない。 3年度CBT改

A 解答 1.○／2.○／3.× この場合は，運行指示書の写しに変更内容を記載し，運転者等に電話その他の方法で変更内容について適切な指示を行い，運転者等が携行している運行指示書にも変更内容を記載させなければならない／4.×「運行を計画した日」ではなく「運行を終了した日」から1年間の保存／5.× 初めて事業用自動車の運行の業務に従事した年月日ではなく，運転者等に選任された年月日を記載しなければならない／6.× 運転者等台帳は3年間保存しなければならない

Lesson 9

業務の記録・事故の記録

業務の記録については，記録事項が一つひとつ出題されます。特に道交法上の交通事故その他が発生した場合の記録が頻出です。また，業務の記録，事故の記録ともその保存期間を覚えましょう。

① 業務の記録

（1）記録事項

　一般貨物自動車運送事業者等は，事業用自動車の運転者または特定自動運行保安員（以下「運転者等」）の業務について，業務を行った運転者等ごとに以下の事項を記録させなければなりません。

①運転者等の氏名

②運転者等が従事した運行の業務にかかる事業用自動車の自動車登録番号その他のその事業用自動車を識別できる表示

③業務の開始と終了の地点および日時，主な経過地点および業務に従事した距離

④業務を交替した場合は，その地点および日時

⑤休憩または睡眠をした場合は，その地点および日時

⑥車両総重量8t以上または最大積載量5t以上の普通自動車である事業用自動車の運行の業務に従事した場合は，貨物の積載状況

　➡これは過積載による運送の有無を判断するために記録するものなので，貨物の重量または貨物の個数，貨物の荷台等への積付状況などを，可能なかぎりくわしく記録

> **ひっかけ注意！**
> 点呼を実施した運行管理者や荷主の氏名などは，記録事項ではないので注意。

> **プラス1**
> ⑤の場合，10分未満の休憩については，その記録を省略しても差しつかえない。
> ⑥の場合，当該業務において，作成された運行指示書に「貨物の積載状況」が記載されているときでも，その記録は省略できない。

> 車両総重量8t以上または最大積載量5t以上ということは，特定中型貨物自動車または大型貨物自動車ということですね。

させます。

⑦**車両総重量8ｔ以上または最大積載量5ｔ以上**の普通自動車である事業用自動車の運行の業務に従事した場合，荷主の都合により集貨または配達を行った地点（以下「集貨地点等」）で30分以上待機したときは，「集貨地点等，集貨地点等への到着・出発日時，荷役作業（積込み・取卸し）や附帯業務の開始・終了日時」など

➡いわゆる「荷待ち時間」などの記録のことです。

⑧**車両総重量8ｔ以上または最大積載量5ｔ以上**の普通自動車である事業用自動車の運行の業務に従事した場合，集貨地点等で荷役作業または附帯業務（以下「荷役作業等」）を実施したときは「集貨地点等，荷役作業等の開始・終了日時，荷役作業等の内容（⑦に該当する場合は集貨地点等および荷役作業等の開始・終了日時を除く）」など

⑨以下の事項が発生した場合は，その**概要**および**原因**

- **道交法に規定する交通事故**
- **自動車事故報告規則第2条に規定する事故**
- **著しい運行の遅延その他の異常な状態**

⑩運行指示書を要しない運行の途中で変更が生じた場合に，電話その他の方法で受けた**指示の内容**

➡この場合，運転者等は営業所を出発するとき運行指示書を携行していないため，新たに作成された運行指示書による指示の内容を，業務の記録として運転者等に記録させます（➡P.118）。

（2）保存期間

業務の記録は，運転者等の日常の業務の実態を把握し，過労運転の防止や過積載による運送の防止など，業務の適正化を図るための資料として活用します。このため，一般貨物自動車運送事業者等は，業務の記録を**1年間保存**しなければなりません。

（3）運行記録計による記録

一般貨物自動車運送事業者等は，記録すべき事項を運転

荷主との契約書に，実施した荷役作業等のすべてが明記されている場合，所要時間が1時間未満であれば荷役作業等の記録は不要となる。

📖**用語**

道交法に規定する交通事故

車両等の交通による人の死傷または物の損壊のこと。

自動車事故報告規則第2条には，自動車が転覆したり火災を起こしたりするなど，重大な事故が規定されています。

運行記録計は一般にタコグラフと呼ばれている。従来のタコグラフは円形の記録紙に針で記録するアナログ式であったが，最近のデジタル式のものではメモリカードなどに記録する。

者等ごとに記録させる代わりに，運行記録計によって記録することもできます。運行記録計とは，自動車の速度や運行距離，運行時間などを自動的に記録する装置です。ただし，この場合は，業務の記録として記録すべき事項のうち，**運行記録計により記録された事項以外の事項**は運転者等ごとに運行記録計による記録に**付記**させなければなりません。

　以下の事業用自動車の運転者等の業務については，その事業用自動車の**瞬間速度**，**運行距離**および**運行時間**を運行記録計により記録し，その記録を１年間**保存**しなければなりません。

①車両総重量7t以上または最大
　積載量４t以上の普通自動車

②①の事業用自動車に該当する
　被牽引自動車を牽引する牽引
　　　ひ けんいん
　自動車

③特別積合せ貨物運送にかかわる運行系統に配置するもの

■デジタル式運行記録計

2 事故の記録

　一般貨物自動車運送事業者等は，事業用自動車にかかわる事故が発生した場合には，以下の事項を**記録**し，その記録をその事業用自動車の運行を管理する営業所において**3年間保存**しなければなりません。

①運転者，特定自動運行保安員および事業用自動車の運行の業務の補助に従事する従業員（以下「**乗務員等**」）の氏名

②事業用自動車の自動車登録番号その他のその事業用自動車を識別できる表示

③事故の発生日時

④事故の発生場所

⑤**事故の当事者**（乗務員等を除く）の氏名

⑥事故の概要（損害の程度を含む）

⑦**事故の原因**

⑧**再発防止対策**

これらの事業用自動車には運行記録計を装着する義務があるんだ。

PLUS ONE プラス**1**

事業用自動車の運行記録計の装着は，平成29年４月１日から，車両総重量７t以上または最大積載量４t以上の車両に義務づけられた。

🔋ひっかけ注意！

業務の記録の保存期間は１年間。これに対し，事故の記録は３年間。

記録しなければならない事故は，「道交法に規定する交通事故」（死傷事故，物損事故）「自動車事故報告規則第２条に規定する事故」（レッスン15参照）になります。

学習項目	Q できたらチェック ✔
業務の記録	☐ **1** 休憩又は睡眠をした場合にあっては，その地点，日時及び休憩の方法を当該業務を行った運転者等ごとに記録させなければならない。 `26年3月改`
	☐ **2** 車両総重量が8トン以上又は最大積載量が5トン以上の普通自動車である事業用自動車の運行の業務に従事する運転者等は，当該業務において，法令の規定に基づき作成された運行指示書に「貨物の積載状況」が記録されている場合は，業務の記録に当該事項を記録したものとみなされる。 `4年度CBT改`
	☐ **3** 事業用自動車に係る運転者等の業務について，道路交通法に規定する交通事故若しくは自動車事故報告規則に規定する事故又は著しい運行の遅延その他の異常な事態が発生した場合にあっては，その概要及び原因について，当該業務を行った運転者等ごとに「業務の記録」に記録をさせなければならない。 `2年8月改`
	☐ **4** 運転者等の業務について，当該事業用自動車の瞬間速度，運行距離及び運行時間を運行記録計により記録しなければならない車両は，車両総重量が8トン以上又は最大積載量が5トン以上の普通自動車である。 `3年度CBT改`
事故の記録	☐ **5** 一般貨物自動車運送事業者等は，事業用自動車に係る事故が発生した場合には，次に掲げる事項を記録し，その記録を当該事業用自動車の運行を管理する営業所において ☐ **A** ☐ 保存しなければならない。 一 ☐ **B** ☐ の氏名 二 事業用自動車の自動車登録番号その他の当該事業用自動車を識別できる表示 三 事故の発生日時 四 事故の発生場所 五 事故の当事者（乗務員等を除く。）の氏名 六 事故の概要（損害の程度を含む。） 七 ☐ **C** ☐ 八 ☐ **D** ☐ `22年3月改`

A 解答 1．× 休憩の方法は含まれない／2．× 運行指示書に「貨物の積載状況」が記録されているときでも，その記録は省略できない／3．○／4．× 瞬間速度，運行距離，運行時間を運行記録計により記録しなければならない車両は，車両総重量が7t以上または最大積載量が4t以上の普通自動車である／5．A→3年間 B→乗務員等 C→事故の原因 D→再発防止対策

運転者に対する指導・監督

Lesson **10**

頻出度 **A**

事故惹起運転者・初任運転者・高齢運転者に対する特別な指導について，ほぼ毎回出題されています。特に，指導の実施時間や実施時期に関する問題が頻出です。原則と例外をきちんと区別しましょう。

1 一般的な指導・監督

　貨物自動車運送事業者は，国土交通大臣が告示で定めるところにより，①その貨物自動車運送事業にかかわる主な**道路の状況**その他の事業用自動車の運行に関する状況，②①の状況のもとにおいて事業用自動車の運行の安全を確保するために必要な**運転の技術**，③法令に基づき自動車の運転に関して遵守すべき事項について，運転者に対する適切な**指導**および**監督**をしなければなりません。この場合，指導・監督を行った日時，場所および内容のほか，指導・監督を行った者および受けた者を**記録**して，その記録を営業所で**3年間保存**しなければなりません。

　この指導・監督の内容は，①事業用自動車を運転する場合の心構え，②事業用自動車の運行の安全を確保するために遵守すべき基本的事項，③事業用自動車の構造上の特性，④貨物の正しい積載方法，⑤過積載の危険性，⑥危険物を運搬する場合に留意すべき事項，⑦適切な運行の経路，当該経路における道路・交通の状況，⑧危険の予測・回避，緊急時における対応方法，⑨運転者の運転適性に応じた安全運転，⑩交通事故に関わる運転者の生理的・心理的要因，これらへの対処方法，⑪健康管理の重要性，⑫安全性の向上を図るための装置を備える事業用自動車の適切な運転方法です。

　また，貨物自動車運送事業者は，事業用自動車に備えられた非常信号用具と消火器の取扱いについて，乗務員等に対する適切な指導をしなければなりません。

PLUS ONE プラス1

一般的な指導・監督の内容は，「貨物自動車運送事業者が事業用自動車の運転者に対して行う指導及び監督の指針」において定められている。

非常信号用具については，第3章レッスン9で学習します。

用語

乗務員等

運転者，特定自動運行保安員および事業用自動車の運行の業務の補助に従事する従業員のこと。

2 特別な指導および適性診断

　一般貨物自動車運送事業者等は，国土交通大臣が告示で定めるところにより，特定の運転者（事故惹起運転者，初任運転者，高齢運転者）に対し，事業用自動車の運行の安全を確保するために遵守すべき事項について**特別な指導**を行い，さらに**国土交通大臣が告示で定める**適性診断であって国土交通大臣の認定を受けたものを受けさせなければなりません。

（1）事故惹起運転者

事故惹起運転者	**死者**または**重傷者**を生じた交通事故を**引き起こした運転者**，軽傷者を生じた交通事故を引き起こし，かつ，その事故前の3年間に交通事故を引き起こしたことがある運転者

---

①特別な指導の内容

- 事業用自動車の運行の安全の確保に関する法令等
- 交通事故の事例の分析に基づく再発防止対策
- 交通事故にかかわる運転者の生理的・心理的要因と対処方法
- 交通事故を防止するために留意すべき事項
- 危険の予測および回避
- 安全運転の実技

②実施時間

安全運転の実技以外について**合計6時間以上**実施する
（安全運転の実技は，可能な限り実施することが望ましい）

③実施時期

交通事故を引き起こした後，**再度，事業用自動車に乗務する前に**実施する。ただし，**やむを得ない事情がある場合には再度乗務を開始した後1か月以内に**実施する。なお，外部の専門的機関における指導講習を受講する予定の場合はこの限りでない

④適性診断の受診

交通事故を引き起こした後，再度，事業用自動車に乗務する前に受診させる。ただし，やむを得ない事情がある場合には乗務を開始した後1か月以内に受診させる

事故惹起運転者に対する特別な指導は，やむを得ない事情がある場合と外部の専門的機関で指導講習を受講する予定の場合を除き，再度事業用自動車に乗務する前に実施しなければなりません。

　一般貨物自動車運送事業者等は，事業用自動車の運転者として常時選任するために新たに雇い入れた運転者について，自動車安全運転センター交付の無事故・無違反証明書や運転記録証明書等により，雇い入れる前の事故歴を把握し，事故惹起運転者に該当するか否かを確認する必要があります。

　なお，実施時間は安全運転の実技を含めて合計6時間以上ではないことに注意しましょう。

（2）初任運転者

初任運転者	運転者として常時選任するために**新たに雇い入れた者**

①特別な指導の内容

- 貨物自動車運送事業法その他の法令に基づき運転者が遵守すべき事項，事業用自動車の運行の安全を確保するために必要な運転に関する事項等　※なお，一部の事項（日常点検に関する事項，事業用自動車の車高・視野・死角・内輪差・制動距離等に関する事項，貨物の積載方法・固縛方法に関する事項）については，実際に車両を用いて指導する
- 安全運転の実技

②実施時間

- 安全運転の実技以外について**15時間以上**実施する
- 安全運転の実技は，**20時間以上**実施する

③実施時期

その貨物自動車運送事業者において**初めて事業用自動車に乗務する前**に実施する。ただし，**やむを得ない事情**がある場合には**乗務を開始した後1か月以内**に実施する

④適性診断の受診

その貨物自動車運送事業者において初めて事業用自動車に乗務する前に受診させる。ただし，やむを得ない事情がある場合には乗務を開始した後1か月以内に受診させる

プラス1
貨物自動車運送事業者において初めて事業用自動車に乗務する前3年間に，他の一般貨物自動車運送事業者等によって運転者として常時選任されたことがある者は，初任運転者には該当しない。

　なお，この適性診断の受診は，初任運転者で，その貨物自動車運送事業者において初めて事業用自動車に乗務する

前3年間に初任診断を受診したことがない者が対象となります。

（3）高齢運転者

高齢運転者	65歳以上の者

①特別な指導の内容
③の高齢運転者のための適性診断の結果をふまえて，個々の運転者の加齢に伴う身体機能の変化の程度に応じた事業用自動車の安全な運転方法等について，**運転者が自ら考えるよう指導する**

②実施時期
③の適性診断の結果が判明した後**1か月以内**に実施する

③適性診断の受診
65歳に達した日以後1年以内※に1回受診させ，その後**3年以内**ごとに1回受診させる

※65歳以上の者を新たに選任した場合は，選任の日から1年以内

❸ 通行の禁止または制限等違反の防止

　貨物自動車運送事業者は，事業用自動車の重量，高さ等による通行禁止または制限等に違反して道路を通行する等の行為の防止について，運転者等に対する適切な指導・監督を怠ってはなりません。

確認しよう！
問題 de 実力チェック!!

学習項目	Q できたらチェック ☑
一般的な指導・監督	☐ **1** 運行管理者は，事業用自動車の運転者に対し，事業用自動車の構造上の特性，貨物の正しい積載方法など事業用自動車の運行の安全を確保するために必要な運転の技術及び自動車の運転に関して遵守すべき事項等について，適切に指導を行うとともに，その内容等について記録し，かつ，その記録を営業所において1年間保存している。 **2年8月**
特別な指導および適性診断	☐ **2** 事業者は，事故惹起運転者に対する特別な指導については，当該交通事故を引き起こした後再度事業用自動車に乗務する前に実施する。ただし，やむを得ない事情がある場合には，再度乗務を開始した後1ヵ月以内に実施する。なお，外部の専門的機関における指導講習を受講する予定である場合は，この限りではない。 **3年度CBT**
	☐ **3** 事業者が行う初任運転者に対する特別な指導は，法令に基づき運転者が遵守すべき事項，事業用自動車の運行の安全を確保するために必要な運転に関する事項などについて，6時間以上実施するとともに，安全運転の実技について，15時間以上実施する。 **2年度CBT改**
	☐ **4** 運転者として常時選任するために新たに雇い入れた者（当該貨物自動車運送事業者において初めて事業用自動車に乗務する前3年間に他の一般貨物自動車運送事業者等によって運転者として常時選任されたことがある者を除く。）に対して，特別な指導を行わなければならない。 **2年8月改**
	☐ **5** 事業者は，適齢診断（高齢運転者のための適性診断として国土交通大臣が認定したもの。）を運転者が65才に達した日以後1年以内に1回受診させ，その後3年以内ごとに1回受診させなければならない。 **4年度CBT改**
	☐ **6** 高齢運転者に対する特別な指導は，国土交通大臣が認定した高齢運転者のための適性診断（以下「適性診断」という。）の結果を踏まえ，個々の運転者の加齢に伴う身体機能の変化の程度に応じた事業用自動車の安全な運転方法等について運転者が自ら考えるよう指導する。この指導は，適性診断の結果が判明した後1ヵ月以内に実施する。 **24年3月改**

A 解答 **1.**× 保存期間は1年間ではなく，3年間／**2.**○／**3.**× 「6時間以上」ではなく，「15時間以上」。「15時間以上」ではなく，「20時間以上」／**4.**○／**5.**○／**6.**○

第2章　貨物自動車運送事業法関係

Lesson 11 運行管理者の選任

営業所で選任する運行管理者の数を計算させる問題が出題されますが，それほど難しい計算ではありません。基本のルールを理解したうえで，実際に計算問題を自分で解いてみるとよいでしょう。

① 運行管理者の選任等

　一般貨物自動車運送事業者等は，事業用自動車の運行の安全の確保に関する業務を行わせるために，国土交通省令（安全規則）で定めるところにより，**運行管理者資格者証の交付を受けている者のうちから運行管理者を選任**しなければなりません。運行管理者資格者証は，国土交通大臣の行う運行管理者試験に合格した者，または運行の安全の確保に関する業務について一定の実務経験その他の要件を備える者に交付されます。

ひっかけ注意!

運行管理者試験の合格者のうちから選任するのではないことに注意。

運行管理者の資格要件や資格者証については，レッスン14でくわしく学習します。

　また，一般貨物自動車運送事業者等が運行管理者を選任または解任したときは，**遅滞なく，国土交通大臣**に届出をしなければなりません。

　運行管理者は，事業用自動車の運行の安全の確保に関する業務を事業者と一体となって遂行する職務を担います。そのため，事業者は，安全の確保に関する業務を遂行するために十分な数の運行管理者を必要とするとともに，運行管理者には，専門知識や経験が要求されることになります。

プラス1

遅滞なく届け出るというのは，遅くとも1週間以内には届け出るということ。

② 運行管理者の数

一般貨物自動車運送事業者等は，事業用自動車（被牽引<ruby>牽<rt>けんいん</rt></ruby>自動車を除きます）の運行を管理する営業所ごとに，その営業所が運行を管理する事業用自動車の数を30で割った数（小数点以下は切り捨て）に，1を加えた数以上の運行管理者を選任しなければなりません。

事業用自動車（被牽引自動車を除く）を配置する営業所	必要な運行管理者数
30両未満の事業用自動車の運行を管理する営業所	1名
30両以上の事業用自動車の運行を管理する営業所	**事業用自動車の数を30で割った数（小数点以下は切り捨て）に1を加えた数**

※5両未満の事業用自動車の運行を管理する営業所であって，地方運輸局長が，その事業用自動車の種別，地理的条件その他の事情を勘案して，事業用自動車の運行の安全の確保に支障を生ずるおそれがないと認めるものは，運行管理者を選任しなくてよい

つまり，29両までの事業用自動車の運行を管理する営業所であれば，最低**1名**の運行管理者を選任すればよいわけです。では，ちょうど30両の事業用自動車の運行を管理する営業所ではどうでしょう。この場合は，以下の式に当てはめて考えます。

$$運行管理者数 = \frac{事業用自動車数}{30} + 1$$

事業用自動車の数30両を30で割るとちょうど1ですから，これに1を加えて**2名**以上必要ということになります。

このように，選任する運行管理者の人数は，その営業所で運行を管理する事業用自動車の数に**応じて**決められます。ただし，**被牽引自動車を除く**ことに注意しましょう。

「30両未満」というのは，29両までという意味ですね。

「事業用自動車の種別，地理的条件その他の事情を勘案して，当該事業用自動車の運行の安全の確保に支障を生ずるおそれがないと認めるもの」には，①霊柩自動車の運行のみを管理する営業所，②一般廃棄物収集運搬に使用される自動車の運行を管理する営業所等があります。

例題 1 　問題

　事業用自動車190両（うち被牽引自動車20両）の運行を管理する営業所では，何名の運行管理者が必要か。

解答 1 　解答するためのポイント

$$
\boxed{\begin{array}{c}\text{事業用自動車}\\190\text{両}\end{array}} \; - \; \boxed{\begin{array}{c}\text{被牽引自動車}\\20\text{両}\end{array}} \; = \; \boxed{\begin{array}{c}\text{被牽引自動車}\\\text{以外}170\text{両}\end{array}}
$$

被牽引自動車の数を引いてから，30で割ります。

　∴ 170 ÷ 30 ＝ 5.666‥‥

小数点以下は切り捨てるので，割った数は5です。

これに1を加えるので，

　5 ＋ 1 ＝ 6

解答 　最低6名以上必要

Point

$$
\text{運行管理者数} = \frac{\text{事業用自動車数}}{30} + 1
$$

（事業用自動車数は，被牽引自動車の数を引いた数）

レッスン3で学習した安全統括管理者と間違えないように！

PLUS ONE プラス1

補助者の選任については，運行管理者の履行補助として業務に支障が生じない場合に限り，同一事業者の他の営業所の補助者を兼務させても差し支えない。

PLUS ONE プラス1

点呼の一部を補助者が行うことができるが，点呼の総回数の少なくとも3分の1以上は運行管理者が行わなければならない。

❸ 統括運行管理者と補助者

　1つの営業所で**複数の運行管理者**を選任する一般貨物自動車運送事業者等は，それらの業務を統括する**統括運行管理者**を選任しなければなりません。

　また，運行管理者が終日業務を実施することは現実的に困難ですから，一般貨物自動車運送事業者等は，以下の要件のどちらかを満たす者を**補助者**として選任できます。

①運行管理者資格者証を取得している者

②国土交通大臣が告示で定める運行の管理に関する講習であって，国土交通大臣の認定を受けたものを修了した者

　補助者は，運行管理者が実施すべき運行管理業務のうち補助的な行為を，運行管理者の指示のもとに実施することができます。

確認しよう！ 問題 de 実力チェック!!

学習項目		Q できたらチェック ✔
運行管理者の選任等	☐ 1	一般貨物自動車運送事業者は，事業用自動車の運行の安全の確保に関する業務を行わせるため，国土交通省令で定めるところにより，運行管理者試験合格者のうちから，運行管理者を選任しなければならない。　16年8月
運行管理者の数	☐ 2	一般貨物自動車運送事業者は，事業用自動車（被けん引自動車を除く。）の運行を管理する営業所ごとに，当該営業所が運行を管理する事業用自動車の数を30で除して得た数（その数に1未満の端数があるときは，これを切り捨てるものとする。）に1を加算して得た数以上の運行管理者を選任しなければならない。　4年度CBT
	☐ 3	事業者は，事業用自動車（被けん引自動車を除く。）70両を管理する営業所においては，3人以上の運行管理者を選任しなければならない。　元年8月
	☐ 4	事業用自動車130両（うち，被けん引自動車20両）の運行を管理する営業所には，運行管理者は4名以上必要である。　21年8月
	☐ 5	事業用自動車29両（被けん引自動車を除く。）の運行を管理する営業所について，運行の安全の確保に関する業務を行わせるため，運行管理者資格者証の交付を受けている者のうちから，運行管理者を2名選任しなければならない。　17年3月
統括運行管理者と補助者	☐ 6	一の営業所において複数の運行管理者を選任する場合は，運行管理者の業務を統括する運行管理者（統括運行管理者）を選任しなければならない。　25年3月
	☐ 7	事業者は，法令に規定する運行管理者資格者証を有する者又は国土交通大臣が告示で定める運行の管理に関する講習であって国土交通大臣の認定を受けたもの（基礎講習）を修了した者のうちから，運行管理者の業務を補助させるための者（補助者）を選任することができる。　2年度CBT

A 解答 1.× 運行管理者試験合格者のうちからではなく，運行管理者資格者証の交付を受けている者のうちから選任しなければならない／2.○／3.○／4.○／5.× 30両未満なので，1名選任すればよい／6.○／7.○

運行管理者の業務

一般貨物自動車運送事業者等の遵守すべき事項や義務は，その多くが運行管理者の業務とされています。毎年必ず出題される分野であると同時にこれまでの復習にもなるので，しっかり学習しましょう。

一般貨物自動車運送事業者等というのは一般貨物自動車運送事業者および特定貨物自動車運送事業者のことでしたね。

ここが重要!!
運行管理者が事業者に対して行う助言は頻出です。助言を行うのは運行管理者であって，事業者ではないことに注意しましょう。

① 運行管理者・事業者・従業員の義務

運行管理者の業務の範囲は，国土交通省令（安全規則）で定められており，運行管理者は誠実にその業務を行わなければなりません。一方，一般貨物自動車運送事業者等は，運行管理者に対し，業務を行うため**必要な権限**を与えなければなりません。

運行管理者は，一般貨物自動車運送事業者等に対して，事業用自動車の運行の安全の確保に関し**必要な事項**について**助言を行う**ことができます。事業者等は，運行管理者がその業務として行う**助言を尊重**しなければなりません。

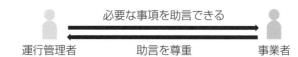

必要な事項を助言できる
運行管理者　　助言を尊重　　事業者

事業用自動車の運転者その他の従業員は，運行管理者がその業務として行う指導に従わなければなりません。

② 運行管理者の業務

運行管理者の業務のほとんどは，事業者に義務づけられた遵守事項（遵守すべき事項）です。しかし，事業者と運行管理者で行うべきことが異なる場合もあります。

（1）過労運転等の防止に関する業務

①一般貨物自動車運送事業者等により運転者または特定自動運行保安員（以下「運転者等」）として**選任された者以外の者**を事業用自動車の運行の業務に従事させないこと
➡業務を行うのに必要な員数の運転者等を常時選任して

おくことは事業者の義務ですが（➡P.97），事業者に選任された運転者等以外の者を事業用自動車の運行の業務に従事させないことは，運行管理者の業務とされています。

②運転者，特定自動運行保安員および事業用自動車の運行の業務の補助に従事する従業員（以下「乗務員等」）が**休憩や睡眠のために利用することができる施設を適切に管理**すること

➡乗務員等の休憩や睡眠のために必要な施設を，**整備**したり**保守・管理**したりすることは事業者の義務ですが（➡P.97），施設を実際に**管理**することは運行管理者の業務です。

> **Point** 休憩・睡眠のために必要な施設
> ・整備・保守と管理 ➡ 事業者の義務
> ・管理 ➡ 運行管理者の業務

③定められた勤務時間および乗務時間の範囲内で**乗務割を作成**し，これに従い運転者を事業用自動車に乗務させること

➡国土交通大臣が告示で定める基準に従って運転者の勤務時間と乗務時間を定めるのは事業者の義務ですが（➡P.98），運行管理者はこの範囲内で**乗務割の作成**を行います。

④**酒気を帯びた状態**にある乗務員等を事業用自動車の運行の業務に従事させないこと。また，乗務員等の健康状態の把握に努め，**疾病**，**疲労**，**睡眠不足**などの理由により安全に運行の業務を遂行またはその補助ができないおそれのある乗務員等を事業用自動車の運行の業務に従事させないこと

⑤運転者が長距離運転または夜間の運転に従事する場合であって，疲労等によって安全な運転を継続できないおそれがあるときに，その運転者と**交替するための運転者を配置**しておくこと

➡これらは事業者の義務であるとともに（➡P.98），運行

事業者が行うべきことと，運行管理者の業務とを間違えないようにしなきゃ！

📖 **用語**

乗務割
運転者の拘束時間や運転時間，休日などを割り振った乗務スケジュール表のこと。

飲酒により体内に摂取されたアルコールを分解するために必要な時間の目安については，例えば，ビール500mL（アルコール5％）の場合，おおむね4時間とされている。

管理者の業務でもあります。

（2）過積載の防止に関する業務

①過積載運送の防止について，運転者，特定自動運行保安員その他の従業員に対する**指導および監督**を行うこと

　➡事業者も，乗務員に対する適切な指導・監督を怠ってはなりません（➡P.92）。

②偏荷重が生じたり，運搬中に荷崩れして貨物が落下したりしないよう，**貨物の積載方法**について従業員に**指導および監督**を行うこと

　➡偏荷重が生じたり，運搬中に荷崩れして貨物が落下したりしないようにすること自体は，事業者の義務です（➡P.92）。

（3）点呼に関する業務

　運転者等に対して**点呼**を行い，**報告**を求め，**確認**を行い，**指示**を与えること。また，**点呼の記録**をして**1年間保存**し，および運転者に対して使用するアルコール検知器を常時有効に保持すること

　➡点呼は，事業者の義務でもあります（➡P.100～111）。

（4）業務の記録などに関する業務

①運転者等に**業務の記録**をさせ，その記録を**1年間保存**すること

②**運行記録計の装着義務**のある事業用自動車の運行記録計を管理し，その記録を**1年間保存**すること

③運行記録計の装着義務がある事業用自動車で，**運行記録計による記録のできないもの**を運行に使用しないこと

④事業用自動車にかかわる**事故が発生した場合**には，所定の事項を**記録**し，その記録を事業用自動車の運行を管理する営業所において**3年間保存**すること

（5）運行指示書などに関する業務

①運行指示書を作成し，その写しには変更内容を記載し，運転者等に対し適切な指示を行うほか，運行指示書を事業用自動車の運転者等に携行させ，変更内容を記載させ

PLUS ONE プラス1

点呼の一部は補助者に行わせることができるが，点呼の総回数の少なくとも3分の1以上は運行管理者が行わなければならない。

ここでも記録の保存期間が1年間なのか3年間なのかを問う出題があります。

PLUS ONE プラス1

④の「所定の事項」とは，「事故の発生場所」等である。

ること。運行指示書とその写しを運行の終了の日から１
年間**保存**すること

➡運行指示書を保存する際は，運行指示書の内容を変更
した原本だけではなく，その運行指示書の写しも保存し
ておく必要があります。

②**運転者等台帳**を作成し，営業所に備え置くこと

（6）乗務員等に対する指導・監督に関する業務

①乗務員等に対する**指導・監督**および**特別な指導**を行うと
ともに，指導・監督の記録を**３年間保存**すること

➡事業用自動車に備えられた**非常信号用具**および**消火器**
の取扱いについて，乗務員等に適切な指導を行うことも
含まれます。

②**特定の運転者**に**適性診断**を受けさせること

➡適性診断には，性格と運転のクセや安全意識を判定す
る筆記診断のほかに，シミュレーター等を使用して状況
変化への適応能力等を判定する機械診断，カウンセリン
グなどがあります。

③事業用自動車の重量，高さ等による通行禁止または制限
等に違反して道路を通行する等の行為の防止について，
運転者等に対する指導・監督を行うこと

（7）その他の業務

①特定自動運行事業用自動車による運送を行おうとする場
合にあっては，特定自動運行事業用自動車に特定自動運
行保安員を乗務させ，もしくはこれと同等の措置を行い，
または遠隔からその業務を行わせること

②**異常気象**その他の理由により輸送の安全の確保に支障を
生じるおそれがあるときは，乗務員等に対する適切な指示
その他**輸送の安全確保**のために**必要な措置**を講じること

③選任された**補助者**に対する指導および監督を行うこと

➡運行管理者は，その業務のうち補助的な行為を運行管理
者の指示のもとに補助者に実施させることができますが，
補助者に対する指導・監督を行わなければなりません。

PLUS ONE プラス1

異常気象時等における措置も，貨物自動車運送事業者の義務のひとつである。

補助者

➡P132

補助者が行う業務において，次に該当するおそれがあることが確認された場合は，ただちに運行管理者に報告を行い，運行の可否の決定等について指示を仰ぎ，その結果に基づき各運転者に対し指示を行わなければなりません。

・運転者が酒気を帯びている
・疾病，疲労，睡眠不足その他の理由により安全な運転をすることができない
・無免許運転および大型自動車等無資格運転
・過積載運行
・最高速度違反行為

④**自動車事故報告規則第5条**の規定により定められた**事故防止対策**に基づき，事業用自動車の運行の安全の確保について，従業員に対する指導および監督を行うこと

自動車事故報告規則第5条（事故警報）についてはレッスン15で学習します。

（8）特別積合せ貨物運送を行う一般貨物自動車運送事業の運行管理者の業務

特別積合せ貨物運送を行う一般貨物自動車運送事業の運行管理者は，以上の（1）～（7）のほか，その特別積合せ貨物運送の運行系統で，起点から終点までの距離が100kmを超えるものごとに，①主な地点間の運行時分・平均速度，②乗務員等が休憩または睡眠をする地点・時間，③交代の運転者を配置する場合は，運転を交替する地点について，事業用自動車の運行の業務に関する基準を作成し，かつ，その基準の遵守について乗務員等に対する指導・監督を行わなければなりません。

（9）まとめ

安全規則第20条で定められている，運行管理者の業務について次表にまとめます。

■運行管理者の業務（安全規則第20条）

第1項	第1号	運転者等として選任された者以外の者を事業用自動車の運行業務に従事させないこと ※「運転者等を選任すること」は事業者の義務であり，運行管理者の業務ではありません

第1項	第2号	乗務員等の休憩・睡眠施設の適切な管理 ※休憩・睡眠施設の「整備」や「保守」は事業者の義務であり，運行管理者の業務ではありません
	第3号	勤務時間・乗務時間の範囲内で乗務割を作成し，これに従い運転者を事業用自動車に乗務させること ※「勤務時間・乗務時間を定めること」は事業者の義務であり，運行管理者の業務ではありません
	第4号	酒気帯び状態の乗務員等を事業用自動車の運行業務に従事させないこと
	第4号の2	疾病，疲労，睡眠不足その他の理由により安全に運行の業務を遂行（またはその補助）ができないおそれのある乗務員等を事業用自動車の運行業務に従事させないこと
	第5号	交替のための運転者の配置
	第5号の2	特定自動運行事業用自動車による運送を行おうとする場合の措置
	第6号	過積載防止のための指導・監督
	第7号	積載方法についての指導・監督
	第7号の2	通行禁止・制限等違反の防止のための指導・監督
	第8号	点呼に関する業務，アルコール検知器の常時有効な保持
	第9号	業務の記録とその保存
	第10号	運行記録計の管理，記録の保存
	第11号	運行記録計の装着義務のある事業用自動車で，運行記録計による記録のできないものを運行に使用しないこと
	第12号	事故の記録とその保存
	第12号の2	運行指示書の作成・運転者等の携行・変更内容の指示・記載・保存等に関する業務
	第13号	運転者等台帳の作成等に関する業務
	第14号	乗務員等に対する指導・監督，特別な指導，記録と保存
	第14号の2	特定の運転者に適性診断を受けさせること
	第15号	異常気象時等における措置
	第16号	補助者に対する指導・監督
	第17号	事故防止対策に基づく指導・監督
第2項		特別積合せ貨物運送にかかる運行業務基準の作成および当該基準の遵守について乗務員等に対する指導・監督 （※特別積合せ貨物運送を行う一般貨物自動車運送事業の運行管理者の場合）
第3項		事業者に対する助言
第4項		統括運行管理者による上記規定の業務の統括

第○項や第○号の数字までは覚えなくても大丈夫です。

プラス1

運行管理者の業務でないものの例としては，以下のものがある。いずれも事業者の義務である。

①定期に行う点検の基準の作成など

②運行管理規程を定めること

③自動車車庫を営業所に併設すること

学習項目	Q できたらチェック ✔
運行管理者の業務	☐ **1** 事業計画に従い業務を行うに必要な員数の事業用自動車の運転者等を常時選任しておくことは，貨物自動車運送事業の運行管理者の業務である。 30年8月改
	☐ **2** 乗務員等が有効に利用することができるように，休憩に必要な施設を整備し，及び乗務員等に睡眠を与える必要がある場合にあっては睡眠に必要な施設を整備し，並びにこれらの施設を適切に管理し，及び保守することは，一般貨物自動車運送事業の運行管理者の業務である。 4年度CBT改
	☐ **3** 休憩又は睡眠のための時間及び勤務が終了した後の休息のための時間が十分に確保されるように，国土交通大臣が告示で定める基準に従って，運転者の勤務時間及び乗務時間を定め，当該運転者にこれらを遵守させることは，一般貨物自動車運送事業の運行管理者の業務である。 3年3月改
	☐ **4** 過積載による運送の防止について，運転者，特定自動運行保安員その他の従業員に対する指導及び監督を行うことは，一般貨物自動車運送事業の運行管理者の業務である。 20年3月改
	☐ **5** 運転者等に対して，法令の規定により点呼を行い，報告を求め，確認を行い，及び指示をしたときは，運転者等ごとに点呼を行った旨，報告，確認及び指示の内容並びに法令で定める所定の事項を記録し，かつ，その記録を1年間保存することは，貨物自動車運送事業の運行管理者の業務である。 3年3月改
	☐ **6** 法令の規定により，運行指示書を作成し，及びその写しに変更の内容を記載し，運転者等に対し適切な指示を行い，運行指示書を事業用自動車の運転者等に携行させ，及び変更の内容を記載させ，並びに運行指示書及びその写しの保存をすることは，一般貨物自動車運送事業の運行管理者の業務である。 2年8月改
	☐ **7** 法令の規定により，運転者等ごとに運転者等台帳を作成し，営業所に備え置くことは，一般貨物自動車運送事業の運行管理者の業務である。 4年度CBT改

A 解答 **1**. × 運転者等を常時選任しておくことは事業者の義務である／**2**. × 休憩や睡眠施設の整備と保守は事業者が行うべきこと／**3**. × 運転者の勤務時間および乗務時間を定めて運転者に遵守させるのは事業者が行うべきこと／**4**.○／**5**.○／**6**.○／**7**.○

Lesson 13 運行管理規程その他

頻出度 C

このレッスンの出題頻度はそれほど高くありません。ただし，運行管理規程の作成，運行管理者の指導・監督，講習については，注意が必要です。

1 運行管理規程の作成

一般貨物自動車運送事業者等は，運行管理者の職務および権限，統括運行管理者を選任しなければならない営業所にあってはその職務および権限，ならびに事業用自動車の運行の安全の確保に関する業務の処理基準に関する規程を定めなければなりません。これを運行管理規程といいます。

> **Point** 運行管理規程とは，
> ①運行管理者や統括運行管理者の職務および権限
> ②事業用自動車の運行の安全の確保に関する業務の処理基準
> などを定めた自社ルール

運行管理規程は，運行管理者や統括運行管理者が，的確かつ円滑に事業用自動車の運行の安全の確保に関する業務を行うための自社ルールです。そのため，運行管理規程の作成にあたっては，少なくとも運行管理者および統括運行管理者がその**業務を行うに足りる権限**を規定しておく必要があります。また，個々の事業者が自社の実態を十分考慮して，実施すべき業務を加えるなど，運行管理の実施に支障が生じないようにしなければなりません。

運行管理規程は，事業者にその作成が義務づけられていますが，作成したことの届出は不要です。

2 運行管理者の指導・監督，講習

（1）運行管理者の指導・監督

一般貨物自動車運送事業者等は，運行管理者の**業務の適確な処理**および**運行管理規程の遵守**について，運行管理者

プラス1
補助者を選任する場合は，運行管理規程に補助者の選任方法とその職務，および遵守事項等についても明記しておかなければならない。

運行管理規程の作成は，事業者の義務であって運行管理者の業務ではありません。

に対する適切な**指導・監督**を行わなければなりません。

指導・監督

運行管理者 ← 業務の適確な処理 運行管理規程の遵守 事業者

（2）運行管理者の講習

　一般貨物自動車運送事業者等は，国土交通大臣が告示で定めるところにより，次の①〜③の運行管理者に国土交通大臣が告示で定める運行の管理に関する講習であって国土交通大臣の認定を受けたものを受けさせなければなりません。

①次のいずれかの営業所において選任している者
　・死者または重傷者が生じた事故を引き起こした事業用自動車の運行を管理する営業所
　・許可の取り消し等の規定による処分（輸送の安全にかかるものに限る）の原因となった違反行為が行われた営業所

②運行管理者として新たに選任した者
　「新たに選任した者」とは，**当該事業者**において**初めて選任された者**のことをいい，当該事業者において過去に運行管理者として選任されていた者や他の営業所で選任されていた者は，「新たに選任した者」に該当しません。つまり，**他の事業者**において運行管理者として選任されていた者であっても，**当該事業者**において運行管理者として選任されたことがなければ，運行管理者として選任された者は，「新たに選任した者」に該当することになります。

③最後に国土交通大臣が認定する運行の管理に関する講習を受講した日の属する年度（最後に受講した年度）の翌年度の末日を経過した者
　講習には，次のような基礎講習，一般講習，特別講習があります。

講習の種類	目　的	実施時期
基礎講習	運行管理を行うために必要な法令および業務等に関する基礎的な知識の習得	・前記①の場合，事故等があった年度および翌年度 ・前記②の場合，選任の届出をした年度 ・前記①②により，最後に受講させた年度の翌々年度以後２年ごと
一般講習	運行管理を行うために必要な法令および業務等に関する最新の知識の習得
特別講習	自動車事故または輸送の安全にかかわる法令違反の再発防止	前記①の場合，事故等があった日から１年以内において，できる限りすみやかに

第2章　貨物自動車運送事業法関係

❸ 安全確保命令等

（1）輸送の安全の確保を阻害する行為の禁止

　一般貨物自動車運送事業者等が**貨物自動車利用運送**を行う場合には，利用する下請事業者が輸送の安全にかかわる事業法の規定や安全管理規程を遵守することによって輸送の安全を確保することを阻害してはなりません。

　到着時間の遅延に対して厳しいペナルティーを与えたり，過積載による運送を強要するなどして，元請事業者（もとうけ）が下請事業者に無理な運行を依頼するようなことがあると，輸送の安全が確保できなくなるからです。

貨物自動車利用運送とは，自ら引き受けた運送を別の事業者に下請けに出す事業形態でしたね。

安全管理規程についてはレッスン３で学習しましたね。

（2）安全確保命令

　国土交通大臣は，一般貨物自動車運送事業者等が輸送の安全にかかわる事業法の規定や安全管理規程を遵守していないため輸送の安全が確保されていないと認めるときは，その一般貨物自動車運送事業者等に対し，以下の措置を講ずべきことを命じることができます（**安全確保命令**）。

①必要な員数の運転者の確保
②事業用自動車の運行計画の改善
③運行管理者に対する必要な権限の付与
④下請事業者の輸送の安全の確保を阻害する行為の停止
⑤安全管理規程の遵守
⑥その他是正のために必要な措置

確認しよう！
問題 de 実力チェック!!

学習項目		Q できたらチェック ✔
運行管理規程の作成	□ 1	事業者は，運行管理者の職務及び権限，統括運行管理者を選任しなければならない営業所にあってはその職務及び権限並びに事業用自動車の運行の安全の確保に関する業務の処理基準に関する規程（運行管理規程）を定めなければならない。 22年3月
運行管理者の指導・監督，講習	□ 2	運行管理規程を定め，かつ，その遵守について運行管理業務を補助させるため選任した者（補助者）及び運転者に対し指導及び監督を行うことは，一般貨物自動車運送事業の運行管理者の業務である。 4年度CBT改
安全確保命令等	□ 3	一般貨物自動車運送事業者は，貨物自動車利用運送を行う場合にあっては，その利用する運送を行う一般貨物自動車運送事業者又は特定貨物自動車運送事業者が貨物自動車運送事業法の規定又は安全管理規程を遵守することにより輸送の安全を確保することを阻害する行為をしてはならない。 19年8月

A **解答** 1.○／2.× 運行管理規程を定め，その遵守について運行管理者に対し指導・監督を行うことは，事業者の義務／3.○

Lesson 14 運行管理者資格者証

頻出度 C

運行管理者は輸送の安全の確保を業務とする者であり，そのための知識や経験のほか，法令を遵守する能力が求められます。資格者証を交付するための要件や，法令違反者に対する返納命令が重要です。

❶ 運行管理者の資格要件

　運行管理者は，運行管理者資格者証（以下「資格者証」）の交付を受けている者のうちから選任しなければなりません。

　資格者証が交付されるのは，**運行管理者試験の合格者**，または運行の安全の確保に関する業務について**一定の実務経験その他の要件を備える者**のいずれかです。

　「一定の実務経験その他の要件を備える者」とは，**一般貨物自動車運送事業者**，**特定貨物自動車運送事業者**または**特定第二種貨物利用運送事業者**の事業用自動車の運行の管理に関し**5年以上の実務経験**があり，その間に国土交通大臣が告示で定める運行の管理に関する**講習であって国土交通大臣の認定を受けたものを5回以上受講**した者のことをいいます。

　「国土交通大臣が告示で定める運行の管理に関する講習であって国土交通大臣の認定を受けたもの」とは，基礎講習および一般講習のことです（運行管理者の講習と同じもの〔➡P.143〕）。5回以上の受講のうち，少なくとも1回は基礎講習を受講する必要があります。

　なお，「特定第二種貨物利用運送事業者」とは，次表のとおりです。

運行管理者の選任については，レッスン11で学習しましたね。

貨物利用運送事業者		ほかの運送事業者（船舶・航空・鉄道を含む）の行う運送を利用した貨物運送（利用運送）を行う運送事業者
	第二種貨物利用運送事業者	ほかの運送事業者の利用運送と，その前後の貨物自動車による集荷および配達を一貫して行う貨物利用運送事業者
		特定第二種貨物利用運送事業者 ｜ 一般貨物自動車運送事業者または特定貨物自動車運送事業者としての許可は受けていないが，集配事業計画が貨物の集配にかかわる輸送の安全確保のために適切であるとして貨物利用運送事業法による許可を受けている第二種貨物利用運送事業者

② 資格者証の交付等

（1）交付申請

　運行管理者試験の合格者が資格者証の交付申請をするときは，**合格の日から3か月以内**にしなければなりません。

（2）資格者証の訂正

　資格者証の交付を受けている者が**氏名の変更**をしたときは，資格者証の訂正申請書にその資格者証および住民票の写しなどの変更の事実を証明する書類を添付して，その住所地を管轄する地方運輸局長に提出し，**資格者証の訂正**を受けなければなりません。この場合，資格者証の訂正に代えて**資格者証の再交付**を受けることもできます。

📖 用語

地方運輸局

国土交通省の地方支分部局。全国を9つの地方運輸局で管轄している。なお，地方運輸局の下部組織として運輸支局が各都道府県（沖縄県と兵庫県を除く）に置かれており，兵庫県には運輸監理部（神戸）が置かれている。

訂正に代えて再交付をお願いしまーす！

結婚して氏名が変わりました〜。

（3）資格者証の再交付

　資格者証の訂正に代えて，または資格者証を汚損したり失ったりしたために資格者証の再交付を申請するときは，再交付申請書にその**資格者証を添付**して（資格者証を失った場合を除く），その住所地を管轄する地方運輸局長に提出しなければなりません。

（4）資格者証の返納

　資格者証を失ったために再交付を受けた者が，失った資格者証を発見したときは，遅滞なく，**発見した資格者証を**その住所地を管轄する地方運輸局長に**返納**しなければなりません。

❸ 返納命令等

（1）資格者証の返納命令

　国土交通大臣は，資格者証の交付を受けている者が事業法・これに基づく命令，またはこれらに基づく処分に違反したときは，その資格者証の**返納**を命じることができます（返納命令）。

> **Point** 運行管理者資格者証の返納命令は，資格者証の保有者自身に対して国土交通大臣が命じる。

　運行管理者には，最低限の資質として**法令遵守能力**が求められているということです。

（2）資格者証の交付を行わない場合

　国土交通大臣は，運行管理者試験の合格者，または一定の実務経験などの要件を備える者であっても，以下のいずれかに該当する者には，資格者証の交付を行わないことができます。

①資格者証の**返納を命じられ**，その日から**5年を経過しない**者

②事業法・これに基づく命令，またはこれらに基づく処分に違反し，事業法の規定によって**罰金以上の刑**に処せら

PLUS ONE プラス1

氏名変更による訂正に代えて再交付を申請する場合は，住民票の写しなど，これらに類するもので変更の事実を証明する書類も添付する。

第2章　貨物自動車運送事業法関係

ひっかけ注意！

資格者証の返納を命じられるのは法令等に違反した資格者証の保有者自身であり，その者を運行管理者に選任した事業者ではないことに注意。

事業法が改正され，令和元年11月より資格者証の交付が行われない期間が「2年」から「5年」に延長されました。

れ，その執行を終わり，または執行を受けることがなく
なった日から5年を経過しない者

問題 de 実力チェック!!

学習項目	Q できたらチェック ✔
運行管理者の資格要件	□ **1** 一般貸切旅客自動車運送事業の事業用自動車の運行の管理に関し5年以上の実務の経験を有し，その間に国土交通大臣が告示で定める講習であって国土交通大臣の認定を受けたものを5回以上受講した者は，一般貨物自動車運送事業の運行管理者資格者証の交付要件を備える。 **17年8月改**
資格者証の交付等	□ **2** 運行管理者資格者証の交付の申請は，運行管理者試験に合格した者にあっては，合格の日から3カ月以内に行わなければならない。 **24年3月改**
	□ **3** 運行管理者資格者証の交付を受けている者は，氏名に変更を生じたときは，運行管理者資格者証の訂正に代えて，運行管理者資格者証の再交付を受けることができる。 **19年8月**
	□ **4** 運行管理者資格者証を失ったために運行管理者資格者証の再交付を受けた者は，失った運行管理者資格者証を発見したときは，遅滞なく，発見した運行管理者資格者証をその住所地を管轄する地方運輸局長に返納しなければならない。 **19年8月**
返納命令等	□ **5** 国土交通大臣は，運行管理者資格者証の交付を受けている者が，貨物自動車運送事業法若しくはこの法律に基づく命令又はこれらに基づく処分に違反したときは，その運行管理者資格者証の返納を命ずることができる。また，運行管理者資格者証の返納を命ぜられ，その日から5年を経過しない者に対しては，運行管理者資格者証の交付を行わないことができる。 **2年度CBT**

A 解答 1.✕ 実務経験は一般貨物自動車運送事業者，特定貨物自動車運送事業者または特定第二種貨物利用運送事業者の事業用自動車の運行管理に関するものでなければならない。一般貸切旅客自動車運送事業は含まれない／**2**.○／**3**.○／**4**.○／**5**.○

Lesson 15 事故の報告

頻出度 **A**

どのような「事故」について報告が義務づけられるのかを問う問題がほぼ毎回出題されます。重傷者を生じたといえるかどうかが重要です。事故報告規則に掲げられていない事故は報告の義務がありません。

❶ 事故の定義

　一般貨物自動車運送事業者等は，事業用自動車が国土交通省令で定める**重大な**事故を引き起こしたときは，遅滞なく，事故の種類や原因などの国土交通省令で定める事項を国土交通大臣に届け出なければなりません。

　この国土交通省令とは**自動車事故報告規則**（以下「事故報告規則」）です。事故報告規則では，以下の①〜⑭のいずれかに該当する自動車事故を「事故」と定義しています

> **Point** 事業用自動車が事故を引き起こした場合に，一般貨物自動車運送事業者等に国土交通大臣への報告が義務づけられるのは，事故報告規則に定められた重大な事故についてのみである。

①自動車が**転覆**し，**転落**し，**火災**（積載物品の火災を含む）を起こし，または**鉄道車両**と**衝突・接触**したもの

②10台以上の自動車の衝突または接触を生じたもの

③**死者**または**重傷者**を生じたもの

　➡「重傷者」とは，自動車損害賠償保障法施行令第5条第2号または第3号に掲げる傷害を受けた者です。これによると，脊柱・上腕・前腕・大腿・下腿の骨折や内臓破裂のほか，**入院を要する傷害**を受けた者が該当します。

④10人以上の負傷者を生じたもの

⑤自動車に積載された**危険物**，**火薬類**または**高圧ガス**などの全部・一部が**飛散**し，または**漏えい**したもの

⑥自動車に積載されたコンテナが落下したもの

⑦酒気帯び運転，無免許運転，無資格運転，麻薬等運転を伴うもの

事故報告規則といえば，これまでレッスン3，9，12にも出てきましたね。

PLUS ONE プラス1
「転覆」は路面と35度以上傾斜した場合をいい，「転落」はその落差が0.5m以上の場合をいう。

PLUS ONE プラス1
14日以上の入院を要する傷害，または入院を要する傷害で医師の治療を要する期間が30日以上のものならば「重傷者」に含まれる。

⑧の運転者等の疾病としては、心筋梗塞（こうそく）やくも膜下出血（まくか）などが考えられます。

⑩の自動車の装置の故障としては、動力伝達装置（クラッチなど）や車軸などの故障がよく出題されます。

PLUS ONE プラス1
事業用自動車の運転者に救護義務違反があった場合は、その違反があったことを事業者が知った日から30日以内に報告書3通を国土交通大臣に提出しなければならない。

PLUS ONE プラス1
報告書が3通必要なのは国土交通大臣への提出用のほかに、地方運輸局長と運輸監理部長または運輸支局長がそれぞれ保管するためである。

⑧ **運転者**または特定自動運行保安員**の疾病**により、事業用自動車の**運行を継続する**ことができなくなったもの

⑨救護義務違反があったもの

⑩ **自動車の装置の故障**により、自動車が運行できなくなったもの

⑪車輪の脱落、被牽引（ひけんいん）自動車の分離を生じたもの（自動車の装置の故障によるものに限る）

⑫ 橋脚（きょうきゃく）、架線その他の**鉄道施設を損傷**し、**3時間以上**本線において鉄道車両の**運転を休止**させたもの

⑬高速自動車国道または自動車専用道路において、3時間以上自動車の通行を禁止させたもの

⑭自動車事故の発生の防止を図るため、国土交通大臣が特に必要と認めて報告を指示したもの

❷ 事故報告書の提出

Point 一般貨物自動車運送事業者等は、その使用する自動車について「事故」があった場合には、その事故があった日から**30日以内**に、事故ごとに**自動車事故報告書3通**を、その自動車の使用の本拠の位置を管轄する運輸監理部長または運輸支局長を経由して、**国土交通大臣**に提出しなければならない。

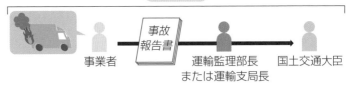

30日以内

事業者　　　　　事故報告書　　　　運輸監理部長　　　国土交通大臣
　　　　　　　　　　　　　　　　　または運輸支局長

「事故」が、❶の⑩⑪である場合には、報告書にその自動車の自動車検査証の有効期間、使用開始後の総走行距離など、一定の事項を記載した書面、および故障の状況を示す略図または写真を添付しなければなりません。

❸ 事故の速報

　一般貨物自動車運送事業者等は，その使用する自動車について以下のいずれかに該当する事故があったとき，または国土交通大臣の指示があったときは，報告書を提出するほかに，**24時間以内**に，できる限りすみやかに，その事故の概要を運輸監理部長または運輸支局長に**速報**しなければなりません。

① 2人以上の死者を生じた事故
② 5人以上の重傷者を生じた事故
③ 10人以上の負傷者を生じた事故
④ 自動車に積載された危険物，火薬類または高圧ガスなどの全部・一部が飛散し，または漏えいした事故
　➡ 自動車が転覆し，転落し，火災（積載物品の火災を含む）を起こし，または鉄道車両，自動車その他の物件と衝突・接触したことによって生じたものに限ります。
⑤ 酒気帯び運転に該当する事故
　事故の速報は，**電話**その他適当な方法によって行います。

❹ 事故警報

　国土交通大臣または地方運輸局長は，自動車事故報告書または事故の速報に基づき必要があると認めるときには，**事故防止対策**を定め，自動車使用者，自動車特定整備事業者その他の関係者にこれを周知させなければなりません。これを**事故警報**といいます。

　事故警報に定められた事故防止対策に基づき，事業用自動車の運行の安全の確保について従業員に対する指導・監督を行うことは，運行管理者の業務のひとつでもあります（➡ P.138）。

報告書は30日以内，速報は24時間以内ですね。

PLUS ONE プラス1
事故報告規則の改正により，令和5年4月より，事故の速報の方法として，ファクシミリ装置が削除された。

PLUS ONE プラス1
事故警報は，類似の事故で被害の著しく大きい事故が発生するおそれがあると判断される場合や，地理的・季節的条件などによって事故が頻発するおそれがあると判断される場合に発令される。

学習項目		Q できたらチェック ✔
事故の定義	☐ **1**	事業用自動車の運転者がハンドル操作を誤り，当該自動車が車道と歩道の区別がない道路を逸脱し，当該道路との落差が0.3メートルの畑に転落した場合，一般貨物自動車運送事業者は自動車事故報告規則に基づく国土交通大臣への報告を要する。 3年度CBT改
	☐ **2**	事業用自動車が走行中，鉄道施設である高架橋の下を通過しようとしたところ，積載していた建設用機械の上部が橋桁に衝突した。この影響で，2時間にわたり本線において鉄道車両の運転を休止させた場合，一般貨物自動車運送事業者は自動車事故報告規則に基づく国土交通大臣への報告を要する。 28年3月改
	☐ **3**	事業用自動車が右折の際，一般原動機付自転車と接触し，当該一般原動機付自転車が転倒した。この事故で，当該一般原動機付自転車の運転者に通院による30日間の医師の治療を要する傷害を生じさせた場合，一般貨物自動車運送事業者は自動車事故報告規則に基づき，国土交通大臣に報告しなければならない。 2年度CBT改
	☐ **4**	事業用自動車が雨天時に緩い下り坂の道路を走行中，先頭を走行していた自動車が速度超過によりカーブを曲がりきれずにガードレールに衝突する事故を起こした。そこに当該事業用自動車を含む後続の自動車が止まりきれずに次々と衝突する事故となり，8台の自動車が衝突したが負傷者は生じなかった場合，一般貨物自動車運送事業者は自動車事故報告規則に基づき，国土交通大臣に報告しなければならない。 2年度CBT改
	☐ **5**	事業用自動車の運転者が，走行中ハンドル操作を誤り道路のガードレールに衝突する物損事故を起こし，当該事故の警察官への報告の際，当該運転者が道路交通法に規定する麻薬等運転をしていたことが明らかとなった場合，一般貨物自動車運送事業者は自動車事故報告規則に基づく国土交通大臣への報告を要しない。 27年3月改
	☐ **6**	高速自動車国道を走行中の事業用けん引自動車のけん引装置が故障し，事業用被けん引自動車と当該けん引自動車が分離した場合，一般貨物自動車運送事業者は自動車事故報告規則に基づき，国土交通大臣に報告しなければならない。 2年度CBT改

学習項目			ⓠできたらチェック ☑

第2章
貨物自動車運送事業法関係

事故報告書の提出	☐	**7**	事業用自動車が鉄道車両（軌道車両を含む。）と接触する事故を起こした場合には，当該事故のあった日から15日以内に，自動車事故報告規則に定める自動車事故報告書を当該事業用自動車の使用の本拠の位置を管轄する運輸支局長等を経由して，国土交通大臣に提出しなければならない。 〔2年8月改〕
	☐	**8**	自動車の装置（道路運送車両法第41条各号に掲げる装置をいう。）の故障により，事業用自動車が運行できなくなった場合には，国土交通大臣に提出する事故報告書に当該事業用自動車の自動車検査証の有効期間，使用開始後の総走行距離等所定の事項を記載した書面及び故障の状況を示す略図又は写真を添付しなければならない。 〔2年8月〕
事故の速報	☐	**9**	事業用自動車が交差点において乗用車と出会い頭の衝突事故を起こした。双方の運転者は共に軽傷であったが，当該事業用自動車の運転者が事故を警察官に報告した際，その運転者が道路交通法に規定する酒気帯び運転をしたことが発覚した場合，一般貨物自動車運送事業者は，自動車事故報告規則に基づき運輸支局長等に速報を要する。 〔29年3月改〕
	☐	**10**	事業用自動車が高速自動車国道法に定める高速自動車国道において，路肩に停車中の車両に追突したため，後続車6台が衝突する多重事故が発生し，この事故により6人が重傷，4人が軽傷を負った。この場合，24時間以内においてできる限り速やかに，その事故の概要を運輸支局長等に速報することにより，国土交通大臣への事故報告書の提出を省略することができる。 〔2年8月〕
	☐	**11**	消防法に規定する危険物である灯油を積載した事業用のタンク車が，運搬途中の片側1車線の一般道のカーブ路においてハンドル操作を誤り，転覆し，積み荷の灯油の一部がタンクから漏えいする単独事故を引き起こした。この事故で，当該タンク車の運転者が軽傷を負った場合，一般貨物自動車運送事業者は，自動車事故報告規則に基づき運輸支局長等に速報を要する。 〔3年3月改〕

Ａ 解答 1.× 報告を要する「転落」は，その落差が0.5m以上の場合である／2.× 3時間以上本線において鉄道車両の運転を休止させていないので報告は要しない／3.× 医師の治療期間が30日間であっても通院によるものであり，入院を要するものではない／4.× 10台以上の自動車の衝突または接触を生じた事故，10人以上の負傷者を生じた事故について，報告を要する／5.× 事故報告規則で報告が義務づけられている事故に該当する／6.○／7.× この場合，事故報告書は30日以内に提出しなければならない／8.○／9.○／10.× この場合，事故報告書を提出するほかに，運輸支局長等に対する速報も必要／11.○

Lesson 16 行政処分その他

頻出度 B

出題頻度はそれほど高くはありませんが，これまで学習してきた内容のまとめにもなります。どのような場合に行政処分が科せられるのか，その要件とともに，しっかり理解しましょう。

1 公衆の利便阻害行為の禁止等

　一般貨物自動車運送事業者が以下の①～③の行為を行っている場合には，国土交通大臣は，一般貨物自動車運送事業者に対し，その行為の停止または変更を命じることができます。

①荷主に対し**不当な運送条件**によることを求めるなど，**公衆の利便を阻害する行為**

　➡例えば，不当に高額な運賃や料金を要求するようなことは，公衆の利便を阻害します。

②一般貨物自動車運送事業の**健全な発達を阻害する結果を生じるような競争**

　➡以下のような場合が，これに該当します。

・営業類似違反行為を行う自家用貨物自動車の利用

　　自社の商品などを自社の自家用貨物自動車で運送する

PLUS ONE プラス1
自家用貨物自動車はいわゆる白ナンバーのトラックなので，許可を得ずに行われる営業類似違反行為を「白トラ行為」などと呼ぶ。

ことは問題ないが，ほかの会社の貨物を自家用貨物自動車で運送することは営業類似行為といい，違法である。
- 健康保険法・厚生年金保険法・労働者災害補償保険法および雇用保険法に基づく社会保険に加入する義務があるのに，未加入のままでいる
- 最低賃金法に基づき定められた最低限度額よりも低い賃金の支払
③特定の荷主に対する，不当な差別的取扱い

② 事業改善の命令

国土交通大臣は，一般貨物自動車運送事業の適正で合理的な運営を確保するため必要があると認めるときは，一般貨物自動車運送事業者に対し，以下の事項を命じることができます（事業改善命令）。
①事業計画を変更すること
②運送約款を変更すること
③自動車その他の輸送施設に関し改善措置を講じること
④貨物の運送に関し生じた損害を賠償するために必要な金額を担保することができる保険契約を締結すること

事業計画と運送約款についてはレッスン2で学習しましたね。

第2章 貨物自動車運送事業法関係

⑤運賃または料金が利用者の利便その他公共の利益を阻害している事実があると認められる場合に，その運賃または料金を変更すること

⑥以上のほか，荷主の利便を害している事実がある場合，その他事業の適正な運営が著しく阻害されていると認められる場合において，事業の運営を改善するために必要な措置をとること

❸ 名義の利用等の禁止

一般貨物自動車運送事業者等は，その**名義**を，一般貨物自動車運送事業または特定貨物自動車運送事業のために**他人に利用させてはなりません**（名義貸し行為の禁止）。

また，一般貨物自動車運送事業者等は，**事業の貸渡**しなどいかなる方法をもってするかを問わず，一般貨物自動車運送事業または特定貨物自動車運送事業を他人にその名で経営させてはなりません。

❹ 行政処分

一般貨物自動車運送事業者等に対する行政処分とは，以下の3つをいいます。下のものほど重くなります。

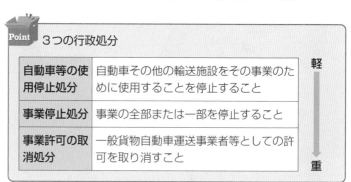

Point	3つの行政処分	
自動車等の使用停止処分	自動車その他の輸送施設をその事業のために使用することを停止すること	軽
事業停止処分	事業の全部または一部を停止すること	
事業許可の取消処分	一般貨物自動車運送事業者等としての許可を取り消すこと	重

国土交通大臣は，一般貨物自動車運送事業者等が以下のいずれかに該当するときは，**行政処分**を行うことができます（ただし，自動車等の使用停止処分と事業停止処分は，

名義貸しを認めると体制や能力を備えない者に事業をさせることになり，許可制にした意味がなくなってしまうため，禁止されています。

プラス1

より軽微なものとして，口頭注意，勧告，警告があり，行政処分とこれらを合わせて「行政処分等」という。

6か月**以内**の期間を定めて行います）。

① **事業法**・同法に基づく**命令**，これらに基づく**処分**に違反したとき

② 道路運送法第83条・第95条の規定，同法第84条第1項の規定による処分に違反したとき

③ 許可・認可に付した**条件**に違反したとき

①の「命令」のなかには，安全規則などの国土交通省令も含まれています。

最も重い事業許可の取消処分の対象となる違反行為のうち，重要なものを確認しておきましょう。

• 自動車等の使用停止処分や事業停止処分に対する違反

• 事業計画に従い業務を行うべき命令に対する違反

• 輸送の安全確保命令に対する違反

• 事業改善命令に対する違反

• 公衆の利便阻害行為等の停止命令に対する違反

②の道路運送法の条文の内容は，以下のとおりです。

• 第83条　貨物自動車運送事業を経営する者は，有償で旅客の運送をしてはならない（有償旅客運送の禁止）。

• 第95条　自動車の使用者は，自動車の外側に，使用者の名称など一定の事項を表示しなければならない（自動車に関する表示）。

• 第84条第1項　国土交通大臣は，災害救助等のために必要であり，かつ運送を行う者がない場合などに限り，一般貨物自動車運送事業者に対し，貨物の運送を命じることができる（運送に関する命令）。

⑤ 荷主への働きかけ

国土交通大臣は，貨物自動車運送事業者が事業法または同法に基づく命令に違反する原因となるおそれのある行為（以下，「違反原因行為」）をしている疑いがある荷主に対して，以下のような働きかけを行うことができます。

• 違反原因行為を荷主がしている疑いがあると認めるとき

安全確保命令についてはレッスン13で学習しましたね。

事業法が改正され，令和元年7月より荷主は貨物自動車運送事業者が事業法または同法に基づく命令を遵守して事業を遂行できるよう，必要な配慮をしなければならないとする配慮義務が新たに規定されました。

第2章　貨物自動車運送事業法関係

は，関係行政機関の長に対し，その**荷主に関する情報を提供**することができる。

- 違反原因行為をしている疑いがある荷主に対して，貨物自動車運送事業者が事業法または同法に基づく命令を遵守して事業を遂行することができるよう荷主が配慮することの重要性について理解を得るために必要な措置を講ずることができる。

- 荷主が違反原因行為をしていることを疑うに足りる相当な理由があると認める場合には，違反原因行為をしないよう荷主に対して**要請**することができる。

PLUS ONE プラス1

荷主に対して勧告したときは，その旨を公表する。

- 要請を受けた荷主が，なお違反原因行為をしていることを疑うに足りる相当な理由があると認める場合には，荷主に対して違反原因行為をしないよう**勧告**することができる。

- 貨物自動車運送事業者に対する荷主の行為が独占禁止法違反に該当すると疑うに足りる事実を把握したときは**公正取引委員会**に対し，その事実を**通知**する。

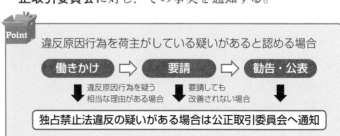

Point 違反原因行為を荷主がしている疑いがあると認める場合

働きかけ ⇨ **要請** ⇨ **勧告・公表**

違反原因行為を疑う相当な理由がある場合

要請しても改善されない場合

独占禁止法違反の疑いがある場合は公正取引委員会へ通知

⑥ 荷主への勧告

PLUS ONE プラス1

国土交通大臣が荷主に対して勧告したときは，その旨を公表する。

　国土交通大臣は，貨物自動車運送事業者が輸送の安全にかかわる事業法の規定に違反したことにより安全確保命令または行政処分をする場合で，以下に該当するときは，**荷主に対しても再発防止を図るため適当な措置をとるべきことを勧告**することができます（荷主勧告）。

- 命令や処分にかかわる違反行為が荷主の指示に基づいて行われたことが明らかであるとき
- 違反行為が主として荷主の行為に**起因**するものであると認められ，かつ，貨物自動車運送事業者に対する命令や処分だけではその違反行為の再発防止が困難であると認められるとき

荷主勧告の対象となる事業者の違反行為は，①過労運転防止違反，②過積載運行，③最高速度違反などがあります。

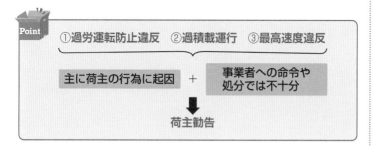

Point

①過労運転防止違反　②過積載運行　③最高速度違反

| 主に荷主の行為に起因 | ＋ | 事業者への命令や処分では不十分 |

荷主勧告

⑦ 適正な取引の確保

　一般貨物自動車運送事業者等は，以下のことを防止するため，**荷主と密接に連絡**し，および**協力**して，適正な取引の確保に努めなければなりません。

①**運送条件が明確でない**運送の引受け

②運送の直前または開始以降の**運送条件の変更**

③荷主の都合による集貨地点等における**待機**

④運送契約によらない附帯業務の実施に起因する運転者の**過労運転または過積載による運送**

⑤その他の**輸送の安全を阻害する行為**

運転者に過積載運転を要求した荷主には警察署長が再発防止を命令することができきましたよね。

そうですね。でも，国土交通大臣による荷主勧告はあくまで勧告ですから，再発防止を命令するわけではないことに注意しましょう。

第2章　貨物自動車運送事業法関係

学習項目	**Q** できたらチェック ☑
公衆の利便阻害行為の禁止等	☐ **1** 一般貨物自動車運送事業者は，一般貨物自動車運送事業の健全な発達を阻害する結果を生ずるような競争をしてはならない。 18年8月
事業改善の命令	☐ **2** 国土交通大臣は，一般貨物自動車運送事業の適正かつ合理的な運営を確保するため必要があると認めるときは，一般貨物自動車運送事業者に対し，事業計画を変更することを命ずることができる。 20年3月
名義の利用等の禁止	☐ **3** 一般貨物自動車運送事業者は，その名義を他人に一般貨物自動車運送事業又は特定貨物自動車運送事業のため利用させてはならず，また，事業の貸渡しその他いかなる方法をもってするかを問わず，一般貨物自動車運送事業又は特定貨物自動車運送事業を他人にその名において経営させてはならない。 27年8月
行政処分	☐ **4** 国土交通大臣は，一般貨物自動車運送事業者が貨物自動車運送事業法若しくは同法に基づく命令若しくはこれらに基づく **A** 若しくは道路運送法第83条（有償旅客運送の禁止）若しくは第95条（自動車に関する表示）の規定若しくは同法第84条第1項（運送に関する命令）の規定による **A** 又は許可若しくは認可に付した **B** に違反したときは， **C** 以内において期間を定めて **D** その他の輸送施設の当該事業のための使用の停止若しくは事業の全部若しくは一部の停止を命じ，又は事業の許可を取り消すことができる。 21年8月
荷主への勧告	☐ **5** 国土交通大臣は，事業者が過積載による運送を行ったことにより，貨物自動車運送事業法の規定による命令又は処分をする場合において，当該命令又は処分に係る過積載による運送が荷主の指示に基づき行われたことが明らかであると認められ，かつ，当該事業者に対する命令又は処分のみによっては当該過積載による運送の再発を防止することが困難であると認められるときは，当該荷主に対しても，当該過積載による運送の再発の防止を図るため適当な措置を執るべきことを勧告することができる。 3年3月

A 解答　1.○／2.○／3.○／4. A→処分 B→条件 C→6か月 D→自動車／5.○

第3章

道路運送
車両法関係

「このトラックはどこの会社のもの?」,「道路で走らせて安全なの?」,「排出ガスが公害の原因になってしまわない?」…運行管理者としては,道路を走る車両についてのルールも知っておかなければなりません。

法の目的と定義

Lesson 1

頻出度 **B**

ここでは道路運送車両法がどのような法律なのか，その基礎を学習します。法の目的をしっかりと理解しましょう。また，自動車の種別が道交法と異なっていることに注意しましょう。

PLUS ONE プラス1

自動車を自由に売却したり廃車にしたりできるのは，その自動車の所有権を有する所有者である。

自動車をローンで購入した場合などは，信販会社が所有者，購入者が使用者となり，所有者と使用者が異なります。

車両法の目的は，文章の空欄を埋める形式で出題されますよ。

　用語

公証

登録制度等によって特定の事実や法律関係を公に証明すること。

❶ 道路運送車両法の目的

　自動車は公（おおやけ）の道路において多数の人に利用される一方，走行中に**事故**を引き起こしたり，**環境**に悪影響を及ぼしたりする危険性を持つ乗り物です。

　また，自動車はそれ自体に**財産**としての価値があります。しかし，大量生産されるものであり，しかも移動するため，外形だけで誰のものかを判断することが困難です。そのため，個々の自動車を**制度的に識別**して，**所有者や使用者**を判別できるようにしなければ，さまざまな問題を生じてしまいます。

　道路運送車両法（以下「車両法」）は，自動車の**検査**や**登録**の制度などについて定める法律です。**検査制度**によって自動車の安全確保や環境の保全が図られ，また，**登録制度**によって自動車の識別が可能となり，所有や使用の実態を制度的に把握することができます。

　車両法は，**道路運送車両**に関して，以下のことを**目的**としています。

> **Point　車両法の目的**
> ①所有権について**公証**等を行う
> ②安全性の確保および公害の防止その他の**環境の保全**を図る
> ③整備についての技術の向上を図る
> ④自動車の整備事業の健全な発達に役立つ
> ⑤以上の①～④により，**公共の福祉**を増進する

❷ 自動車の種別

> **Point** 車両法における自動車は，①普通自動車，②小型自動車，③軽自動車，④大型特殊自動車，⑤小型特殊自動車の5種類。

　車両法において，道路運送車両とは，自動車，原動機付自転車および軽車両をいいます。**自動車**は，その大きさと構造，原動機の種類と総排気量または定格出力を基準として，以下の5種類に区分されています。

■車両法の「自動車」の区分

　これを**道交法**における自動車の区分と比べてみましょう。

■道交法の「自動車」の区分

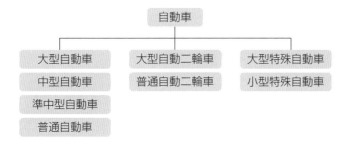

同じ「普通自動車」といっても，車両法と道交法では意味が違うんですね。

　車両法では，以下の点がポイントです。

①**普通自動車**→ほかの4種類の自動車以外の自動車。

②**小型自動車**と**軽自動車**（いずれも二輪以外）は，大きさ（長さ・幅・高さ）が，以下のとおり定められている。

	長 さ	幅	高 さ
小型自動車（二輪以外）	4.7m以下	1.7m以下	2.0m以下
軽自動車（二輪以外）	3.4m以下	1.48m以下	2.0m以下

ここが重要!!

道交法で学習した大型貨物自動車や中型貨物自動車，準中型自動車は，車両法では「普通自動車」となることを頭に入れておきましょう。

③自動二輪車は，大きさ等により小型自動車または軽自動車に分類される。

　道交法では，最大積載量や車両総重量などによって大型・中型・普通自動車に区分されていましたが，車両法ではこのような区分はありません。

❸ 自動車の登録

（1）登録の一般的効力

　自動車（軽自動車，小型特殊自動車および二輪の小型自動車を除く）は，**自動車登録ファイル**に登録を受けたものでなければ，これを**運行の用**に供してはなりません。

　もう少し厳密にいうと，登録を受け，ナンバープレートを車体に取り付けて封印を受けなければ，運行の用に供することができません（➡レッスン2）。

（2）登録の種類

　登録には，以下の4つの種類があります。

新規登録	新車・中古車でナンバーのついていない自動車を登録する場合
変更登録	氏名・住所・使用の本拠の位置などを変更した場合
移転登録	売買などによって自動車を譲渡するような場合
抹消登録	自動車の使用をやめたり解体したりした場合

　新規登録はレッスン2で，ほかの3つはレッスン3で学習します。

（3）登録の目的

　自動車登録には，①**行政登録**と②**民事登録**の2つの目的があります。

①ナンバープレートを交付し，**自動車の識別**を可能にするとともに，個々の自動車の保有実態を行政的に把握する。

②**所有権を公証**し，第三者対抗要件を与えることにより，所有権を保護し，自動車の流通の安定と円滑化を図る。

PLUS ONE プラス1

自動車登録ファイルへの登録は電子情報処理システムによって行われる。このため，全国の登録窓口と中央の登録センターがオンラインで結ばれ，リアルタイムで処理されている。

「運行の用に供してはならない」とは？

運行のために使用してはならないということです。法令では「〜の用に供する」という言い方をよくしますね。

「第三者対抗要件」とは，どういう意味ですか？

Aさんが登録を受けた自分の自動車をBさんに売った後に，Cさんにもその自動車を売った場合（二重譲渡），BさんとCさんのうち先に自動車登録をした方がその自動車の所有権を主張できます。たとえBさんの方が先に売買契約をしていても，登録をしておかなければ，Bさんは契約当事者（Aさん）以外の第三者（Cさん）に所有権を主張すること，つまり対抗することはできません。このため，自動車登録のことを「第三者対抗要件」と呼んでいるのです。

確認しよう！ 問題 de 実力チェック!!

学習項目	Q できたらチェック ✓
道路運送車両法の目的	☐ **1** 道路運送車両法は，道路運送車両に関し，　**A**　についての公証等を行い，並びに　**B**　及び　**C**　その他の環境の保全並びに整備についての技術の向上を図り，併せて自動車の整備事業の健全な発達に資することにより，　**D**　ことを目的とする。　29年3月改
自動車の種別	☐ **2** 道路運送車両法に規定する自動車の種別は，自動車の大きさ及び構造並びに原動機の種類及び総排気量又は定格出力を基準として定められ，その種別は，普通自動車，小型自動車，軽自動車，大型特殊自動車，小型特殊自動車である。　4年度CBT
自動車の登録	☐ **3** 自動車（軽自動車，小型特殊自動車及び二輪の小型自動車を除く。）は，自動車登録ファイルに登録を受けたものでなければ，これを運行の用に供してはならない。　21年8月

A 解答 1. A→所有権 B→安全性の確保 C→公害の防止 D→公共の福祉を増進する／2.○／3.○

Lesson 2 新規登録と自動車登録番号

新規登録の手続よりも，自動車登録番号標に関する問題の方がよく出題されます。封印の取付けや自動車登録番号標の表示について理解を深めましょう。臨時運行の許可制度に関する問題も重要です。

頻出度 **A**

1 新規登録

（1）新規登録の申請

登録対象自動車（以下「自動車」）は，登録を受けなければ運行の用に供することができません（⏩P.164）。登録を受けていない自動車の登録を新規登録といいます。

新規登録を受けようとする場合，その自動車の所有者は国土交通大臣に対し，以下の事項を記載した**申請書**に，その自動車の所有権を証明するに足りる書面などを添えて提出し，原則としてその自動車を**提示**しなければなりません。

①車名および型式（かたしき）
②車台番号（車台の型式についての表示を含む）
③原動機の型式
④所有者の氏名または名称および住所
⑤使用の本拠の位置
⑥取得の原因

ただし，この後で学習する**自動車予備検査証**の交付を受けている自動車についてはその自動車予備検査証を，また型式指定自動車については**完成検査終了証**を提出することにより，自動車の提示に代えることができます。

また，新規登録の申請は，**新規検査**の申請または自動車予備検査証による自動車検査証の交付申請と同時にしなければなりません。

用語

登録対象自動車
自動車のうち軽自動車，小型特殊自動車および二輪の小型自動車を除いたもの。

用語

使用の本拠の位置
事業所，営業所など活動の実態があるところ。

ここが重要!!
新規登録申請のときに新規検査の申請等を同時に行うことが出題されています。

新規登録の申請 ➡ 同時に行う ⬅ 新規検査の申請
または
自動車予備検査証に
よる自動車検査証の
交付申請

（2）新規検査

　新規登録を行う際は，書類による申請のほかに，自動車本体が**保安基準**（➡レッスン7〜9）に適合しているかどうかについて，国土交通大臣の行う検査を受ける必要があります。これを新規検査といいます。

　新規検査は，原則として使用者が自動車を**提示**して受ける必要があります。ただし，**型式指定自動車**については，**完成検査終了証**を提出することによって自動車の提示に代えることができ，**車体の検査を省略**することができます。

　この型式指定自動車は，国土交通大臣により型式の指定を受けている自動車のことで，自動車メーカーが量産している自動車は，ほとんどがこれに該当します。製作時にメーカー自身が検査を行い，指定された型式どおりであれば，そのメーカーが完成検査終了証を発行します。

　また，**予備検査**を終了している自動車も，車体の検査を省略することができます。予備検査とは，新規登録を後日行うためにあらかじめ受けることのできる検査です。

　予備検査の結果，その自動車が保安基準に適合すると認めるときは，国土交通大臣から所有者に**自動車予備検査証**が交付されます。

（3）新規登録事項

　新規登録は，申請書記載事項①〜⑥，新規登録の年月日のほか，定められた**自動車登録番号**を自動車登録ファイルに登録することによって行います。登録事項は，申請者に通知されます。

新規検査の結果，その自動車が保安基準に適合すると認めたときは，国土交通大臣は自動車検査証をその自動車の使用者に交付します。

PLUS ONE プラス1

完成検査終了証の有効期間は9か月以内である。これを経過したものは，自動車の提示に代えることができない。

PLUS ONE プラス1

自動車予備検査証を国土交通大臣に提出することによって，自動車検査証の交付が受けられる。

② 自動車登録番号標

（1）自動車登録番号標の取付け

自動車登録番号（ナンバー）の通知を受けた所有者は，その番号を記載した**自動車登録番号標**（ナンバープレート）を，国土交通大臣または自動車登録番号標交付代行者から交付されます。

所有者は，自動車登録番号標を自動車の**前面および後面**で識別に支障が生じない**見やすい位置**に確実に取り付けなければなりません。

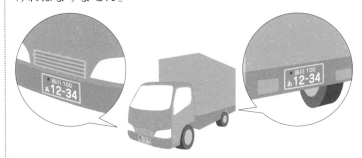

（2）自動車登録番号標の封印

自動車の所有者は，自動車登録番号標を取り付けたうえ，国土交通大臣または封印取付受託者の行う**封印の取付け**を受けなければなりません。

封印の取付けは，自動車の**後面に取り付けた自動車登録番号標の左側の取付箇所に行う**ものと決められています。

封印

封印は，登録自動車が真正な自動車登録番号標を表示していることを確保するとともに，自動車登録番号標を所有者などが勝手に取り外したり，盗難されたりすることを防ぐ役割を果たします。

封印や封印の取付けをした自動車登録番号標を取り外してはなりません。ただし，整備のため特に必要があるとき

など，やむを得ない事由に該当するときはこの限りではありません。

（3）滅失・き損などの場合

自動車の所有者は，自動車登録番号標に取り付けられた**封印**が滅失またはき損したとき（やむを得ない事由に該当して取り外したときを除く）は，国土交通大臣または封印取付受託者の行う封印の取付けを受けなければなりません。

自動車登録番号標が滅失・き損したり，国土交通省令で定める様式に適合しなくなり，または自動車登録番号の識別が困難となった場合には，必要となる自動車登録番号標または封印の取外しは，国土交通大臣または封印取付受託者が行います。

（4）自動車登録番号標の表示義務

自動車は，国土交通大臣等から交付を受けた**自動車登録番号標**を国土交通省令で定める位置に，かつ，被覆（ひふく）しないことその他当該自動車登録番号標に記載された自動車登録番号の識別に支障が生じないものとして国土交通省令で定める方法により表示しなければ，運行の用に供してはなりません。自動車登録番号標の表示の位置や方法については，以下のように定められています。

①自動車登録番号標の表示の位置は，自動車の前面および後面であって，自動車登録番号標に記載された自動車登録番号の識別に支障が生じないように見やすい位置であること。

②自動車登録番号標の表示の方法は，自動車の車両中心線に直交する鉛直面に対する角度その他の自動車登録番号標の表示の方法に関し告示で定める基準に適合していること，また，自動車登録番号の識別に支障が生じないものとして告示で定める物品（封印や検査標章など）以外のものが取り付けられておらず，かつ，汚れがないこと。

やむを得ない事由に該当するときは，封印や封印の取付けをした自動車登録番号標を取り外してもよいことはわかりましたが，その後，やむを得ない事由に該当しなくなったときはどうなるのですか？

自動車の所有者は，①封印のみ取り外した場合には，国土交通大臣または封印取付受託者の行う封印の取付けを受けます。また，②封印の取付けをした自動車登録番号標を取り外した場合には，自動車登録番号標を取り付けたうえで，国土交通大臣または封印取付受託者の行う封印の取付けを受けます。

PLUS ONE プラス1

被牽引自動車その他一部の自動車については，前面の自動車登録番号標が省略できる。

第3章 道路運送車両法関係

❸ 臨時運行許可制度

　本来，運行の用に供してはならない未登録自動車などを運行させるための申請があった場合，特別に定められた条件のもとで，**一時的な運行許可を与える**ことができます。これを臨時運行許可制度といいます。

（1）許可の基準および有効期間

　臨時運行の許可は，以下の場合に限って行われます。

販売のための試乗は認められないよ。

①その自動車の試運転を行う場合（販売のための試乗は除く）

②新規登録や，新規検査その他の検査の申請をするために必要な提示のための回送を行う場合

③その他特に必要がある場合

　また，許可の**有効期間**は，特にやむを得ない場合を除き5日を超えてはなりません。有効期間が満了したときは，その日から5日以内に臨時運行許可証と仮ナンバーを返納します。

> **Point** 臨時運行許可の有効期間は，特別な場合を除き，5日を超えてはならない。

PLUS ONE プラス1

臨時運行許可証には臨時運行の目的および経路，有効期間が記載されている。

（2）**臨時運行許可番号標等の表示**

　臨時運行の許可があったときは，臨時運行許可証が交付され，臨時運行許可番号標（仮ナンバー）が**貸与**されます。

臨時運行許可証は，自動車の運行中その前面の見やすい位置に表示します。

臨時運行許可番号標の表示の位置・方法については，前ページの自動車登録番号標の場合と同様のルールが適用されます。

　臨時運行の許可を受けた自動車は，臨時運行許可番号標と，これに記載された番号を，識別に支障の生じないものとして見やすいように表示するとともに，臨時運行許可証を備え付けなければ，**運行の用に供してはなりません**。

問題 de 実力チェック!!

確認しよう!

学習項目	Q できたらチェック ✔
新規登録	☐ **1** 登録を受けていない道路運送車両法第4条に規定する自動車又は同法第60条第1項の規定による車両番号の指定を受けていない検査対象軽自動車若しくは二輪の小型自動車を運行の用に供しようとするときは，当該自動車の使用者は，当該自動車を提示して，国土交通大臣の行う新規検査を受けなければならない。 2年8月改
自動車登録番号標	☐ **2** 何人も，国土交通大臣若しくは封印取付受託者が取付けをした封印又はこれらの者が封印の取付けをした自動車登録番号標は，これを取り外してはならない。ただし，整備のため特に必要があるときその他の国土交通省令で定めるやむを得ない事由に該当するときは，この限りでない。 3年3月
	☐ **3** 登録自動車の所有者は，当該自動車の自動車登録番号標の封印が滅失した場合には，国土交通大臣又は封印取付受託者の行う封印の取付けを受けなければならない。 28年8月
	☐ **4** 自動車は，自動車登録番号標を国土交通省令で定める位置に，かつ，被覆しないことその他当該自動車登録番号標に記載された自動車登録番号の識別に支障が生じないものとして国土交通省令で定める方法により表示しなければ，運行の用に供してはならない。 4年度CBT
	☐ **5** 自動車登録番号標及びこれに記載された自動車登録番号の表示は，国土交通省令で定めるところにより，自動車登録番号標を自動車の前面及び後面の任意の位置に確実に取り付けることによって行うものとする。 3年3月
臨時運行許可制度	☐ **6** 臨時運行の許可を受けた者は，臨時運行許可証の有効期間が満了したときは，その日から15日以内に，当該臨時運行許可証及び臨時運行許可番号標を行政庁に返納しなければならない。 3年度CBT

A 解答 1.○／2.○／3.○／4.○／5.× 自動車の前面および後面の自動車登録番号の識別に支障が生じない「見やすい位置」に取り付けなければならない。「任意の位置」ではない／6.× 臨時運行許可証の有効期間が満了した日から5日以内に返納する

変更・移転・抹消登録

変更登録・移転登録・抹消登録についてはよく出題されていますが，基本さえ押さえておけば大丈夫です。その登録を誰が申請するのか，また，申請までの期間は何日以内かなどに注意しましょう。

1 変更登録

　登録自動車の**所有者**は，以下の場合には，その事由があった日から**15日以内**に，国土交通大臣の行う変更登録の申請をしなければなりません。

①引越しなどにより**住所**が変わった

②**使用の本拠の位置**が変わった

③結婚などにより**氏名**や**名称**が変わった

④型式，車台番号，原動機の型式に変更があった

2 移転登録

　売買などにより自動車を他人に譲渡したり，会社が合併したりすると，自動車の所有者が代わります。登録自動車について**所有者の変更**があったときには，**新所有者**は，その事由があった日から**15日以内**に，国土交通大臣の行う**移転登録**の申請をしなければなりません。

　自動車の移転登録は，一般には「名義変更」と呼ばれています。

譲渡証明書

旧所有者（譲渡人）　譲渡　新所有者（譲受人）　移転登録申請　国土交通大臣

　なお，自動車を譲渡する者は，以下の事項を記載した**譲渡証明書**を譲受人に交付する必要があります。

①譲渡の年月日

②車名および型式

変更登録も移転登録も，15日以内に申請するんですね。

PLUS ONE プラス1

名義変更をしないでいると，自動車税の納付通知書や，交通事故の慰謝料請求書が旧所有者に送られるなど，いろいろな問題が生じやすい。

譲渡証明書は，新規登録の申請書に添える「自動車の所有権を証明するに足りる書面」のひとつでもあります。

③車台番号および原動機の型式

④譲渡人および譲受人の氏名または名称および住所

❸ 抹消登録

　登録自動車をいわゆる「廃車」にする場合は，抹消登録の手続が必要となります。

　抹消登録には，**永久抹消登録・一時抹消登録・輸出抹消登録**の3種類がありますが，ここでは試験に必要な永久抹消登録と一時抹消登録について学習します。

（1）永久抹消登録

　登録自動車の**所有者**は，以下の場合には，その事由があった日から**15日以内**に，永久抹消登録の申請をしなければなりません。

①登録自動車が**滅失**し，**解体**し（整備または改造のために解体する場合を除く），または自動車の**用途を廃止**したとき

②その自動車の車台がその自動車の新規登録の際に存したものでなくなったとき

　ただし，その事由が使用済自動車の**解体**である場合は，**解体報告記録がなされたことを知った**日から**15日以内**に申請します。

①自動車を解体業者に引き渡す

②自動車が適正に解体処分される

③解体報告記録がなされたことを知る

④永久抹消登録の申請をする

15日以内

用語

解体報告記録
使用済自動車の再資源化等に関する法律（自動車リサイクル法）に基づいて，適正に解体された旨の報告があったことを証明する記録。

Point 登録自動車の変更登録・移転登録・永久抹消登録の申請は，
・それぞれの**事由があった日から15日以内**
・ただし，解体抹消の場合は**解体報告記録がなされたことを知った日から15日以内**

第3章 道路運送車両法関係

（2）一時抹消登録

　登録自動車の所有者は，その自動車を**運行の用**に供することをやめたときは，一時抹消登録の申請をすることができます。

　一時抹消登録は，長期の出張や入院などで自動車の使用を一時的に中止した場合の手続です。再登録（**新規登録**）をすれば再びその自動車を使用できるという点で，永久抹消登録と異なります。一時抹消登録している自動車を解体したり，他人に譲渡したりすることもできます。

①一時抹消登録を受けた自動車の所有者は，その自動車が**滅失**し，**解体**し（整備または改造のために解体する場合を除く），または自動車の**用途を廃止**した場合などには，その事由があった日から15日**以内**に，国土交通大臣に**届出**をしなければなりません。

中古車の新規登録というのは，このことですね。

その事由が使用済自動車の解体である場合は，解体報告記録がなされたことを知った日から15日以内に届出をします。

②一時抹消登録を受けた自動車について，**所有者の変更**があったときには，新所有者は，その所有者の変更について自動車登録ファイルに**記録**を受けることができます。

　なお，一時抹消登録をすると，従来は一時抹消登録証明書が交付されていましたが，平成20年11月から登録識別情報制度が開始され，これ以降に一時抹消登録をすると，登録識別情報等通知書という書面が交付されます。

　中古車の新規登録，解体の届出，所有者の変更の記録などの際には，この登録識別情報等通知書を提出します。ただし，登録識別情報制度の開始以前にすでに一時抹消登録証明書の交付を受けている場合は，一時抹消登録証明書を

提出しなければなりません。

（3）自動車登録番号標の廃棄等

　登録自動車の所有者は，永久抹消登録または一時抹消登録を受けたときには，遅滞なく，その自動車登録番号標および封印を**取り外し**，これを**破壊**するか**廃棄**し，または国土交通大臣・自動車登録番号標交付代行者に**返納**しなければなりません。

確認しよう！
問題 de 実力チェック!!

学習項目	Q できたらチェック ☑
変更登録	☐ **1** 　登録自動車の所有者は，当該自動車の使用の本拠の位置に変更があったときは，道路運送車両法で定める場合を除き，その事由があった日から30日以内に，国土交通大臣の行う変更登録の申請をしなければならない。　2年度CBT
移転登録	☐ **2** 　登録自動車について所有者の変更があったときは，新所有者は，その事由があった日から15日以内に，国土交通大臣の行う移転登録の申請をしなければならない。　4年度CBT
抹消登録	☐ **3** 　登録自動車の所有者は，当該自動車が滅失し，解体し（整備又は改造のために解体する場合を除く。），又は自動車の用途を廃止したときは，その事由があった日（使用済自動車の解体である場合には解体報告記録がなされたことを知った日）から15日以内に，永久抹消登録の申請をしなければならない。　3年3月

A 解答 **1**.× 「30日以内」ではなく，「15日以内」／**2**.○／**3**.○

第3章 道路運送車両法関係

日常点検・定期点検

頻出度 **A**

日常点検と定期点検は毎年必ず出題されます。事業用自動車についての点検実施時期がいつなのかが重要です。最近では，点検内容や点検項目に関する出題が目立ちます。点検整備記録簿にも注意しましょう。

1 使用者の点検・整備義務

　自動車は非常に多くの部品によって構成された機械であり，使用と時間の経過に伴って構造や装置の性能が低下します。そのため点検整備を怠ると，排出ガスの増加や燃料の浪費を招くばかりか，故障や事故といった安全上の問題を引き起こす危険性があります。

　自動車の使用者は，自動車の点検をし，および必要に応じて整備をすることにより，その自動車を保安基準に適合するよう維持しなければなりません。

点検整備は，自動車の所有者ではなく，使用者の義務なんですね。

保安基準
➡P195

　自動車の点検整備には，日常点検整備と定期点検整備の2種類があります。

　自動車の使用者は，日常点検の結果，その自動車が保安基準に適合しなくなるおそれがある状態または適合しない状態にあるときは，その自動車について必要な**整備**をしなければなりません。定期点検の場合も同様です。

整備に関しては次のレッスン5で学習します。

② 日常点検

事業用自動車の**使用者**またはこれを運行する者は，１日１回，その**運行の**開始前において，国土交通省令で定める技術上の基準により，灯火装置の点灯，制動装置の作動その他の日常的に点検すべき事項について，**目視等により**自動車を**点検**しなければなりません。

国土交通省令で定める技術上の基準のうち，重要なものを確認しておきましょう。

■日常点検の基準

点検箇所	点検内容
ブレーキ	①**ブレーキ・ペダルの踏みしろ**が適当で，ブレーキの効きが十分である ②ブレーキの液量が適当である ③空気圧力の上がり具合が不良でない ④ブレーキ・ペダルを踏み込んで放した場合にブレーキ・バルブからの排気音が正常である ⑤駐車ブレーキ・レバーの引きしろが適当である
タイヤ	①**タイヤの空気圧**が適当である ②亀裂や損傷がない ③異状な摩耗がない ④**タイヤの溝の深さ**が十分である★ ⑤**ディスク・ホイールの取付状態**が不良でない◆
バッテリ	液量が適当である★
原動機	①冷却水の量が適当である★ ②ファン・ベルトの張り具合が適当であり，損傷がない★ ③エンジン・オイルの量が適当である★ ④原動機のかかり具合が不良でなく，異音がない★ ⑤低速および加速の状態が適当である★
灯火装置と方向指示器	**点灯や点滅の具合**が不良でなく，汚れおよび損傷がない

📖 **用語**

事業用自動車

自動車運送事業者がその事業の用に供する自動車。貨物自動車運送事業者も自動車運送事業者に含まれる。

「目視等により」とは主として目視（目で見ること）や手で点検するという意味であり，点検内容によっては工具なども使用します。

プラス1

この国土交通省令は「自動車点検基準」といい，その別表に技術上の基準が定められている。定期点検についても同様。

第3章 道路運送車両法関係

事業用自動車の日常点検は，１日１回，運行の開始前に行うのが原則です。ただし，表中の★印の点検については，事業用自動車であっても，その走行距離や運行時の状態等から判断した**適切な時期**に行えばよいとされています。

　また，◆印の点検については，**車両総重量が８ｔ以上**，または**乗車定員30人以上**の自動車に限ります。

③ 定期点検

　事業用自動車の**使用者**は，国土交通省令で定める技術上の基準により，３か月ごとに定期点検整備を実施しなければなりません。

> **Point** 事業用自動車の点検時期
> ・**日常点検** ➡ １日１回，運行の開始前
> ・**定期点検** ➡ ３か月ごと

　国土交通省令で定める技術上の基準のうち，重要なものを確認しておきましょう。

■定期点検の基準

点検箇所（主なもの）		点検項目
かじ取り装置	パワー・ステアリング装置	①ベルトの緩みおよび損傷 ②油漏れおよび油量◆
制動装置	**ブレーキ・ペダル**	①遊びおよび踏み込んだときの床板とのすき間 ②**ブレーキの効き具合**
	駐車ブレーキ機構	①引きしろ ②ブレーキの効き具合
走行装置	**ホイール**	①タイヤの状態◆ ②**ホイール・ナット**および**ホイール・ボルトの緩み** ③フロント・ホイール・ベアリングのがた◆

ブレーキの効き具合やホイール・ナットの緩みなどが試験に出題されています。

緩衝装置	エア・サスペンション	①エア漏れ ②取付部および連結部の緩みおよび損傷◆
動力伝達装置	クラッチ	①ペダルの遊びおよび切れたときの床板とのすき間 ②作用 ③液量
電気装置	バッテリ	ターミナル部の接続状態
	電気配線	接続部の緩みおよび損傷
原動機	本　体	①エア・クリーナ・エレメントの状態◆ ②低速および加速の状態 ③排気の状態
	潤滑装置	油漏れ
	燃料装置	燃料漏れ
	冷却装置	ファン・ベルトの緩みおよび損傷

点検項目のうち，◆印のついた項目については，自動車検査証の交付を受けた日または定期点検を行った日以降の走行距離が**3か月間あたり2,000km以下**の自動車については点検を行わないことができます。ただし，前回の定期点検のときにも点検を行っていない場合は除きます。

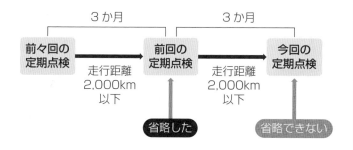

PLUS ONE プラス1

自動車点検基準が改正され，平成30年10月より，車両総重量8t以上または乗車定員30人以上の自動車のスペアタイヤ等について定期点検が義務づけられた。

第3章 道路運送車両法関係

◆印がついた項目であっても2回連続して省略することはできないんですね。

④ 点検整備記録簿

　自動車の使用者は、点検整備記録簿をその**自動車に備え置き**、その自動車について**定期点検または整備をしたとき**は、遅滞なく、以下の事項を記載しなければなりません。

①点検の年月日

②**点検の結果**

③**整備の概要**

④整備を完了した年月日

⑤その他国土交通省令で定める事項

　事業用自動車の点検整備記録簿の保存期間は、その記載の日から1年間です。

Q&A

自動車の検査と点検整備とでは、どう違うのでしょうか?

　新規検査や継続検査などの検査は、その自動車が基準に適合しているかどうかを国がチェックする制度です。これに対し、点検整備は、自動車を使用する者が自己管理責任に基づいて、使用者自ら、あるいは整備工場に依頼するなどしてその自動車を点検し、必要な整備を行うものです。日常点検整備と定期点検整備の実施は、どちらも自動車の使用者に義務づけられているのです。

確認しよう！ 問題 de 実力チェック!!

学習項目			Q できたらチェック ☑
使用者の点検・整備義務	☐	1	事業用自動車の使用者は，自動車の点検をし，及び必要に応じ整備をすることにより，当該自動車を道路運送車両の保安基準に適合するように維持しなければならない。　3年3月改
日常点検	☐	2	事業用自動車の使用者又は当該自動車を運行する者は，1日1回，その運行の開始前において，国土交通省令で定める技術上の基準により，自動車を点検しなければならない。　3年3月改
	☐	3	車両総重量8トン以上又は乗車定員30人以上の自動車は，日常点検において「ディスク・ホイールの取付状態が不良でないこと。」について点検しなければならない。　4年度CBT改
定期点検	☐	4	自動車運送事業の用に供する自動車の使用者は，3ヵ月ごとに国土交通省令で定める技術上の基準により，自動車を点検しなければならない。　3年度CBT改
	☐	5	車両総重量8トン以上又は乗車定員30人以上の自動車の使用者は，スペアタイヤの取付状態等について，1ヵ月ごとに国土交通省令で定める技術上の基準により自動車を点検しなければならない。　3年3月
	☐	6	事業用自動車の3ヵ月ごとに行う点検箇所のうち定められた項目については，自動車検査証の交付を受けた日又は当該点検を行った日以降の走行距離が3ヵ月間当たり5千キロメートル以下の自動車については，前回の当該点検を行うべきこととされる時期に当該点検を行わなかった場合を除き，行わないことができる。　17年3月
点検整備記録簿	☐	7	事業用自動車の使用者は，当該自動車について定期点検整備をしたときは，遅滞なく，点検整備記録簿に点検の結果，整備の概要等所定事項を記載して当該自動車に備え置き，その記載の日から1年間保存しなければならない。　3年3月改

A 解答 1.○／2.○／3.○／4.○／5.× 1か月ではなく，3か月／6.× 3か月間あたり5,000km以下ではなく，2,000km以下である／7.○

Lesson 5 整備管理者と整備命令

頻出度 **A**

整備管理者はその権限についてよく出題されます。特に運行の可否の決定を誰が行うのかが重要です。整備命令については，使用停止命令とそれに伴う自動車登録番号標の領置の問題に注意しましょう。

1 自動車の整備

自動車の使用者は，日常点検や定期点検の結果，その自動車が保安基準に**適合しなくなるおそれがある状態**または**適合しない状態**にあるときは，保安基準に適合しなくなるおそれをなくするため，または保安基準に適合させるために，その自動車について必要な**整備**をしなければなりません（➡P.176）。

なお，整備の具体的な実施方法などについて試験で出題されることはありません。ここでは，試験で重要な**整備管理者**と**整備命令**について学習しましょう。

2 整備管理者

自動車の点検・整備と，自動車車庫の管理に関する事項を処理させるために，一定の自動車の使用の本拠ごとに自動車の使用者から選任されるのが整備管理者です。

（1）整備管理者を選任しなければならない場合

自動車の点検および整備に関し，特に専門的知識を必要とすると認められる車両総重量8 t以上の自動車を，一定台数以上使用する場合に，整備管理者を選任する必要があります。

国土交通省令では，「乗車定員10人以下の**自動車運送事業の用に供する自動車**」については，**5両以上**が基準の台数であると定めています。

プラス1

点検や整備の具体的な実施方法については，国土交通大臣が「自動車の点検および整備に関する手引」を公表している。

貨物自動車運送事業輸送安全規則の改正により，整備管理者としてすでに選任された者のほか，新たに選任された者は地方運輸局長からの通知によらず，2年に1回の整備管理者向け研修を受講しなければなりません。

> **Point** 一般貨物自動車運送事業者等は，事業用自動車を**5両以上**使用する本拠（営業所など）ごとに整備管理者を**1名**選任しなければならない。

整備管理者を**選任**したときは，その日から**15日以内**に，地方運輸局長にその旨の**届出**をしなければなりません。整備管理者を**変更**したときも同様です。

（2）整備管理者の資格要件

整備管理者として選任されるためには，以下のいずれかの要件を満たす必要があります。

① 整備の管理を行おうとする自動車と同種類の自動車の点検・整備または整備の管理に関する**2年以上**の実務経験を有し，かつ，地方運輸局長が行う研修を修了した者であること

② 1級，2級または3級の自動車整備士技能検定に合格した者であること

（3）整備管理者の権限

> **Point** 整備管理者は，日常点検の結果に基づき，運行の可否を決定する。

整備管理者を選任した事業者は，整備管理者に対し，その**職務の執行に必要な権限**を与えなければなりません。整備管理者に与えなければならない権限は，以下の9つです。

① 日常点検についてその実施方法を定めること

② **日常点検の結果に基づき，運行の可否を決定する**こと

③ **定期点検を実施**すること

④ 日常点検，定期点検のほか，随時必要な点検を実施すること

⑤ 以上の点検の結果から，必要な**整備を実施**すること

⑥ 定期点検および整備の実施計画を定めること

⑦ **点検整備記録簿**その他の点検・整備に関する記録簿を管理すること

プラス1
乗車定員10人以下で車両総重量8t以上の自家用自動車についても5両以上とされている。

ひっかけ注意！
選任の届出は15日以内。30日以内ではない。

プラス1
利益追求を優先する使用者が安全や環境を軽視して自動車を運行させようとしても，整備管理者はその独立の権限に基づき，利益追求のみにとらわれず運行の可否を決定する。

ここが重要!!
運行の可否を決定するのは整備管理者であって，運行管理者ではありません。

プラス1
整備管理者は自らの権限の執行にかかわる基準に関する規程（整備管理規程）を定め，これに基づいて業務を行わなければならない。

⑧自動車車庫を管理すること

⑨以上の事項を処理するため，運転者，整備員その他の者を指導し，または監督すること

（4）解任命令

　地方運輸局長は，整備管理者が車両法・これに基づく命令またはこれらに基づく処分に違反したときは，整備管理者を選任した**事業者に対し**，整備管理者の**解任を命じる**ことができます（解任命令）。

事業者に解任を「命じる」のであって，解任を「勧告する」のではないんですね。

③ 整備命令

　自動車が保安基準に適合しなくなるおそれがある状態，または適合しない状態にあるとき，地方運輸局長は，その**自動車の使用者に対して**，保安基準に適合しなくなるおそれをなくするため，または保安基準に適合させるために必要な**整備を行うべきことを命じる**ことができます。これを整備命令といいます。

　整備命令は，保安基準に適合しない原因が**整備不良**にある場合と，**不正な改造**による場合とでその取扱いが異なります。

（1）整備不良に対する整備命令

①整備命令

　地方運輸局長は，整備を行うべきことを命じることができるとともに，保安基準に適合しない状態にある自動車の使用者に対しては，保安基準に適合するまでの間の運行に関して，その自動車の使用方法，経路の制限などの保安上または公害防止などの環境保全上必要な**指示**をすることができます。

②使用停止命令

　自動車の使用者が①の**整備命令**または**指示**に従わず，その自動車が保安基準に適合しない状態にあるときは，地方運輸局長は，その自動車の**使用を停止**することができます。

この整備命令は車両法第54条に規定されています。

保安基準不適合 → 整備命令 または 指示 ─ 命令・指示に 従わない → 自動車の 使用停止 命令

③点検の勧告

　地方運輸局長は，整備命令を出す場合に，保安基準に適合しなくなるおそれがある状態または適合しない状態が，**劣化または摩耗**によって生じる状態であって，点検整備記録簿の有無や記載内容などを確認した結果，**定期点検が行われていないこと**が判明したときは，その自動車の使用者に対し，点検および必要な整備をすべきことを**勧告**することができます。

（2）不正改造車に対する整備命令

①整備命令

　地方運輸局長は，自動車が保安基準に適合しない状態にあり，その原因が自動車またはその部分の**改造，装置の取付けまたは取外し**などこれらに類する行為に起因するものと認められるときは，その自動車の使用者に対し，保安基準に適合させるために必要な整備を行うべきことを命じることができます。

　また，この場合にも（1）の①と同様の**指示**ができます。

②整備命令標章の貼付け

　地方運輸局長は，不正改造車に対する整備命令をしたときは，その自動車の前面の見やすい箇所に整備命令標章を貼り付けなければなりません。

　何人もこの整備命令標章を**破損**したり**汚損**したりしてはならず，整備命令が取り消された後でなければ**取り除いてはなりません**。

③自動車等の提示

　不正改造車に対する整備命令を受けた自動車の使用者は，命令を受けた日から**15日以内**に，

■整備命令標章

不正改造車
整備命令発令日　年　月　日
国土交通省
（使用制限）

> 📖 **用語**
> **不正改造車**
> 自動車の改造や後付け用部品などの装置の取付けまたは取外し等を行うことによって，保安基準に適合しなくなった状態の自動車のこと。

> 不正改造車に対する整備命令は車両法第54条の2に規定されています。

> **PLUS ONE プラス1**
> 車両法では整備命令のほか，何人も保安基準に適合しなくなるような改造を行ってはならないとして，不正改造行為自体を禁止する規定を置き，罰則も定めている。

整備命令は，自動車が保安基準に適合するに至ったときにはただちに取り消されます。

プラス1

使用停止期間が満了しても保安基準に適合するに至らないときは，期間満了後も適合するまでの間は運行の用に供してはならない。

用語

領置
強制的に没収をすること。

保安基準に適合させるために**必要な整備を行ったうえで**，その**自動車**とその自動車の自動車検査証を，地方運輸局長に**提示**しなければなりません。自動車等を提示させ，整備を行ったかどうかを実際に確認することによって，整備を確実にさせようという趣旨です。

④使用停止命令

地方運輸局長は，自動車の使用者が①の不正改造車に対する整備命令・指示に従わないとき，または②・③に違反したときは，**6か月以内の期間**を定めて，その自動車の**使用を停止**することができます。

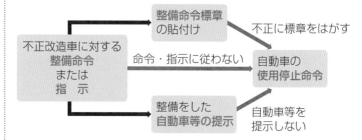

（3）自動車登録番号標の領置等

使用停止命令を受けた自動車の**使用者**は，遅滞なく，自動車検査証を国土交通大臣に返納しなければなりません。

登録自動車の**所有者**は，その自動車の使用者が自動車検査証を返納したときは，遅滞なく，**自動車登録番号標**および**封印**を取り外し，自動車登録番号標について国土交通大臣の領置を受けなければなりません。

確認しよう！
問題 de 実力チェック!!

学習項目	Q できたらチェック ☑
自動車の整備	☐ **1** 事業用自動車の使用者は，点検の結果，当該自動車が保安基準に適合しなくなるおそれがある状態又は適合しない状態にあるときは，保安基準に適合しなくなるおそれをなくするため，又は保安基準に適合させるために当該自動車について必要な整備をしなければならない。　4年度CBT改
整備管理者	☐ **2** 自動車の使用者は，自動車の点検及び整備等に関する事項を処理させるため，車両総重量8トン以上の自動車その他の国土交通省令で定める自動車であって国土交通省令で定める台数以上のものの使用の本拠ごとに，自動車の点検及び整備に関する実務の経験その他について国土交通省令で定める一定の要件を備える者のうちから，□□□□ を選任しなければならない。　2年度CBT改
	☐ **3** 自動車運送事業の用に供する自動車の日常点検の結果に基づく運行可否の決定は，自動車の使用者より与えられた権限に基づき，整備管理者が行わなければならない。　4年度CBT改
整備命令	☐ **4** 地方運輸局長は，自動車が保安基準に適合しなくなるおそれがある状態又は適合しない状態にあるとき（同法第54条の2第1項に規定するときを除く。）は，当該自動車の □ A □ に対し，保安基準に適合しなくなるおそれをなくするため，又は保安基準に適合させるために必要な整備を行うべきことを □ B □ ことができる。この場合において，地方運輸局長は，保安基準に適合しない状態にある当該自動車の □ A □ に対し，当該自動車が保安基準に適合するに至るまでの間の運行に関し，当該自動車の使用の方法又は □ C □ その他の保安上又は公害防止その他の環境保全上必要な指示をすることができる。　30年8月
	☐ **5** 登録自動車の所有者は，当該自動車の使用者が道路運送車両法の規定により自動車の使用の停止を命ぜられ，同法の規定により自動車検査証を返納したときは，その事由があった日から30日以内に，当該自動車登録番号標及び封印を取りはずし，自動車登録番号標について国土交通大臣に届け出なければならない。　4年度CBT

A 解答 1.○／2.整備管理者／3.○／4.A→使用者　B→命ずる　C→経路の制限／5.✕ 自動車検査証を返納したときは，「遅滞なく」，当該自動車登録番号標および封印を取りはずし，自動車登録番号標について国土交通大臣の「領置」を受けなければならない

自動車の検査および検査証

Lesson 6

頻出度 A

自動車検査証の有効期間や起算日，その記録事項の変更，検査標章の表示方法などが重要です。また，継続検査を指定自動車整備事業者に依頼した場合の保安基準適合標章については，特に注意が必要です。

1 検査および検査証の目的

自動車は，国土交通大臣の行う**検査**を受け，有効な**自動車検査証**の交付を受けているものでなければ，**運行の用に供してはなりません。**

この検査には，右の5種類があります。このうち，主なものは新規検査と継続検査です。

検査
- 新規検査
- 継続検査
- 構造等変更検査
- 予備検査
- 臨時検査

新規検査	新たに自動車を使用しようとするときに受ける検査，または使用を一時的に中止していた自動車を再び使用するときに受ける検査
継続検査	自動車検査証の有効期間の満了後も，引き続きその自動車を使用するときに受ける検査。一般に「**車検**」と呼ばれている

自動車の点検整備が自動車の使用者に義務づけられていることを学習してきましたが（➡レッスン5），保守管理への取組みには個人差があり，なかにはあえて不正改造を行う者もいることから，個々の**自己管理責任**に任せるだけでは十分とはいえません。

そこで，**国が自動車の検査を実施し，この検査に合格して有効な自動車検査証**の交付を受けない限り，自動車を運行できないこととしているのです。

2 自動車検査証

自動車検査証は，車台番号，使用者の氏名または名称その他国土交通省令で定める事項が記載され，かつ，これら

プラス1

ここでの「自動車」とは，検査対象外軽自動車および小型特殊自動車を除いたものをいう。

新規検査と予備検査については，レッスン2で学習しました。

車両法等が改正され，令和5年1月から，自動車検査証は電子化されました（軽自動車は令和6年1月から）。

の事項，有効期間その他国土交通省令で定める事項（以下「**自動車検査証記録事項**」）が電子的方法，磁気的方法その他の人の知覚によっては認識することができない方法により記録されたカードです。

用語

自動車検査証
一般に「車検証」と呼ばれている。

■電子化された自動車検査証（イメージ）

【表面】

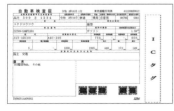

【裏面】

（1）自動車検査証の交付

自動車の新規登録を申請する際，**新規検査**の申請も同時に行い，新規検査の結果，保安基準に適合すると認められたときに，自動車検査証がその自動車の使用者に交付されます。

また，**予備検査**に合格し，交付された**自動車予備検査証**を国土交通大臣に提出することによっても自動車検査証の交付が受けられます。

新規登録の申請は，新規検査の申請または自動車予備検査証による自動車検査証の交付申請と同時にするんでしたね。

（2）有効期間

自動車検査証の有効期間は，**貨物運送の用に供する**自動車については１年とされています。

ただし，（1）によって**初めて交付を受ける場合**においては，**車両総重量８ｔ未満**の貨物運送の用に供する自動車は**２年**とされています。車両総重量８ｔ以上であれば，初回から１年です。

ひっかけ注意！

例えば，車両総重量が7,800kgだったら初回だけは有効期間が２年，8,000kgならば１年である。

Point 自動車検査証の有効期間

	車両総重量	初　回	2回目以降
貨物自動車	8,000kg以上	1年	1年
	8,000kg未満	**2年**	1年

有効期間の起算日は，その自動車検査証を交付する日，

またはその自動車検査証にかかる有効期間を記録する日です。

　ただし、有効期間満了日の**1か月前から満了日までの間**に継続検査を行い、その自動車検査証にかかる有効期間を記録する場合は、その自動車検査証の有効期間の満了日の翌日が起算日となります。

　なお、国土交通大臣は、一定の地域に使用の本拠の位置を有する自動車の使用者が天災その他やむを得ない事由により、継続検査を受けることができないと認めるときは、当該地域に使用の本拠の位置を有する自動車の自動車検査証の有効期間を、期間を定めて伸長する旨を公示することができます。

（3）自動車検査証記録事項

　自動車検査証の券面には、主に次のような基礎的情報（**券面記載事項**）が記載されます。

①自動車登録番号

②車台番号

③車両識別符号

④自動車検査証の交付年月日

⑤使用者の氏名または名称

⑥車名および型式

⑦長さ、幅および高さ

⑧原動機の型式

⑨原動機の総排気量または定格出力

⑩自家用または事業用の別

⑪乗車定員または最大積載量

⑫車両重量および車両総重量

　そして、自動車検査証のICタグには、主に次の事項（**券面非表示事項**）が記録されます。

①自動車検査証の有効期間の満了する日

②使用者の住所

③所有者の氏名または名称および住所

④使用の本拠の位置

　自動車の**使用者**は，自動車検査証記録事項について**変更**があったときは，法令で定める場合を除き，その事由があった日から15日**以内**に，その変更について国土交通大臣が行う自動車検査証の**変更記録**を受けなければなりません。

（4）自動車検査証の返納

　自動車の**使用者**は，以下の事由があったときは，その事由があった日から15日**以内**に，その自動車検査証を国土交通大臣に返納しなければなりません。

①その自動車が**滅失**し，**解体**し（整備または改造のために解体する場合を除く），または自動車の**用途を廃止**したとき

②その自動車の車台がその自動車の新規登録の際に存したものでなくなったとき

③その自動車について**一時抹消登録**があったとき

引退

使用者　→　検査証　15日以内　返納　→　国土交通大臣

　ただし，その事由が使用済自動車の**解体**である場合は，**解体報告記録がなされたことを知った日から15日以内**に返納します。

③ 検査標章

（1）検査標章の交付

　検査標章とは，新規検査や継続検査などで保安基準に適合したとき，自動車検査証とともに交付されるステッカーのことをいいます。

　国土交通大臣は，以下の場合に**検査標章**を交付します。

①自動車検査証を交付するとき

②自動車検査証に有効期間を記録して返付するとき

整備命令に違反して使用停止命令を受けたときは，遅滞なく返納でしたね。

PLUS ONE プラス1

事由の2つ目までは，登録自動車の所有者が永久抹消登録の申請をする場合の事由と同じである。

PLUS ONE プラス1

自動車検査証に有効期間を記録して返付するとき，検査標章も交付される。保安基準に適合しないと認めるときは，自動車検査証を返付しない。

（2）検査標章の表示

　検査標章には，その交付の際の**自動車検査証の有効期間の満了する時期**が表示されています。

■検査標章

（表）　　　　（裏）

表面には自動車検査証の有効期間の満了時期が，年および月をもって表示される

出典：国土交通省ホームページ

PLUS ONE プラス1

検査標章の表示位置について，国土交通省令では，前方かつ運転者席から見やすい位置として，前面ガラスの運転者席側上部で，車両中心から可能な限り遠い位置としている（つまり，運転席から見てフロントガラスの右上）。

　自動車は，**自動車検査証を備え付ける**とともに，国土交通省令で定めるところにより**検査標章を表示**しなければ，**運行の用**に供してはなりません。

　検査標章は，自動車検査証がその効力を失ったとき，または継続検査，臨時検査もしくは構造等変更検査の結果，当該自動車検査証の返付を受けることができなかったときは，当該自動車に表示してはなりません。

（3）自動車検査証・検査標章の再交付

　自動車の使用者は，自動車検査証または検査標章が**滅失**し，**き損**し，またはその**識別が困難**となった場合などには，その**再交付**を受けることができます。

④ 継続検査

　登録自動車の使用者は，自動車検査証の有効期間満了後もその自動車を使用しようとするときは，その**自動車を提示**して，国土交通大臣の行う継続検査（車検）を受けなければなりません。

（1）自動車検査証の提出と返付

　継続検査を受ける際には，その自動車の使用者は，その**自動車検査証**を国土交通大臣に**提出**しなければなりません。国土交通大臣は，継続検査の結果，その自動車が保安基準に適合すると認めるときは，その自動車検査証に**有効**

期間を記録し，これを自動車の使用者に返付します。

（2）継続検査の種類

　検査を受ける方法には，自動車の使用者自身が検査手続を行う方法（ユーザー車検）と，整備工場に点検整備とともに検査手続を依頼する方法があります。

ユーザー車検	自動車の使用者自身が運輸支局等に自動車を持ち込み（提示），検査場で検査を受ける
指定自動車整備事業者の整備工場	自動車を点検整備するだけでなく，国に代わって検査を行うことができる整備工場。ここで検査を受けて**保安基準適合証**を発行してもらうと，検査場への自動車の持込みを省略できる

（3）保安基準適合証と保安基準適合標章

　指定自動車整備事業者は，自動車を点検し，保安基準に適合するよう必要な整備をした場合において，その自動車が保安基準に適合する旨を**自動車検査員**が証明したときには，**保安基準適合証**および**保安基準適合標章**を依頼者に交付しなければなりません。

　自動車が，この指定自動車整備事業者の交付した有効な**保安基準適合標章を表示している**ときは，自動車検査証の備え付けや，検査標章の表示を**行わなくても**，運行の用に供することができます。

> **Point** 保安基準適合標章を表示すれば，自動車検査証の備え付け・検査標章の表示は不要。

5 構造等変更検査

　構造等変更検査とは，自動車の長さ・幅・高さ，または最大積載量などを変更した場合に受ける検査です。検査の結果，その自動車が保安基準に適合すると認める場合には，国土交通大臣はその自動車検査証に有効期間を記録し，使用者に返付します。

　また，自動車検査証記録事項の変更にも当たるので，そ

ユーザー車検では，自動車の点検整備は検査の前または後に使用者自身の責任で行います。

第3章 道路運送車両法関係

📖 **用語**

指定自動車整備事業者

自動車の特定整備を事業として行うことを認証された事業者のうち，一定の設備等を有し，自動車の点検・整備について検査ができるものとして認められ，地方運輸局長の指定を受けた事業者のこと。

自動車検査員

整備をした自動車について，保安基準に適合しているかどうか検査し，その適合を証明することを業務とするため選任された者のこと。

の事由があった日から15日以内に，その変更についての変更記録を受ける必要があります（➡P.191）。

問題 de 実力チェック!!

確認しよう!

学習項目		Q できたらチェック ✔
検査および 検査証の目的	☐ 1	自動車は，国土交通大臣の行う検査を受け，有効な自動車検査証の交付を受けているものでなければ，これを運行の用に供してはならない。 **27年8月**
自動車検査証	☐ 2	初めて自動車検査証の交付を受ける車両総重量8,990キログラムの貨物の運送の用に供する自動車については，当該自動車検査証の有効期間は1年である。 **2年度CBT**
	☐ 3	自動車検査証の有効期間の起算日については，自動車検査証の有効期間が満了する日の2ヵ月前（離島に使用の本拠の位置を有する自動車を除く。）から当該期間が満了する日までの間に継続検査を行い，当該自動車検査証に係る有効期間を記録する場合は，当該自動車検査証の有効期間が満了する日の翌日とする。 **元年8月改**
	☐ 4	自動車の使用者は，自動車の長さ，幅又は高さを変更したときは，道路運送車両法で定める場合を除き，その事由があった日から30日以内に，当該変更について，国土交通大臣が行う自動車検査証の変更記録を受けなければならない。 **2年度CBT改**
検査標章	☐ 5	自動車に表示されている検査標章には，当該自動車の自動車検査証の有効期間の起算日が表示されている。 **4年度CBT**
継続検査	☐ 6	自動車の使用者は，自動車検査証の有効期間の満了後も当該自動車を使用しようとするときは，当該自動車を提示して，国土交通大臣の行う継続検査を受けなければならない。 **2年8月改**
	☐ 7	自動車は，指定自動車整備事業者が継続検査の際に交付した有効な保安基準適合標章を表示している場合であっても，自動車検査証を備え付けなければ，運行の用に供してはならない。 **4年度CBT**

A 解答 1.○／2.○／3.× 有効期間満了日の「2ヵ月前」ではなく，「1ヵ月前」である／4.×「30日以内」ではなく，「15日以内」である／5.×「有効期間の起算日」ではなく，「有効期間の満了する時期」／6.○／7.× 有効な保安基準適合標章を表示しているときは，自動車検査証を備え付けていなくても，運行の用に供することができる

Lesson 7 保安基準①

頻出度 **B**

これまで何度も「保安基準に適合するように」ということを学んできましたが，レッスン7～9ではその保安基準の中身について学習します。ここでは保安基準の原則や，自動車の長さ・幅・高さが重要です。

1 保安基準の原則

　保安基準とは，自動車の構造および装置などに関する**保安上**または公害防止などの**環境保全上**の技術基準として定められた国土交通省令です。

　保安基準は，道路運送車両の構造と装置が**運行に十分堪え**，操縦などの使用のための**作業に安全**であるとともに，**通行人などに危害を与えない**ことを確保するものでなければなりません。

　それと同時に保安基準は，自動車の製作者や使用者に対して，その製作または使用について**不当な制限**を課さないものでなくてはなりません。

> **Point** 保安基準の原則
> ①自動車の構造・装置に関する保安上または環境保全上の技術基準である
> ②自動車の構造・装置について以下のことを確保
> ・運行に十分堪える
> ・作業に安全
> ・通行人その他に危害を与えない
> ③自動車の製作や使用に不当な制限を課さない

（1）構造

　自動車は，その**構造**が，以下の事項について保安基準に適合するものでなければ，**運行の用**に供してはなりません。

①**長さ，幅および高さ**

②最低地上高

③**車両総重量**

④車輪にかかる荷重

これまでのレッスンに出てきた保安基準とは，この保安基準のことだったんですね。

そうです。正式には「道路運送車両の保安基準」といいます。

ひっかけ注意！
衝撃に堪えるのではなく，運行に堪えるという点に注意。

📖 **用語**

車両総重量
以下の重量の総和のこと。
・車両重量
・最大積載量
・55kg×乗車定員

車両重量
運行に必要な装備をした状態における自動車の重量のこと。

用語

最大安定傾斜角度
自動車を左側および右側に傾けたときに自動車が転覆しない最大の角度のこと。

最小回転半径
自動車の前輪の外側の車輪が回れる最小の半径のこと。これが小さいほど小回りがよいとされる。

最小回転半径

中心

PLUS ONE プラス1
「自動運行装置」とは、自動運転を可能とするための装置であり、近年では自動運転システムを備えた自動車の開発が進んでいる。

「構造」の①〜⑨、「装置」の①〜㉑までをすべて細かく覚える必要はありません。大事なものは、これ以降で随時学習します。

⑤車輪にかかる荷重の車両重量に対する割合

⑥車輪にかかる荷重の車両総重量に対する割合

⑦最大安定傾斜角度

⑧最小回転半径

⑨接地部および接地圧

（2）装置

また、自動車は、以下の**装置**についても、保安基準に適合するものでなければ、**運行の用**に供してはならないとされています。

①**原動機**および動力伝達装置

②車輪および車軸、そりその他の走行装置

③操縦装置

④制動装置

⑤ばねその他の緩衝装置

⑥燃料装置および電気装置

⑦車枠および車体

⑧連結装置

⑨乗車装置および**物品積載装置**

⑩前面ガラスその他の**窓ガラス**

⑪消音器その他の**騒音防止装置**

⑫ばい煙、悪臭のあるガス、有毒なガス等の**発散防止装置**

⑬**前照灯**、番号灯、尾灯、制動灯、車幅灯その他の灯火装置および**反射器**

⑭警音器その他の**警報装置**

⑮**方向指示器**その他の**指示装置**

⑯後写鏡、窓拭き器その他の視野を確保する装置

⑰速度計、走行距離計その他の計器

⑱消火器その他の防火装置

⑲内圧容器およびその附属装置

⑳自動運行装置

㉑その他政令で定める特に必要な**自動車の装置**

2 保安基準が定める定義

　保安基準には，さまざまな用語の定義が定められていま
す。このうち重要なものを確認しておきましょう。

牽引自動車 （けんいん）	もっぱら被牽引自動車を牽引することを目的とすると否とにかかわらず，被牽引自動車を牽引する目的に適合した構造および装置を有する自動車
被牽引自動車	自動車により牽引されることを目的とし，その目的に適合した構造および装置を有する自動車
セミトレーラ	前車軸を有しない被牽引自動車であって，その一部が牽引自動車に載せられ，その被牽引自動車およびその積載物の重量の相当部分が牽引自動車によって支えられる構造のもの

牽引自動車も被牽引
自動車も，それぞれ
が「自動車」なんで
すね。

第3章 道路運送車両法関係

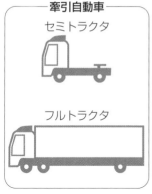

牽引自動車
セミトラクタ
フルトラクタ

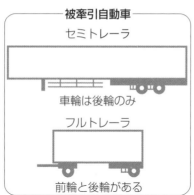

被牽引自動車
セミトレーラ
車輪は後輪のみ
フルトレーラ
前輪と後輪がある

最遠軸距 （さいえんじっきょ）	自動車の最前部の車軸中心から最後部の車軸中心までの水平距離

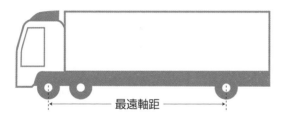

最遠軸距

セミトレーラの場合
は，連結装置の中心
から最後部の車軸中
心までの水平距離が
最遠軸距になります。

空車状態	原動機および燃料装置に燃料，潤滑油，冷却水等の全量を搭載し，および当該車両の目的とする用途に必要な固定的な設備を設ける等運行に必要な装備をした状態
高速道路等	道路交通法の規定により当該道路において定められている自動車の最高速度が60km毎時を超える道路

③ 構造に関する保安基準

（1）長さ，幅および高さ

自動車は，告示で定める方法により測定した場合におい
て，長さ12m，幅2.5m，高さ3.8mを超えてはなりません。

ここでの告示とは，「道路運送車両の保安基準の細目を定める告示」（細目告示）のことである。

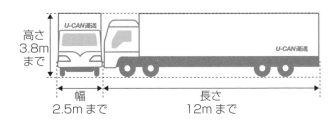

セミトレーラの場合，長さとは，連結装置中心からその
セミトレーラの後端までの水平距離をいいます。

セミトレーラのうち告示で定めるものにあっては，長さは13mまで。

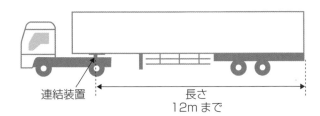

（2）輪荷重

■輪荷重

輪荷重とは，自動車の1個の
車輪を通じて路面に加わる鉛直
荷重のことです。輪荷重は，5
tを超えてはなりません。

（3）軸　重

軸重とは，**車軸**ごとの車輪の**輪荷重の総和**です。軸重は，10 t を超えてはなりません。

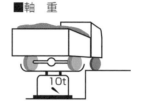

■軸　重

（4）車両総重量

自動車の車両総重量は，自動車の種別に応じ，次の表における重量を超えてはなりません。

自動車の種別	最遠軸距	車両総重量
セミトレーラ以外の自動車	5.5m未満	20 t
	5.5m以上7m未満	22 t ※1
	7m以上	25 t ※2
セミトレーラ	5m未満	20 t
	5m以上7m未満	22 t
	7m以上8m未満	24 t
	8m以上9.5m未満	26 t
	9.5m以上	28 t
セミトレーラのうち告示で定めるもの		36 t

※1　自動車の長さ9m未満の場合は20 tまで
※2　自動車の長さ9m未満の場合は20 tまで，9m以上11m未満の場合は22 tまで

輪荷重や軸重の制限があるから，車両総重量をなるべく分散して支えるように，複数の車軸や車輪を使用するんですね。

第3章　道路運送車両法関係

PLUS ONE プラス1
牽引自動車のうち告示で定めるものにあっては，輪荷重は5.75 tを，軸重は11.5 tを超えてはならない。

学習項目			🔍 できたらチェック ☑
保安基準の原則	☐	1	自動車は，その構造が，長さ，幅及び高さ並びに車両総重量（車両重量，最大積載量及び55キログラムに乗車定員を乗じて得た重量の総和をいう。）等道路運送車両法に定める事項について，国土交通省令で定める保安上又は公害防止その他の環境保全上の技術基準に適合するものでなければ，運行の用に供してはならない。　3年3月
	☐	2	自動車の構造及び自動車の装置等に関する保安上又は　**A**　その他の環境保全上の技術基準（「保安基準」という。）は，道路運送車両の構造及び装置が　**B**　に十分堪え，操縦その他の使用のための作業に安全であるとともに，通行人その他に　**C**　を与えないことを確保するものでなければならず，かつ，これにより製作者又は使用者に対し，自動車の製作又は使用について不当な制限を課することとなるものであってはならない。　30年3月
保安基準が定める定義	☐	3	「空車状態」とは，道路運送車両が原動機及び燃料装置に燃料，潤滑油，冷却水等の全量を搭載し及び当該車両の目的とする用途に必要な固定的な設備を設ける等運行に必要な装備をした状態をいう。　28年3月改
構造に関する保安基準	☐	4	自動車は，告示で定める方法により測定した場合において，長さ（セミトレーラにあっては，連結装置中心から当該セミトレーラの後端までの水平距離）12メートル（セミトレーラのうち告示で定めるものにあっては，13メートル），幅2.6メートル，高さ3.8メートルを超えてはならない。　2年度CBT
	☐	5	自動車の軸重は，10トン（けん引自動車のうち告示で定めるものにあっては，11.5トン）を超えてはならない。　30年3月
	☐	6	貨物の運送の用に供する自動車の車体後面には，最大積載量（タンク自動車にあっては，最大積載量，最大積載容積及び積載物品名）を表示しなければならない。　28年8月

A解答 1.○／2. A→公害防止 B→運行 C→危害／3.○ 空車状態の自動車に運転者1名が乗車した状態を「検査時車両状態」という／4.× 幅は「2.6メートル」ではなく，「2.5メートル」である／5.○／6.○

保安基準②

Lesson **8**

速度抑制装置, 窓ガラス, 大型後部反射器についての出題が頻出です。あまり細かいところまで覚える必要はありませんが, 速度抑制装置では制限される速度, 窓ガラスでは可視光線の透過率に注意しましょう。

頻出度 **A**

　このレッスンと次のレッスン9では, 自動車の**装置**その他に関する保安基準および告示（細目告示）について, 試験によく出題されるものを中心に学習していきます。

1 速度抑制装置

　速度抑制装置（スピードリミッター）とは, 自動車が一定の速度に達したとき, 燃料の供給を調整してそれ以上加速できなくする装置のことをいいます。

　大きな貨物自動車の速度違反による衝突事故は, 悲惨な大事故を招く危険性があります。そのため, 以下の自動車の原動機には速度抑制装置を備えるものとしています。

①貨物の運送の用に供する普通自動車であって, **車両総重量が8t以上または最大積載量が5t以上のもの**

②①に該当する被牽引自動車を牽引する牽引自動車

　この速度抑制装置は, 自動車が時速90kmを超えて走行しないよう燃料の供給を調整し, 自動車の速度の制御を円滑に行うことができるものとして, 速度制御性能等に関し告示で定める基準に適合するものでなければなりません。

> **Point** 車両総重量8t以上または最大積載量5t以上の貨物自動車の原動機
> ➡時速90kmに制限する速度抑制装置を備える。

PLUS ONE プラス1

細目告示には, 保安基準の細かい内容がくわしく定められている。

プラス1

このほか，自動車の車体の後面には，最大積載量（タンク自動車にあっては，最大積載量，最大積載容積および積載物品名）を表示しなければならない。

告示で定める基準に適合した速度抑制装置を装備している自動車には，図のような標識（黄色のステッカー）を，車室内の運転者の見やすい位置および車両の後面（牽引自動車を除く）に表示する必要があります。

■速度抑制装置の標識

速度抑制
装置付

❷ 乗車装置

運転者席などの自動車の乗車装置は，乗車人数が動揺や衝撃等により転落・転倒することなく安全な乗車を確保できるものとして，構造に関して告示で定める基準に適合するものでなければなりません。

著しく損傷している荷台などは，基準に適合しません。

❸ 物品積載装置

自動車の**荷台**などの物品積載装置は，堅（けん）ろうで，かつ，安全，確実に物品を積載できるように，強度，構造等に関し告示で定める基準に適合するものでなければなりません。

❹ 窓ガラス

用語

可視光線の透過率

可視光線（肉眼で見える光）がガラスなどを通る際に，通過できる光の割合のこと。

自動車の**前面ガラス**と**側面ガラス**（告示で定める部分〔運転者席より後方の部分〕を除く）は，運転者の視野を妨げないものとして，ひずみ，可視光線の透過率などに関し告示で定める基準に適合するものでなければなりません。

側面ガラスのうち運転者席より後方の部分を除くとしているので，結局，運転者席および助手席の部分の窓ガラスが対象となります。

また，対象の窓ガラスには，保安基準が規定したもの以外のものを**装着**したり，**貼り付け**たり，**塗装**したり，**刻印**したりしてはなりません。

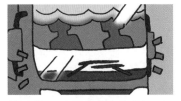

保安基準が規定したものとしては検査標章などのほか，運転者の視野の確保に支障がないものとして告示で定めるものがあります。

前面ガラスに装飾板を装着している例。運転者の死角が増えるため，非常に危険である

これによると，窓ガラスに着色フィルムなどを貼り付ける場合は，貼り付けた状態において，透明で，運転者が交通状況を確認するために必要な視野の範囲にかかわる部分の**可視光線透過率が70％以上確保できる**ものでなければなりません。

5 騒音防止装置その他

（1）騒音防止装置

　内燃機関を原動機とする自動車には，騒音の発生を有効に抑止することができるものとして，構造，騒音防止性能等に関し告示で定める基準に適合する**消音器**を備えなければなりません。

迷惑だよ～！

（2）ばい煙等の発散防止性能

　自動車は，運行中にばい煙や悪臭のあるガス，または有毒なガスを多量に発散しないものでなければなりません。

　このため自動車は，**排気管**から大気中に排出される排出物に含まれる一酸化炭素，炭化水素，窒素酸化物，粒子状物質および黒煙を多量に発散しないものとして，燃料の種

プラス1

保安基準第29条では，窓ガラスへの装着等ができるものとして検査標章，保安基準適合標章，整備命令標章などを規定している。

用語

内燃機関
シリンダー内で燃料を爆発させて，発生した熱エネルギーを動力に変える装置のこと。

消音器は，一般にはマフラーと呼ばれていますね。

プラス1

規制値を超える黒煙を排出するディーゼル車は，環境を悪化させるだけでなく，沿道住民の健康にも悪影響を及ぼす。

第3章　道路運送車両法関係

燃料には，ガソリン，液化石油ガス，軽油などの種別があります。

ハイビームは夜間に前方100m先の障害物を確認できる性能が必要です。ロービームは40m先です。

ひっかけ注意！

前照灯の灯光は白色であって，「白色または黄色」ではない。

別等に応じ，性能に関し告示で定める基準に適合するものでなければなりません。

■排気管の開口方向違反
排気管を横に向けると，排気ガスが歩行者などにかかる。排気管は左向きまたは右向きに開口しないこと

6 前照灯および反射器

（1）前照灯

　自動車の前面に備え付ける前照灯（ヘッドライト）には，**走行用前照灯（ハイビーム）**と**すれ違い用前照灯（ロービーム）**があります。どちらも，夜間に自動車の前方にある交通上の障害物を確認できるものとして，灯光の色，明るさ等に関し告示で定める基準に適合するものでなければなりません。さらに，すれ違い用前照灯についてはその照射光線が他の交通を妨げないものでなければなりません。

　灯光の色は，どちらも白色と定められています。

Q&A

前照灯のほかに，自動車に備える主な灯火の色にはどのようなものがありますか？

自動車に備える主な灯火の色には，前照灯の白色，尾灯の赤色，制動灯の赤色，後退灯の白色があります。

（2）後部反射器・大型後部反射器

　自動車の後面には，後部反射器を備えなければなりません。後部反射器は，夜間に自動車の後方にある他の交通にその自動車の幅を示すことができるものとして，反射光の色，明るさ，反射部の形状などに関し告示で定める基準に適

合するものでなければなりません。反射光の色は赤色です。

　後部反射器は，夜間にその後方150mの距離から走行用前照灯で照射した場合にその反射光を照射位置から確認できるものでなければなりません。

　貨物の運送の用に供する普通自動車であって，**車両総重量が７ｔ以上**のものの後面には，後部反射器を備えるほか，**大型後部反射器**を備えなければなりません。

　大型後部反射器は，自動車の後方にある他の交通にその自動車の存在を示すことができるものとして，反射光の色，明るさ，反射部の形状等に関し告示で定める基準に適合するものでなければなりません。黄色の反射部と，赤色の反射部またはけい光部で構成されています。

第3章 道路運送車両法関係

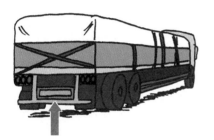

トラック・トラクタ用

トレーラ用

大型後部反射器は昼間にその後方150mの位置からその赤色部を確認できるものであること

⑦ 車枠および車体

　自動車の車枠および車体は，堅ろうで運行に十分耐えるものとして，強度，取付方法等に関し告示で定める基準に適合するものでなければなりません。

　また，自動車（大型特殊自動車および小型特殊自動車を除く）の車体の外形その他自動車の形状は，**鋭い突起がないこと**，**回転部分が突出していないこと**等他の交通の安全を妨げるおそれがないものとして，告示で定める基準に適合するものでなければなりません。

📖 **用語**

車枠
自動車のフレームのこと。

205

⑧ 巻込防止装置

　貨物の運送の用に供する普通自動車および車両総重量が8t以上の普通自動車（乗車定員11人以上の自動車およびその形状が乗車定員11人以上の自動車の形状に類する自動車を除く）の両側面には，堅ろうであり，かつ，歩行者，自転車の乗車人員等が当該自動車の後車輪へ巻き込まれることを有効に防止することができるものとして，強度，形状等に関し告示で定める基準に適合する巻込防止装置（サイドガード）を備えなければなりません。

⑨ 突入防止装置

　自動車（法令に規定する自動車を除きます）の後面には，他の自動車が追突した場合に追突した自動車の車体前部が突入することを有効に防止できるものとして，強度，形状等に関し告示で定める基準に適合する突入防止装置（リアバンパーのようなもの）を備えなければなりません。ただし，突入防止装置を備えた自動車と同程度以上に，他の自動車が追突した場合に追突した自動車の車体前部が突入することを防止することができる構造を有するものとして告示で定める構造の自動車には，備える必要はありません。

問題 de 実力チェック!!

第3章 道路運送車両法関係

学習項目			Q できたらチェック ☑
速度抑制装置	☐	1	貨物の運送の用に供する普通自動車であって，車両総重量が8トン以上又は最大積載量が5トン以上のものの原動機には，自動車が時速90キロメートルを超えて走行しないよう燃料の供給を調整し，かつ，自動車の速度の制御を円滑に行うことができるものとして，告示で定める基準に適合する速度抑制装置を備えなければならない。　2年8月
窓ガラス	☐	2	自動車の前面ガラス及び側面ガラス（告示で定める部分を除く。）は，フィルムが貼り付けられた場合，当該フィルムが貼り付けられた状態においても，透明であり，かつ，運転者が交通状況を確認するために必要な視野の範囲に係る部分における可視光線の透過率が60％以上であることが確保できるものでなければならない。　2年8月
騒音防止装置その他	☐	3	内燃機関を原動機とする自動車には，騒音の発生を有効に抑止することができるものとして，構造，騒音防止性能等に関し告示で定める基準に適合する消音器を備えなければならない。　18年3月
前照灯および反射器	☐	4	自動車の後面には，夜間にその後方150メートルの距離から走行用前照灯で照射した場合にその反射光を照射位置から確認できる赤色の後部反射器を備えなければならない。　2年8月
	☐	5	貨物の運送の用に供する普通自動車であって，車両総重量が7トン以上のものの後面には，所定の後部反射器を備えるほか，反射光の色，明るさ等に関し告示で定める基準に適合する大型後部反射器を備えなければならない。　3年3月
車枠および車体	☐	6	自動車（大型特殊自動車，小型特殊自動車を除く。）の車体の外形その他自動車の形状については，鋭い突起がないこと，回転部分が突出していないこと等他の交通の安全を妨げるおそれがないものとして，告示で定める基準に適合するものでなければならない。　4年度CBT
突入防止装置	☐	7	自動車（法令に規定する自動車を除く。）の後面には，他の自動車が追突した場合に追突した自動車の車体前部が突入することを有効に防止することができるものとして，強度，形状等に関し告示で定める基準に適合する突入防止装置を備えなければならない。ただし，告示で定める構造の自動車にあっては，この限りでない。　2年度CBT

 解答　1.○／2.× 透過率は60％以上ではなく，70％以上／3.○／4.○／5.○／6.○／7.○

第3章　道路運送車両法関係

保安基準③

頻出度 **B**

非常信号用具について，その灯光の色や確認できる距離がよく出題されます。運行記録計は，第2章で学習したところをしっかりと復習しましょう。このほか，方向指示器や停止表示器材などが重要です。

方向指示器のことを一般にはウインカーと呼んでいますね。

用語

点灯と点滅

「点灯」とは明かりがついた状態のこと。これに対し「点滅」とは，明かりがついたり消えたりすること。

非常点滅表示灯のことを一般にはハザードランプと呼んでいますね。

① 方向指示器その他の指示装置

（1）方向指示器

　方向指示器は，自動車が**右左折**または**進路の変更**をすることを他の交通に示すことができるとともに，その照射光線が他の交通を妨げないものとして，灯光の色，明るさなどに関し告示で定める基準に適合するものでなければなりません。

　方向指示器の灯光の色は橙色（オレンジ色）とされており，**毎分60回以上120回以下**の一定の周期で**点滅**するものでなければなりません。

（2）非常点滅表示灯

　非常点滅表示灯は，**非常時等に他の交通に警告すること**ができるとともに，その照射光線が他の交通を妨げないものとして，灯光の色，明るさなどに関し告示で定める基準に適合するものでなければなりません。

　非常点滅表示灯は，方向指示器と兼用が一般的であり，**すべての方向指示器を同時に作動させることにより点滅光を発する必要があります。**ただし，盗難，車内における事故その他の**緊急事態が発生している**ことを表示するための灯火（**非常灯**）として作動する場合は，方向指示器の点滅回数の基準に適合しない構造とすることができます。

② 警報装置

（1）警音器

　自動車（被牽引自動車を除きます）には，警音器（クラクション）を備えなければなりません。自動車の警音器は，警報音を発生することにより他の交通に警告することができ，かつ，その警報音が他の交通を妨げないものとして，音色，音量等に関し告示で定める基準に適合するものでなければなりません。

　また，自動車（緊急自動車を除きます）には，車外に音を発する装置で警音器と紛らわしいものを備えてはなりません。ただし，歩行者の通行その他の交通の危険を防止するため，自動車が右左折・進路の変更・後退するときにその旨を歩行者等に警報するブザーその他の装置，または盗難，車内における事故その他の緊急事態が発生した旨を通報するブザーその他の装置は認められます。

（2）非常信号用具

> **Point** 非常信号用具は，
> • 夜間200mの距離から確認できる。
> • 赤色の灯光を発する。

　非常信号用具とは，故障や事故などで停車しなければならないとき，後続車や周囲に危険を知らせるために使用する発炎筒などをいいます。

　自動車には，非常時に灯光を発することにより他の交通に警告することができるとともに，安全な運行を妨げないものとして，**灯光の色**，明るさ，**備え付け場所**などに関し告示で定める基準に適合する非常信号用具を備えなければなりません。

　非常信号用具については，以下のような基準が定められています。

①**夜間200mの距離**から確認できる**赤色**の灯光を発するものであること

告示では，警音器の警報音発生装置の音が，連続するものであり，かつ，音の大きさ及び音色が一定なものであることとされている。

最近では，発炎筒のほかに，LEDを使用した非常信号用具も使われている。

二輪自動車，特殊自動車，被牽引自動車には非常信号用具の備え付け義務はありません。

②自発光式のものであること

③**使用に便利な場所**に備えられたものであること

④振動，衝撃などにより，損傷を生じ，または作動するものでないこと

（3）停止表示器材

自動車に備える**停止表示器材**は，けい光および反射光により他の交通にその自動車が停止していることを表示することができるものとして，形状，けい光および反射光の明るさ，色などに関し告示

停止表示器材

発炎筒

■停止表示器材

で定める基準に適合するものでなければなりません。以下のような基準が定められています。

①中空の**正立正三角形**の反射部およびけい光部または中空の正立正三角形のけい光反射部を有すること

②**夜間200mの距離**から走行用前照灯で照射した場合に，その反射光を照射位置から確認できること

③**昼間200mの距離**からそのけい光を確認できること

④反射光の色は**赤色**であり，かつ，けい光の色は，**赤色**または**橙色**であること

3 後写鏡

自動車に備える**後写鏡**（こうしゃきょう）（バックミラー）は，運転者が運転者席において自動車の**外側線付近**および**後方**の交通状況を確認できるとともに，乗車人員，歩行者等に傷害を与えるおそれの少ないものとして，その後写鏡による運転者の視野，乗車人員等の保護にかかわる性能等に関し告示で定める基準に適合するものでなければなりません。

　取付部付近の，自動車の最外側より突出している部分の最下部が地上1.8 m**以下**のものは，その部分が**歩行者等に接触**した場合に衝撃を緩衝できる構造でなければなりません。

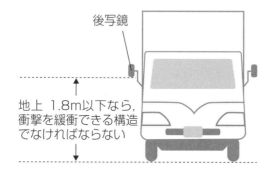

後写鏡

地上 1.8m以下なら，
衝撃を緩衝できる構造
でなければならない

第3章　道路運送車両法関係

　なお，バックミラーの代わりに後方等確認装置（カメラモニタリングシステム）の設置が認められ，国際基準に適合するカメラモニタリングシステムを備えることにより，バックミラーがない自動車の設計・製造が可能となっています。

❹ 運行記録計

　運行記録計とは，自動車の速度や運行距離，運行時間などを自動的に記録する装置です。以下の自動車には運行記録計を備えなければなりません。
①貨物の運送の用に供する普通自動車であって，**車両総重量が８ t 以上**または**最大積載量が５ t 以上**のもの
②①に該当する被牽引自動車を牽引する牽引自動車
　これらの自動車に備える運行記録計は，「24時間以上の継続した時間内におけるその自動車の**瞬間速度および２時刻間の走行距離を自動的に記録できる**」とともに，「平坦な舗装路面での走行時において，著しい誤差がない」ものとして，記録性能，精度等に関し告示で定める基準に適合するものでなければなりません。

運行記録計を備えるべき自動車は，速度抑制装置を備えるべき自動車（の原動機）と同じですね。

Q&A

運行記録計を装着しなければならない自動車の大きさが事業法と違うのはなぜですか？

運行記録計を装着しなければならない自動車の大きさの規定が，事業法と保安基準で異なるからです。事業法（第2章）では「車両総重量7t以上または最大積載量4t以上の普通自動車である事業用自動車」（いわゆる緑ナンバーの事業用貨物自動車が対象）に，保安基準では「車両総重量8t以上または最大積載量5t以上の普通自動車」（いわゆる白ナンバーの自家用貨物自動車が対象）に装着義務があります。

⑤ 走行装置等

　自動車の空気入ゴムタイヤの接地部は，滑り止めを施したものであり，滑り止めの溝は，空気入ゴムタイヤの接地部の全幅にわたり滑り止めのために施されている凹部（サイピング，プラットフォーム及びウエア・インジケータの部分を除く）のいずれの部分においても1.6mm以上の深さを有することが必要です。

⑥ 道路維持作業用自動車

　道路維持作業用自動車には，その自動車が道路維持作業用自動車であることを他の交通に示すことができるものとして，灯光の色，明るさ等に関し告示で定める基準に適合する灯火を**車体の上部**の見やすい箇所に備えなければなりません。

　灯光の色は，**黄色**で**点滅式**のものとされ，150mの距離から点灯を確認できるものでなければなりません。

 用語

道路維持作業用自動車
道路の維持，修繕等の作業に従事するための自動車。

確認しよう! 問題 de 実力チェック!!

学習項目	Q できたらチェック ✔
方向指示器その他の指示装置	☐ **1** 自動車に備えなければならない方向指示器は，毎分60回以上120回以下の一定の周期で点滅するものでなければならない。 27年8月
	☐ **2** 非常点滅表示灯は，盗難，車内における事故その他の緊急事態が発生していることを表示するための灯火として作動する場合には，方向指示器の点滅回数の基準に適合しない構造とすることができる。 26年8月
警報装置	☐ **3** 自動車に備えなければならない非常信号用具は，夜間200メートルの距離から確認できる赤色の灯光を発するものでなければならない。 4年度CBT
	☐ **4** 停止表示器材は，夜間200メートルの距離から走行用前照灯で照射した場合にその反射光を照射位置から確認できるものであることなど告示で定める基準に適合するものでなければならない。 3年度CBT
後写鏡	☐ **5** 自動車に備えなければならない後写鏡は，取付部付近の自動車の最外側より突出している部分の最下部が地上2.0メートル以下のものは，当該部分が歩行者等に接触した場合に衝撃を緩衝できる構造でなければならない。 4年度CBT
運行記録計	☐ **6** 貨物の運送の用に供する普通自動車であって，車両総重量が9,000キログラムで最大積載量が4,250キログラムの自動車には，道路運送車両の保安基準に適合する運行記録計を備えなければならない。 25年3月
走行装置等	☐ **7** 自動車（二輪自動車等を除く。）の空気入ゴムタイヤの接地部は滑り止めを施したものであり，滑り止めの溝は，空気入ゴムタイヤの接地部の全幅にわたり滑り止めのために施されている凹部（サイピング，プラットフォーム及びウエア・インジケータの部分を除く。）のいずれの部分においても1.4ミリメートル以上の深さを有すること。 3年度CBT
道路維持作業用自動車	☐ **8** 道路維持作業用自動車には，黄色の点滅する灯火を備えなければならない。 16年8月

A 解答 1.○／2.○／3.○／4.○／5.× 2.0m以下ではなく，1.8m以下である／6.○ 車両総重量が8 t（＝8,000kg）以上なので備えなければならない／7.×「1.4mm以上」ではなく，「1.6mm以上」／8.○

第4章

労働基準法関係

運行の安全を確保することが運行管理者の仕事ですから、労働者として働く事業用自動車の運転手に対して、無理を承知で長時間にわたって運転をさせる、それが重大な事故につながるようなことがあってはなりません。

第4章　労働基準法関係

基本原則

労働基準法全体を通しての共通ルールを学習します。大前提として，この法が「労働条件の最低限の基準」を定めるものであることをしっかり頭に入れましょう。これ以降の学習もスムーズになります。

1 労働条件の原則

ここが重要!!
使用者に対して経済的に弱い立場にある労働者を保護し，労働者が人間らしく働き，生活できるようにするために，労基法による最低労働基準が定められています。

労働基準法（以下「労基法」）では，賃金や労働時間など，労働者の職場における一切の待遇（労働条件）に関する最低限の基準（最低労働基準）を定めています。この労働条件については，以下の原則があります。

①労働条件は，労働者が**人たるに値する生活**を営むための必要を充たすべきものでなければならない。

②労基法で定める労働条件の基準は最低のものなので，労働関係の当事者（使用者と労働者）は，この基準を理由として労働条件を**低下させてはならない**ことはもちろん，**向上を図る**ように努めなければならない。

向上させる努力義務
ーーーー **労働条件**
低下させてはならない
ーーーー **最低労働基準**
「最低」より下はない

なお，労基法では，「労働者」と「使用者」について，以下のとおり定義しています。

Point	労基法における「労働者」と「使用者」の定義
労働者	職業の種類を問わず，事業または事務所（以下「事業」）に使用され，**賃金を支払われる者**
使用者	①事業主，②事業の経営担当者，③事業の労働者に関する事項について，**事業主のために行為をするすべての者**

労働者には，日々雇い入れられる者（いわゆる日雇労働者）も含まれます。

❷ 労働条件の決定

労働条件は，労働者と使用者が**対等の立場**で決定すべきものです。また，労働者と使用者は，**労働協約・就業規則・労働契約を遵守**し，誠実に各自の義務を履行しなければなりません。

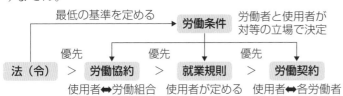

なお，労基法で定める基準に達しない労働条件を定めた労働契約は，その部分については無効となります。無効となった部分は，労基法で定める基準によることになります。例えば，年次有給休暇について「雇入れの日から起算して３年目から与える」と定めても無効となり，労基法で定める基準に基づき「６か月経過後から与える」となるのです。

❸ その他の基本原則

均等待遇	使用者は，労働者の国籍・信条（信仰や信念）・社会的身分を理由として，賃金・労働時間などの労働条件について差別的取扱いをしてはならない
男女同一賃金の原則	使用者は，労働者が**女性**であることを理由として，**賃金**について，男性と差別的取扱いをしてはならない
強制労働の禁止	使用者は，暴行・脅迫・監禁など，精神または身体の自由を不当に拘束する手段によって，労働者の意思に反して労働を強制してはならない
中間搾取の排除	何人も，原則として，業として他人の就業に介入して利益を得て（ピンハネをして）はならない

ここが重要!!
使用者が，自分にとって有利な労働条件を労働者に押しつけたりしないように，対等な立場で決定することとされているのです。

第4章 労働基準法関係

労働協約
➡P244
就業規則
➡P242
年次有給休暇
➡P235

プラス1
「業として」とは，営利目的で反復継続して同じような行為をすること（反復継続して利益を得る意思があれば１回限りの行為も含む）をいう。

プラス1
中間搾取の排除は，法律に基づいて許される場合は除く。例えば，職業安定法では，許可を得れば有料職業紹介事業を営めるとしている。

学習項目			Q できたらチェック ✔
労働条件の原則	☐	**1**	労働条件は，労働者が人たるに値する生活を営むための必要を充たすべきものでなければならない。 20年3月
	☐	**2**	労働基準法で定める労働条件の基準は最低のものであるから，労働関係の当事者は，当事者間の合意がある場合を除き，この基準を理由として労働条件を低下させてはならないことはもとより，その向上を図るように努めなければならない。 3年3月改
	☐	**3**	「使用者」とは，事業主又は事業の経営担当者その他その事業の労働者に関する事項について，事業主のために行為をするすべての者をいう。 29年8月
	☐	**4**	「労働者」とは，職業の種類を問わず，事業又は事務所に使用される者で，賃金を支払われる者をいう。 29年8月
労働条件の決定	☐	**5**	労働基準法で定める基準に達しない労働条件を定める労働契約は，その部分については無効とする。この場合において，無効となった部分は，労働基準法で定める基準による。 28年3月改
	☐	**6**	労働者（日日雇い入れられる者を除く。）及び使用者は，労働協約，就業規則及び労働契約を遵守し，誠実に各々その義務を履行しなければならない。 18年8月
その他の基本原則	☐	**7**	使用者は，労働者の国籍，信条又は社会的身分を理由として，賃金，労働時間その他の労働条件について，差別的取扱をしてはならない。 4年度CBT

A 解答 **1**.○／**2**.× 当事者間の合意があっても低下させることはできない／**3**.○／**4**.○／**5**.○／**6**.× 日々雇い入れられる者（いわゆる日雇い労働者）も含まれる／**7**.○

Lesson 2 労働契約・労働条件の明示

労働関係は，労働契約を結ぶことでスタートします。ここでは，期間の制限や，その締結の際に，後でトラブルの原因にならないよう書面による明示が義務づけられる労働条件などが，出題の中心です。

頻出度 **A**

① 労働契約の期間制限

使用者と労働者は，労働契約を結んで雇用関係に入ります。労働契約は，期間を定めなくてもかまいませんが，期間を定める場合には，その期間に制限があります。

期間の定めのない労働契約		制限なし
期間の定めがある労働契約（以下「有期労働契約」）		**3年まで**
	一定の事業の完了に必要な期間を定める労働契約（例：建築工事の完成までの期間だけ雇われる場合）	その期間まで
	①専門的な知識・技術・経験を有する労働者 ②満60歳以上の労働者 との間に締結される労働契約	5年まで

② 労働条件の明示

労働者が，労働条件の詳しい内容を知らずに労働契約を結ぶと，後でトラブルの原因になります。そのため，使用者は，労働契約の締結に際し，労働者に対して賃金や労働時間などの**労働条件を明示**しなければなりません。明示された労働条件が**事実と異なる場合**には，労働者は即時に労働契約を解除することができます。

また，以下の労働条件については，**書面**を交付して明示することが義務づけられています。

①労働契約の期間

②有期労働契約を更新する場合の基準（更新上限の有無とその内容を含む）

③就業の場所，従事すべき業務（就業場所・業務の変更

「期間の定めがある労働契約」の場合，あらかじめ契約期間の終わりの時期が決められていますので，その時期になれば自動的に労働契約は終了します。ただ，それは「原則として，契約期間の終わりの時期が来るまでは，労働者と使用者はお互いに労働契約を解除できない」ということでもあります。

プラス1

労働基準法施行規則が改正され，令和6年4月より，労働条件明示のルールが変更になった。

📖 **用語**

更新上限

有期労働契約の通算契約期間または更新回数の上限のこと。

の範囲を含む）

④始業と終業の時刻，所定労働時間を超える労働の有無，休憩時間，休日，休暇など

⑤賃金（退職手当，臨時に支払われる賃金，賞与などを除く）の決定，計算・支払の方法など

⑥退職に関する事項（解雇の事由を含む）

なお，昇給についても明示することが義務づけられていますが，これは口頭でもかまいません。また，退職手当や賞与など，一定の労働条件については，それを定めている場合には明示しなければならず，これらの場合も口頭でもかまいません。

③ 賠償予定の禁止・前借金相殺の禁止等

（1）賠償予定の禁止

使用者は，「途中で辞めたら違約金を支払え」というように，労働契約の不履行について違約金を定めてはなりません。また，「会社に損害を与えたら〇円を支払え」というように，損害賠償額を予定する契約もしてはなりません。

（2）前借金相殺の禁止

使用者は，「金を貸すから働いて返せ」というように，労働することを条件として労働者に金を前貸しして，その前貸し分を賃金から差し引く（相殺する）ことは禁止されています（前借金相殺の禁止）。

（3）強制貯蓄

使用者は，労働契約に附随して貯蓄の契約をさせたり，

貯蓄金を管理する契約（強制貯蓄）をしてはなりません。貯蓄金を労働者の委託を受けて管理しようとする場合（任意貯蓄），使用者は以下の者と**書面によって協定（労使協定）**を結び，これを**行政官庁**（所轄の労働基準監督署長）に**届け出**なければなりません。

①事業場に，労働者の過半数で組織する労働組合がある場合は，その労働組合

②事業場に，労働者の過半数で組織する労働組合がない場合は，労働者の過半数を代表する者

 用語

労使協定
労働者の過半数で組織する労働組合がある場合はその労働組合（ない場合は労働者の過半数を代表する者）と使用者の間で書面によって結ばれた，労働条件などについての取り決めのこと。

第4章 労働基準法関係

確認しよう!

問題 de 実力チェック‼

学習項目	Q できたらチェック ✓
労働契約の期間制限	□ **1** 労働契約は，期間の定めのないものを除き，一定の事業の完了に必要な期間を定めるもののほかは，3年（労働基準法第14条（契約期間等）第1項各号のいずれかに該当する労働契約にあっては，5年）を超える期間について締結してはならない。 `元年8月`
労働条件の明示	□ **2** 使用者は，労働契約の締結に際し，労働者に対して賃金，労働時間その他の労働条件を明示しなければならない。この明示された労働条件が事実と相違する場合においては，労働者は，即時に労働契約を解除することができる。 `31年3月`
	□ **3** 労働者は，労働契約の締結に際し使用者から明示された賃金，労働時間その他の労働条件が事実と相違する場合においては，少くとも30日前に使用者に予告したうえで，当該労働契約を解除することができる。 `元年8月`
賠償予定の禁止・前借金相殺の禁止等	□ **4** 使用者は，労働契約の不履行について違約金を定め，又は損害賠償額を予定する契約をしてはならない。 `3年度CBT`
	□ **5** 使用者は，前借金その他労働することを条件とする前貸の債権と賃金を相殺することができる。 `予想`

A 解答 1.○／2.○／3.× 使用者に予告する必要はない／4.○／5.× 使用者が，労働することを条件として労働者に金を前貸しして，その前貸し分を賃金から差し引く（相殺する）ことは禁止されている

労働契約の終了

Lesson 3

頻出度 A

労働契約は，労働者の辞職や死亡によっても終了しますが，出題の中心となるのは解雇です。解雇の予告期間など，具体的な数字についての出題も少なくないので，知識を確実にしましょう。

① 解雇制限

「解雇」とは，**使用者の一方的な意思表示**により労働契約を解除することであり，これによって労働契約は終了します。ただ，この解雇が，労働者が労働能力を失って十分に回復していない間に行われてしまうと，労働者は次の就職先を探すことが困難になってしまいます。

そのような事態を防ぐため，使用者は，以下の期間（解雇制限期間）中は，労働者を解雇することができません。

用語

疾病
病気のこと。
多胎妊娠
➡P240

プラス1

産前・産後休業（労基法第65条）の規定は，一定期間以内に出産する予定の女性が休業を請求した場合や，産後の一定期間は，女性を就業させてはならないとするものである。

産前・産後休業
➡P240

療養補償
➡P230

> **Point** 解雇制限期間
> ①労働者が，業務上の負傷または疾病によって，療養のために休業する期間と，その後30日間
> ②産前・産後の女性が，産前・産後休業の規定（産前6週間（多胎妊娠は14週間），産後8週間）によって休業する期間と，その後30日間

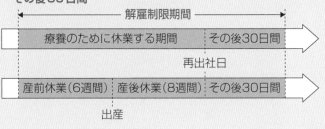

ただし，解雇制限期間中であっても，以下のいずれかの場合には解雇することができます。
①使用者が打切補償を支払う場合

➡「**打切補償**」とは，療養補償を受ける労働者が，療養開始後3年を経過しても負傷または疾病が治らない場合に，使用者が平均賃金の1,200日分を支払って，その後

は療養補償などの労基法による補償を打ち切るというものです。

②天災事変などのやむを得ない事由のために事業の継続が不可能となった場合

➡「やむを得ない事由」とは，例えば事業場の火災による焼失や地震による倒壊です。この場合，その事由について行政官庁（所轄の労働基準監督署長）の認定が必要となります。

第4章　労働基準法関係

② 解雇の予告

やむを得ず解雇する場合でも，労働者が急に職を失って困らないよう，次の就職先を探すための時間的・経済的な余裕について保護を与えるため，以下の手続が必要です。

Point

①使用者は，労働者を解雇しようとする場合には，少なくとも**30日前に解雇予告**をしなければならない。

②30日前に予告をしない使用者は，**30日分以上の平均賃金**（解雇予告手当）を支払わなければならない。

平均賃金
➡P228

少なくとも 30 日前に解雇予告	
30 日分以上の平均賃金の支払	併用もできる

明日辞めて。

ガーン…！

223

解雇予告と解雇予告手当の支払は併用もでき，解雇予告の日数は，１日につき平均賃金を支払った日数分だけ短縮することができます。

例えば，10日分の平均賃金を支払って20日前に予告すれば，解雇予告の要件を満たすことになります。

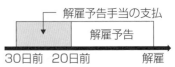

ただし，以下のいずれかの場合には，解雇予告または解雇予告手当の支払をせずに解雇することができます。これらの場合，その事由について行政官庁（所轄の労働基準監督署長）の認定が必要となります。

①天災事変その他やむを得ない事由のために事業の継続が不可能となった場合

②労働者の責に帰すべき事由に基づいて解雇する場合

➡「労働者の責に帰すべき事由」とは，例えば労働者による横領や２週間以上の無断欠勤です。

なお，解雇の予告の規定は，労基法に定める期間を超えない限りにおいて，以下のいずれかに該当する労働者については，適用されません。

①日日雇い入れられる者

②２か月以内の期間を定めて使用される者

③季節的業務に４か月以内の期間を定めて使用される者

④試の使用期間中の者

③ 退職時等の証明

労働者が，退職の場合に，次の事項について証明書を請求した場合には，使用者は遅滞なく交付しなければなりません。これは，解雇や退職をめぐるトラブルを防ぎ，労働者の再就職活動に役立てるためです。

①在職中の使用期間	①～⑤の事項のうち，労働者が請求した事項について，使用者が証明しなければならない
②業務の種類	
③その事業における地位	
④賃金	
⑤退職の事由（退職の事由が**解雇の場合には，その理由**を含む）	

第4章 労働基準法関係

　また，解雇をめぐるトラブルを防ぐため，労働者が，解雇の予告がされた日から退職の日までの間に，その解雇の理由について証明書を請求した場合も，使用者は同様に証明書を交付し，解雇の理由を明示しなければなりません。

　なお，この退職時等の証明書には，労働者から請求されていない事項を記入してはいけません。

❹ 金品の返還

　使用者は，労働者の死亡または退職の場合，権利者（労働者本人や相続人）の請求があったときには，**7日以内**に賃金を支払い，積立金・保証金・貯蓄金その他名称が何であるかを問わず，労働者の権利に属する金品を返還しなければなりません。これは，賃金の支払や金品の返還を迅速に行うことによって，労働者の生活を保護するためです。

PLUS ONE プラス**1**

ただし，解雇の予告がされた日以後に労働者がそれ以外の事由で退職した場合は，その退職の日以後，解雇理由の証明書の交付は不要となる。

解雇の無効については，労働契約についての基本的なルールを定める「労働契約法」に定められている。

解雇予告や解雇予告手当の支払さえ行えば，自由に解雇できるというものではないんですね。

⑤ 解雇の無効

　解雇は，**客観的に合理的な理由を欠き，社会通念上相当であると認められない場合**には，使用者がその権利を濫用（みだりに行使）したものとして，無効（解雇できない）となります。これは，使用者が，単に労働者のことが気に入らないといった理不尽な理由によって，労働者を不当に解雇することを防ぐためです。

この試験に合格するためには，法律や規則の実際の条文を読んでおかなければならないのでしょうか？

　本書のレッスン末問題では，過去の試験問題から主に出題していますが，ほとんど法令の条文そのままであることがわかります。しかし，法律の専門家でない人が実際の条文を読もうとしても，難解すぎてかえって混乱してしまいます。本書では，各法令をできるだけわかりやすく解説していますので，まず内容をよく理解してから，チェック問題で実際の条文と向き合うということで十分でしょう。

確認しよう！ 問題 de 実力チェック!!

学習項目	❓できたらチェック ✔
解雇制限	☐ **1** 使用者は，労働者が業務上負傷し，又は疾病にかかり療養のために休業する期間及びその後6週間並びに産前産後の女性が法第65条（産前産後）の規定によって休業する期間及びその後6週間は，解雇してはならない。　2年度CBT
解雇の予告	☐ **2** 使用者は，労働者を解雇しようとする場合においては，法第20条の規定に基づき，少くとも14日前にその予告をしなければならない。14日前に予告をしない使用者は，14日分以上の平均賃金を支払わなければならない。　2年度CBT
	☐ **3** 法第20条（解雇の予告）の規定は，法に定める期間を超えない限りにおいて，「日日雇い入れられる者」，「3ヵ月以内の期間を定めて使用される者」，「季節的業務に6ヵ月以内の期間を定めて使用される者」又は「試の使用期間中の者」のいずれかに該当する労働者については適用しない。　4年度CBT
退職時等の証明	☐ **4** 労働者が，退職の場合において，使用期間，業務の種類，その事業における地位，賃金又は退職の事由（退職の事由が解雇の場合にあっては，その理由を含む。）について証明書を請求した場合においては，使用者は，遅滞なくこれを交付しなければならない。　3年3月
金品の返還	☐ **5** 使用者は，労働者の死亡又は退職の場合において，権利者の請求があった場合においては，7日以内に賃金を支払い，積立金，保証金，貯蓄金その他名称の如何を問わず，労働者の権利に属する金品を返還しなければならない。　23年3月改

第4章 労働基準法関係

A 解答 **1**.× ともに「6週間」ではなく，「30日間」／**2**.× すべて「14日」ではなく，「30日」／**3**.×「3ヵ月」ではなく，「2ヵ月」。「6ヵ月」ではなく，「4ヵ月」／**4**.○／**5**.○

Lesson 4 賃金・災害補償

頻出度 **B**

労働者の生活を守るために，労基法では賃金の支払方法や，さまざまな補償などについて定めています。細かい知識も多いですが，類似の規定を比較しながら覚えると，効率的に学習することができます。

1 賃 金

　労基法では，「賃金」のほか，すでに学習した解雇予告手当やここで学習する休業手当などを算定する場合に，その計算の基礎として用いられる「平均賃金」について，以下のとおり定義しています。

PLUS ONE プラス1

賃金の最低基準に関しては，「最低賃金法」の定めるところによる。

「除した」とは「割った」ことを表すんだ。つまり，賃金の総額を総日数で割るということですね。

賃　金	賃金・給料・手当・賞与など，名称が何であるかを問わず，**労働の対償**として使用者が労働者に支払う**すべてのもの**
平均賃金	**これを算定すべき事由の発生した日以前3か月間**（算定期間）に，その労働者に対して支払われた**賃金の総額**を，その期間の**総日数で除した金額**

(例)

算定期間に支払われた賃金総額
→90万円

3か月間
→31日+31日+28日
＝総日数90日

算定すべき事由の発生した日

➡ $\dfrac{90万円}{90日}$＝平均賃金1万円

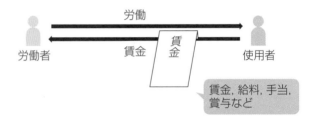

労働

賃金

労働者　　賃金　　使用者

賃金, 給料, 手当,
賞与など

第4章 労働基準法関係

（1）賃金の支払

賃金は，労働者にとって生活の糧（かて）であり，労働者がこれを確実に手にすることができるように，労基法では，賃金の支払に関する原則について，以下のとおり定めています。

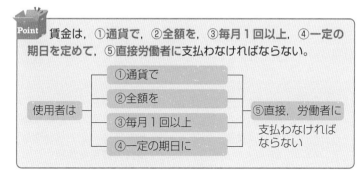

Point 賃金は，①通貨で，②全額を，③毎月1回以上，④一定の期日を定めて，⑤直接労働者に支払わなければならない。

使用者は ─── ①通貨で
          ─── ②全額を
          ─── ③毎月1回以上
          ─── ④一定の期日に
          ─── ⑤直接，労働者に支払わなければならない

なお，この原則には，いくつかの例外もあります。例えば，臨時に支払われる賃金・賞与・1か月を超える期間の出勤成績によって支給される精勤手当などについては，毎月1回以上，一定の期日に支払わなくてもかまいません。

（2）非常時払・休業手当・出来高払制の保障給

そのほか，労働者の賃金に関して保障し，労働者の生活を保護するため，労基法では以下の規定を設けています。

非常時払（ばらい）	労働者が，出産・疾病・災害など一定の非常の場合の費用に充てるために請求する場合	使用者は，賃金の支払期日の前であっても，**既往の**（きおう）（すでにした）**労働に対する賃金**を支払わなければならない
休業手当	使用者の責に帰すべき事由（使用者の都合）によって労働者を休業させた場合	使用者は，休業期間中，その労働者に対し，**平均賃金の60/100以上の手当**を支払わなければならない
出来高払制（できだかばらい）**の保障給**	出来高払制などの請負制で使用する労働者については，使用者は，**労働時間に応じ，一定額の賃金の保障**をしなければならない	

プラス1
「非常の場合」には，労働者の収入によって生計を維持する者が出産し，疾病にかかり，災害を受けた場合も含まれる。また，労働者本人やその収入によって生計を維持する者が結婚し，または死亡した場合などもある。

プラス1
「使用者の責に帰すべき事由」とは，使用者として避けられない（不可抗力）とはいえない一切の場合を広く含むが，労働協約や就業規則で休日と定めた場合や，使用者の正当な作業所閉鎖の場合などは除く。

用語
出来高払制
労働時間には関係なく，労働によってできた数量（出来高）に応じて賃金を支払う方法のこと。

② 災害補償

　労働者が，**業務上の災害によって負傷**したり**疾病**にかかったり，または**死亡**した場合には，使用者は，以下の災害補償をしなければなりません。これは，使用者は労働者の労働によって利益を得ているのだから，労働者が業務上の災害によって負傷などをした場合には，その補償をする責任があるという考えに基づくものです。

補償の種類	補償事由	補償の内容
療養補償	業務上**負傷**し，または**疾病**にかかった場合	使用者の費用で**必要な療養を行い**，または**必要な療養の費用を負担**しなければならない
休業補償	**療養補償の規定による療養のため**，労働することができないために**賃金を受けない**場合	使用者は，労働者の療養中，**平均賃金の60/100**の休業補償を行わなければならない
障害補償	業務上**負傷**し，または**疾病**にかかり，それが治った場合に，**身体に障害が残った**とき	障害の程度に応じて，**平均賃金に一定の日数**（1,340日から50日までの14段階）**を乗じて得た金額**の障害補償を行わなければならない
遺族補償	業務上**死亡**した場合	**遺族**に対して，**平均賃金の1,000日分の遺族補償**を行わなければならない
葬祭料		**葬祭を行う者**に対して，**平均賃金の60日分**の葬祭料を支払わなければならない

「重大な過失」とは，どのようなものですか？

不注意が甚（はなは）だしい場合のことです。ほんのわずかな注意で結果が避けられたにもかかわらず，そのわずかな注意を怠った場合のことですね。例えば，信号無視による交通事故です。

　なお，労働者が自らの**重大な過失**によって業務上負傷し，または疾病にかかり，かつ，使用者がその過失について行政官庁（所轄の労働基準監督署長）の認定を受けた場合には，休業補償または障害補償を行わなくてもかまいません。

問題 de 実力チェック!!

学習項目	❓できたらチェック ✅
賃　金	☐ **1** 「平均賃金」とは，これを算定すべき事由の発生した日以前3ヵ月間にその労働者に対し支払われた賃金の総額を，その期間の所定労働日数で除した金額をいう。　3年度CBT
	☐ **2** 賃金は，臨時に支払われる賃金，賞与その他これに準ずるもので厚生労働省令で定める賃金を除き，毎月1回以上，一定の期日を定めて支払わなければならない。　29年8月
	☐ **3** 出来高払制その他の請負制で使用する労働者については，使用者は，労働時間にかかわらず一定額の賃金の保障をしなければならない。　3年度CBT
	☐ **4** 使用者は，労働者が出産，疾病，災害その他厚生労働省令で定める非常の場合の費用に充てるために請求する場合においては，支払期日前であっても，既往の労働に対する賃金を支払わなければならない。　4年度CBT
災害補償	☐ **5** 労働者が業務上負傷し，又は疾病にかかり，その療養のため，労働することができないために賃金を受けない場合においては，使用者は，労働者の療養中平均賃金の100分の70の休業補償を行わなければならない。　23年3月改
	☐ **6** 労働者が業務上死亡した場合においては，使用者は，遺族に対して，平均賃金の1,000日分の遺族補償を行わなければならない。　18年3月

A 解答 **1**.× 「所定労働日数」ではなく，「総日数」／**2**.○ 「これに準ずるもので厚生労働省令で定める賃金」として，1か月を超える期間の出勤成績により支給される精勤手当などがある／**3**.× 労働時間に応じて一定額の賃金の保障をしなければならない／**4**.○／**5**.× 70/100ではなく60/100／**6**.○

第4章 労働基準法関係

労働時間・休憩・休日等

労働時間は，労働条件の中でも賃金と並んで重要です。その労働時間の制限や，休憩・休日，時間外労働などの割増賃金，年次有給休暇についてはムラなく出題されているので，しっかり学習しましょう。

1 労働時間

労働者が酷使されないよう，労働時間については，以下のとおり，労基「法」で「定」められています（法定労働時間）。

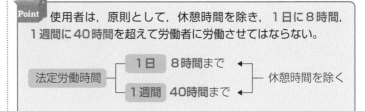

Point 使用者は，原則として，休憩時間を除き，1日に8時間，1週間に40時間を超えて労働者に労働させてはならない。

| 法定労働時間 | 1日 | 8時間まで | ← 休憩時間を除く |
| | 1週間 | 40時間まで | ← |

なお，事業場の規模が10人未満の商業・映画演劇業・保健衛生業・接客娯楽業については，1週間の法定労働時間は44時間までとなります。

2 休 憩

労働が長時間にわたると，労働者の心身に疲労をもたらすうえ，災害が起こりやすくなったり，能率が低下したりするおそれもあります。そのため，労基法では，労働者の疲労回復などのために与える休憩時間について定めています。

ここが重要!!

労働時間は，始業から終業までの時間から休憩時間を差し引いたものをいいます。したがって，お昼休みなどは労働時間に含まれません。

PLUS ONE プラス1

労働時間は，事業場を異にする場合においても，労働時間に関する規定の適用については通算する。これは，同じ事業者の複数の事業場で労働する場合だけでなく，異なる事業者の複数の事業場で労働する場合でも，同様である。

Point 使用者は，労働時間に応じて，以下の休憩時間を，労働時間の途中に与えなければならない。

労働時間	休憩時間
6時間を超え，8時間以内の場合	少なくとも**45分**
8時間を超える場合	少なくとも**1時間**

ここが重要!!
「労働時間の途中に」としているのは，例えば8時間を超えて労働させて，労働時間の最後に1時間の休憩を与えるというようなことを認めると，休憩の意味がなくなってしまうからです。

なお，休憩時間は，全労働者に対して**一斉**（いっせい）に与えるのが原則です。また，休憩時間は，休息のために労働から完全に解放されることを保障されている時間ですから，使用者は，休憩時間を**自由に利用**させなければなりません。

❸ 休　日

　休日は，労働契約上であらかじめ定められた，労働者が労働義務を負わない日です。労働者の疲労回復などのために与える点では休憩時間と同様ですが，まとまった時間が保障される点が休憩時間とは異なります。

　休日については，以下のとおり，労基「法」で「定」められています（法定休日）。

Point 使用者は，労働者に対して，①**毎週少なくとも1回の休日**を与えるか，②**4週間を通じて4日以上の休日**（変形休日制）を与えなければならない。

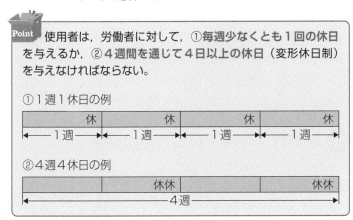

①1週1休日の例

	休		休		休		休
←—1週—→		←—1週—→		←—1週—→		←—1週—→	

②4週4休日の例

	休休		休休
←————————————4週————————————→			

第**4**章　労働基準法関係

④ 時間外および休日の労働

　このレッスンですでに学習したように，労働時間や休日については，労基「法」で「定」められています。しかし，使用者は，以下の者と，**書面によって協定**（労使協定）を結び，これを**行政官庁**（所轄の労働基準監督署長）**に届け出**た場合には，その協定で定められた限度で，法定労働時間を超えて労働させたり（時間外労働），法定休日に労働させたり（休日労働）することができます。

①事業場に，労働者の過半数で組織する労働組合がある場合は，その労働組合

②事業場に，労働者の過半数で組織する労働組合がない場合は，労働者の過半数を代表する者

　また，災害などの避けることのできない事由（急病人の発生など）によって，臨時の必要がある場合において，使用者が行政官庁（所轄の労働基準監督署長）の許可を受けた場合（その暇<small>いとま</small>がない場合には，事後に遅滞なく届出）なども，時間外労働や休日労働が認められます。

　なお，厚生労働大臣は，労働時間の延長および休日の労働を適正なものとするために，協定で定める労働時間の延長および休日の労働について留意すべき事項，その労働時間の延長にかかる割増賃金の率その他の必要な事項について，労働者の健康，福祉，時間外労働の動向その他の事情を考慮して指針を定めることができます。

⑤ 時間外・深夜・休日の割増賃金

　使用者は，労働者に時間外労働・休日労働や，深夜労働をさせた場合には，通常の労働時間または労働日の賃金の計算額の一定の率以上の率で計算した割増賃金<small>わりまし</small>を支払わなければなりません。

「労働者の過半数を代表する者」は，使用者の意向で選出された者ではなく，投票や挙手で選出された者です。

PLUS ONE プラス1
坑内<small>こうない</small>労働など，健康上特に有害な一定の業務については，1日に2時間を超えて労働時間を延長してはならない。

234

時間外	使用者が法定労働時間を超えて労働させた場合	通常の労働時間の賃金の計算額の**2割5分以上**の率で計算した割増賃金
深　夜	使用者が，原則として**午後10時から午前5時まで**の間に労働させた場合	
休　日	使用者が法定休日に労働させた場合	通常の労働日の賃金の計算額の**3割5分以上**の率で計算した割増賃金

ただし，時間外労働が1か月について60時間を超えた場合，その超えた時間の労働は，通常の労働時間の賃金計算額の5割以上の率で計算した割増賃金を支払わなければなりません。

6 年次有給休暇

年次有給休暇（いわゆる有休）は，労働者が心身のリフレッシュや自己啓発などを図ることができるように，賃金の支払を受けながら休暇をとることを認めるものです。

（1）年次有給休暇の基準

使用者は，以下の労働者に対して，継続し，または分割した**10労働日**の**有給休暇**を与えなければなりません。

①雇入れの日から起算して**6か月間継続勤務**

②**全労働日**の**8割以上出勤**

さらに継続勤務年数が増えた場合には，以下の労働日の有給休暇を与えなければなりません。

継続勤務年数	有給休暇	継続勤務年数	有給休暇
6か月	10日	4年6か月	16日
1年6か月	11日	5年6か月	18日
2年6か月	12日	6年6か月以上	20日
3年6か月	14日		

プラス1

深夜労働の割増賃金は，厚生労働大臣が必要であると認める場合には，その定める地域または期間については，午後11時から午前6時までの間に労働させた場合となる。

使用者は，有給休暇を取得した労働者に対して，賃金の減額などの不利益な取扱いをしてはなりません。

プラス1

直前の1年間の出勤率が8割未満である場合は，その年の年次有給休暇は与えられない。しかし，年次有給休暇が与えられない年があっても与えられる日数は，変わらずに追加されていく。

235

使用者は，有給休暇を労働者の請求する時季に与えなければなりません。ただし，請求された時季に有給休暇を与えることが事業の正常な運営を妨げる場合においては，他の時季に与えることができます。

（2）使用者による年次有給休暇の時季指定

使用者は，年次有給休暇が10日以上付与される労働者を対象に，労働者ごとに年次有給休暇を付与した日（基準日）から1年以内に5日について，取得時季を指定して年次有給休暇を取得させなければなりません。時季指定については，労働者の意見を聴かなければならず，できる限り労働者の希望に沿った取得時季になるように，聴取した意見を尊重するよう努めなければなりません。

（3）就業規則への記載

休暇に関する事項は，就業規則の絶対的必要記載事項であるため，使用者による年次有給休暇の時季指定を実施する場合は，時季指定の対象となる労働者の範囲および時季指定の方法等を，就業規則に記載しなければなりません。

（4）年次有給休暇管理簿

使用者は，労働者ごとに年次有給休暇管理簿を作成し，3年間保存しなければなりません。

（5）罰則

労働者の年次有給休暇の取得について，（2）や（3）に違反した場合は，使用者に対して以下のような罰則が規定されています。

すでに5日以上の年次有給休暇を請求・取得している労働者に対しては，使用者による時季指定をする必要はなく，またすることもできません。

違反内容	罰　　　則
年5日の年次有給休暇を取得させなかった場合	30万円以下の罰金
時季指定を行う場合の就業規則への未記載	30万円以下の罰金
労働者の請求時季に年次有給休暇を与えなかった場合	6か月以下の懲役または30万円以下の罰金

問題 de 実力チェック!!

学習項目	Q できたらチェック ✓
労働時間	☐ **1** 使用者は，労働者に，休憩時間を除き1週間について40時間を超えて，労働させてはならない。また，1週間の各日については，労働者に，休憩時間を除き1日について8時間を超えて，労働させてはならない。 　2年8月
休 憩	☐ **2** 使用者は，労働時間が6時間を超える場合においては少くとも35分，8時間を超える場合においては少くとも45分の休憩時間を労働時間の途中に与えなければならない。 　4年度CBT
休 日	☐ **3** 使用者は，2週間を通じ4日以上の休日を与える場合を除き，労働者に対して，毎週少なくとも2回の休日を与えなければならない。 　3年3月
時間外および休日の労働	☐ **4** 使用者は，当該事業場に，労働者の過半数で組織する労働組合がある場合においてはその労働組合，労働者の過半数で組織する労働組合がない場合においては使用者が指名する労働者との書面による協定をし，これを行政官庁に届け出た場合においては，法定労働時間又は法定休日に関する規定にかかわらず，その協定で定めるところによって労働時間を延長し，又は休日に労働させることができる。 　3年度CBT
時間外・深夜・休日の割増賃金	☐ **5** 使用者が，労働基準法の規定により労働時間を延長し，又は休日に労働させた場合においては，その時間又はその日の労働については，通常の労働時間又は労働日の賃金の計算額の2割5分以上5割以下の範囲内でそれぞれ政令で定める率以上の率で計算した割増賃金を支払わなければならない。 　3年3月改
年次有給休暇	☐ **6** 使用者は，その雇入れの日から起算して6ヵ月間継続勤務し全労働日の8割以上出勤した労働者に対して，継続し，又は分割した10労働日の有給休暇を与えなければならない。 　2年度CBT

第4章　労働基準法関係

A 解答　**1**.〇／**2**.× 6時間を超える場合は「35分」ではなく，「45分」。8時間を超える場合は「45分」ではなく，「1時間」／**3**.× 4週間を通じ4日以上の休日を与える場合を除き，毎週少なくとも1回の休日を与えなければならない／**4**.×「使用者が指名する労働者」ではなく，「労働者の過半数を代表する者」／**5**.〇／**6**.〇

Lesson 6

年少者・妊産婦等の保護

頻出度 **B**

労基法では，心身ともに成長期にある年少者や，妊娠・出産・育児にたずさわる女性について，特別の保護の対象としています。しばしば出題されているところなので，ポイントとなる数字を確実に覚えましょう。

❶ 年少者の保護

労基法では，以下の者について，その健<ruby>健<rt>すこ</rt></ruby>やかな心身の発育のために，成年労働者と比べて，特別の保護の規定を設けています。

児　童	満15歳に達した日以後の最初の3月31日が終了（中学校を卒業）するまでの者
年少者	満18歳未満の者
未成年者	満18歳未満の者

（1）最低年齢

児童は，身体の発育が不十分で，義務教育を受ける必要もあるため，労基法では労働者の最低年齢を定めています。

> **Point** 児童が，満15歳に達した日以後の最初の3月31日が終了するまでは，労働者として使用することは原則として禁止されている。

例えば，4月20日生まれの児童は，満15歳の誕生日を迎えた後，翌年の4月1日になるまでは，労働者として使用することができないのです。

	今年度	次年度
	まだ義務教育期間中	労働者として使用できる

4/1　　4/20　　　　　　3/31→4/1
　　　満15歳

PLUS ONE プラス1

民法が改正され，令和4年4月より，成人年齢が18歳に引き下げられた。

PLUS ONE プラス1

非工業的事業（新聞配達など）では満13歳以上（映画の製作や演劇の事業〔子役など〕では満13歳未満）の児童であっても，健康や福祉に有害でない軽易な労働については，行政官庁（所轄の労働基準監督署長）の許可を受けて，例外として，修学時間外に使用することができる。

（2）年少者の証明

　使用者は，満18歳未満の者を使用する場合には，その年齢を証明する戸籍証明書（年齢証明書）を，事業場に備えつけなければなりません。

（3）未成年者の労働契約

　親権者または後見人は，未成年者に代わって労働契約を結んではいけません。また，未成年者は，**独立して賃金を請求**することができ，親権者または後見人は，未成年者の賃金を代わって受け取ってはいけません。

　これは，親が，子の知らない間に使用者と労働契約を結んで子を働かせたり，子に賃金を支払わせずに親に送金させたりすることを防ぎ，未成年者の不利益にならないようにするためです。

　なお，親権者・後見人・行政官庁（所轄の労働基準監督署長）は，労働契約が未成年者に不利であると認める場合は，将来に向かってその契約を解除することができます。

（4）深夜業の制限

　使用者は，原則として，**満18歳未満の者を深夜業（午後10時から午前5時までの間の労働）**に従事させることはできません。これは，満18歳未満の者にとって，深夜に働かせることは，健康や福祉上，特に有害だからです。

　ただし，満16歳以上の男性を交替制によって使用する場合などの一定の場合には，例外的に深夜業に従事させることができます。

用語

後見人

親権者が死亡するなどして未成年者に対し親権を行う者がいない場合に，成人に達するまで未成年者を監護養育し，財産管理を行う者のこと。

プラス1

厚生労働大臣は，必要であると認める場合には，深夜業として制限される時間を，地域または期間を限って，午後11時から午前6時までとすることができる。

用語

交替制

ここでいう交替制とは，同じ労働者が，一定の期日ごとに昼間の勤務と夜間の勤務に交替で就業する形態のこと。

プラス1

「一定の場合」については，農林・水産業，保健衛生業，電話交換の業務など，労基法で定められている。

第4章　労働基準法関係

② 妊産婦等の保護

労基法では，妊娠・出産・育児にたずさわる女性労働者について，母性を保護するために，男性労働者と比べて，特別の保護の規定を設けています。

（1）産前・産後休業

出産を控えた，または出産後の女性労働者について，労基法では，出産の前後における就業を制限しています。

①使用者は，6週間（多胎妊娠の場合は14週間）以内に出産する予定の女性が**休業を請求**した場合には，その者を就業させてはなりません（産前休業）。

②使用者は，産後8週間を経過しない女性を就業させてはなりません（産後休業）。

ただし，産後6週間を経過した女性が就業を請求した場合において，医師が支障ないと認めた業務に就かせることは差し支えありません。

休業を請求した場合は就業させてはならない		就業させてはならない
6週間	実際の出産日　出産の予定日	8週間

また，使用者は，妊娠中の女性が請求した場合には，ほかの軽易な業務に転換させなければなりません。

（2）育児時間

生後満1年に達しない生児を育てる女性は，労基法で定める所定の休憩時間のほか，**1日2回**，それぞれ**少なくとも30分**，その生児を育てるための時間を請求することができます。

多胎妊娠

いわゆる双子や三つ子のように，2個以上の妊卵が同時に胎内に着床している状態のこと。

出産が予定日より1週間延びてしまったら，産前休業期間の6週間を超えて休んだ分はどうなりますか？

実際の出産が予定日より遅れた場合，予定日から出産当日までの期間は産前休業に含まれます。なお，産前休業が延びても，産後8週間は産後休業として確保されます。

確認しよう！

問題 de 実力チェック!!

学習項目	Q できたらチェック ✔
年少者の保護	☐ **1** 使用者は，満18歳に満たない者について，その年齢を証明する戸籍証明書を事業場に備え付けなければならない。 21年3月
	☐ **2** 未成年者は，独立して賃金を請求することができ，親権者または後見人は，未成年者の賃金を代わって受け取ることができる。 予想
	☐ **3** 使用者は，法令により認められる場合を除き，満20歳に満たない者を午後10時から午前5時までの間において使用してはならない。 24年3月
妊産婦等の保護	☐ **4** 使用者は，6週間（多胎妊娠の場合にあっては，14週間）以内に出産する予定の女性が休業を請求した場合においては，その者を就業させてはならない。また，産後8週間を経過しない女性を就業させてはならない。ただし，産後6週間を経過した女性が請求した場合において，その者について医師が支障がないと認めた業務に就かせることは，差し支えない。 28年3月
	☐ **5** 使用者は，妊娠中の女性が請求した場合においては，他の軽易な業務に転換させなければならない。 23年3月
	☐ **6** 生後満1年に達しない生児を育てる女性は，労働基準法で定める所定の休憩時間のほか，1日2回各々少なくとも20分，その生児を育てるための時間を請求することができる。 20年8月

A 解答 **1.**○／**2.**×　親権者・後見人は，未成年者の賃金を代わって受け取ってはならない／**3.**×　満20歳ではなく，満18歳である／**4.**○／**5.**○／**6.**×　「20分」ではなく，「30分」

第4章 労働基準法関係

第4章　労働基準法関係

就業規則・労働者名簿等

一定の規模の職場では，全労働者を対象とする職場のルールである就業規則を定めなければなりません。毎年のように出題されており，この分野を通じての最大のヤマとなるところだといえます。

❶ 就業規則

就業規則は，職場で働くすべての**労働者**について，賃金や労働時間などの**労働条件**や，労働者が職場で守るべきルールである**服務規律**などを，使用者が定めたものです。

これらのことをはっきりと定めておき，労働者全員に知らせておくことによって，後でトラブルの原因にならないようにするわけです。

（1）作成・届出

> **Point**　常時**10人以上**の労働者を使用する使用者は，一定の事項について就業規則を作成し，行政官庁（所轄の労働基準監督署長）に**届出**をしなければならない。

就業規則に記載する一定の事項については労基法で定めており，そのうち，以下の事項は必ず記載しなければなりません。

①始業と終業の時刻，休憩時間，休日，休暇など

②賃金（臨時の賃金などを除く）の決定，計算・支払の方法など

③退職に関する事項（解雇の事由を含む）

ほかにも，退職手当や，減給といった労働者に対する制裁など，それを「定めている場合」には必ず記載しなければならない（定めていなければ記載する必要はない）事項もあります。

なお，行政官庁への届出は，就業規則に定めた一定の事項に**変更**があった場合にも必要になります。

🍷 ひっかけ注意！

「10人」以上を「5人」以上にしたりと，数字を変えて出題されることがあるので注意。

（2）作成手続

使用者は，就業規則の**作成**または**変更**について，以下の者の意見を聴かなければなりません。就業規則は使用者が定めるものですが，労働者側の意見を聴くことによって，その内容を合理的なものにするためです。

①事業場に，労働者の過半数で組織する労働組合がある場合は，その**労働組合**

②事業場に，労働者の過半数で組織する労働組合がない場合は，**労働者の過半数を代表する者**

なお，就業規則を行政官庁に届け出る際には，この意見を記した書面を添付(てんぷ)しなければなりません。

法的には，使用者としては，労働者側の意見に拘束されません。しかし，労働条件は労働者と使用者が対等の立場で決定すべきものですから，あくまでも一方的に決定しようとするのではなく，労働者側の意見については，できる限り尊重することが望ましいといえます。

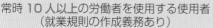

常時 10 人以上の労働者を使用する使用者
（就業規則の作成義務あり）

↓

就業規則を作成（または変更）する

事業場に，労働者の過半数で組織する労働組合	ある	その労働組合
	ない	労働者の過半数を代表する者

↓

労働者代表の意見を聴く

↓

行政官庁に届け出る

（3）制裁規定の制限

就業規則において，労働者に対して**減給**の制裁を定める場合には，その減給できる額の限度額が，以下のとおり定められています。

①**1 回の額**が，平均賃金の**1 日分の半額**

②**総額**が，1 賃金支払期における**賃金の総額の10分の 1**

「減給の制裁」とは，例えば，労働者が正当な理由なく遅刻をした場合において，遅刻した時間分の賃金のほかに，「遅刻○回について○日分の賃金をカットする」という定めのことです。

用語

労働協約

労働組合と使用者（またはその団体）の間で結ばれた、労働条件などについての取り決めのこと。労働協約の締結に関しては、「労働組合法」で定められている。

抵触

法律などに反すること。

（4）法令および労働協約との関係

　就業規則は、法令またはその事業場について適用される労働協約に反してはなりません。つまり、法令や労働協約は、就業規則に優先します。使用者が一方的に定める就業規則よりも、国会や省庁などが定める法令や、労働者側である労働組合と使用者が定める労働協約が優先するのは、当然のことといえます。

　また、行政官庁（所轄の労働基準監督署長）は、法令または労働協約に抵触する就業規則の変更を命じることができます。

（5）労働契約との関係

　就業規則で定める基準に達しない労働条件を定める労働契約は、その部分については無効となります。つまり、就業規則は、労働契約に優先します。

　例えば、就業規則で、賃金を1日1万円、労働時間を1日7時間と定めている場合に、労働契約では賃金を1日1万円、労働時間を1日8時間と定めた場合には、その労働契約における賃金の部分については有効ですが、労働時間の部分については無効となるのです。

Q&A

就業規則に反するため無効となった労働契約の部分については、何も基準を定めないことになるのでしょうか？

　労働契約のうち無効となった部分については、何も基準を定めないことになるのではなく、就業規則で定める基準によることになります。例えば、労働時間について、就業規則では1日7時間、労働契約では1日8時間と定めている場合には、無効となった労働契約の労働時間の部分は、就業規則で定める基準である1日7時間になるのです。

（6）周知義務

使用者は，以下の方法によって，就業規則を労働者に周知(しゅう)させなければなりません。

①常時，各作業場の見やすい場所に掲示または備え付ける

②労働者に書面を交付する

③電子的データとして記録し，かつ，各作業場に労働者がその記録の内容を常時確認できる機器（パソコンなど）を設置する

❷ 労働者名簿等

使用者は，労務管理の基礎となる**労働者名簿**や**賃金台帳**を，各事業場ごとに作成しなければなりません。

労働者名簿	各労働者（いわゆる日雇い労働者を除く）について調製し，労働者の氏名・生年月日・履歴など一定の事項を記入しなければならない
賃金台帳	賃金計算の基礎となる事項および賃金の額など一定の事項を，賃金支払の都度，遅滞なく記入しなければならない

また，使用者は，労働者名簿，賃金台帳および雇入れ・解雇・災害補償・賃金など労働関係に関する重要な書類を，5年間（ただし，経過措置により当分の間は3年間）**保存**しなければなりません。

用語

周知
広く知らせて理解させること。

プラス1
就業規則のほかにも，使用者が労働者に周知させなければならないものは労基法で定めており，労基法およびこれに基づく命令の要旨などがある。

プラス1
労働者名簿に記入しなければならない「一定の事項」として，性別や住所などもある。なお，労働者名簿に記入すべき事項に変更があった場合は，遅滞なく訂正しなければならない。

第4章 労働基準法関係

学習項目		Q できたらチェック ✔
就業規則	☐ **1**	常時10人以上の労働者を使用する使用者は，始業及び終業の時刻，休憩時間，休日，休暇等法令に定める事項について就業規則を作成し，行政官庁に届け出なければならない。 30年8月
	☐ **2**	使用者は，就業規則の作成又は変更について，当該事業場に，労働者の過半数で組織する労働組合がある場合においてはその労働組合，労働者の過半数で組織する労働組合がない場合においては労働者の過半数を代表する者と協議し，その内容について同意を得なければならない。 30年8月
	☐ **3**	就業規則で，労働者に対して減給の制裁を定める場合においては，その減給は，1回の額が平均賃金の1日分の半額を超え，総額が一賃金支払期における賃金の総額の10分の1を超えてはならない。 30年8月
	☐ **4**	使用者は，労働基準法及びこれに基づく命令の要旨，就業規則，時間外労働及び休日労働に関する協定等を，常時各作業場の見やすい場所へ掲示し，又は備え付けること，書面を交付することその他厚生労働省令で定める方法によって，労働者に周知させなければならない。 27年3月
労働者名簿等	☐ **5**	使用者は，各事業場ごとに労働者名簿を，各労働者（日日雇い入れられる者を除く。）について調製し，労働者の氏名，生年月日，履歴その他厚生労働省令で定める事項を記入しなければならない。 23年3月
	☐ **6**	使用者は，労働者名簿，賃金台帳及び雇入れ，解雇，災害補償，賃金その他労働関係に関する重要な書類を1年間保存しなければならない。 2年8月改

A 解答 1.○／2.× 「同意」を得るのではなく，「意見」を聴かなければならない／3.○／4.○／5.○「日日雇い入れられる者」とは，いわゆる日雇い労働者のこと。「厚生労働省令で定める事項」として，性別や住所などがある／6.× 書類の保存期間は1年間ではなく，3年間

Lesson 8

労働時間等の改善基準

頻出度 **A**

トラック運転者の労働時間等の改善のための基準を定める改善基準告示については，拘束時間や運転時間に関する計算問題として毎年出題されます。パターンを覚えれば確実に解けるので得点源にしましょう。

① 改善基準告示の目的等

（1）目的

「自動車運転者の労働時間等の改善のための基準」（以下「改善基準告示」）は，四輪以上の自動車の運転の業務に主として従事する自動車運転者（以下「運転者」）の労働時間等の改善のための基準を定めることにより，運転者の労働時間等の労働条件の向上を図ることを目的として，長時間労働になりやすいトラックなどの運転者について，拘束時間や運転時間の限度などの基準を定めています。

長時間労働による過労運転は，健康に悪影響を及ぼすだけでなく，交通事故の原因などにもなることから，労働者である運転者については，労基法で定める最低労働基準に加えて，改善基準告示によっても保護が図られています。

（2）労使関係者の責務

改善基準告示では，上記の目的に続けて，「労働関係の当事者は，この基準を理由として自動車運転者の労働条件を低下させてはならないことはもとより，その向上に努めなければならない。」と定めています。

（3）時間外・休日労働協定をする場合の留意事項

使用者および労働者の過半数で組織する労働組合または労働者の過半数を代表する者は，「時間外・休日労働協定」を締結するにあたっては，厚生労働省告示（「労働基準法第36条第1項の協定で定める労働時間の延長及び休日の労働について留意すべき事項等に関する指針」）の内容に十分留意しなければなりません。

PLUS ONE プラス1

改善基準告示等の改正により，令和6年4月より，拘束時間，休息期間，連続運転時間等の基準が変更された。

PLUS ONE プラス1

自動車運転者には，同居の親族のみを使用する事業・事務所に使用される者や，家事使用人は除かれる。

（4）拘束時間・休息期間の定義

　運転者は，運転時間以外にも，休憩をしたり，出荷を待ったり，車両を整備したりする時間があります。これらの時間は，仕事に必要な時間，いわば使用者に拘束されている時間（拘束時間）です。この拘束時間とは，労働時間と休憩時間（仮眠時間を含む）の合計時間，すなわち，始業時刻から終業時刻までの**使用者に拘束される**すべての時間をいいます。

　また，休息期間とは，**勤務と次の勤務の間の時間**で，使用者の拘束を受けない期間であり，睡眠時間を含む運転者の生活時間として，運転者が仕事から完全に解放されて，自由に使うことができる時間です。

休息期間	拘束時間			休息期間
	労働時間	休憩時間	労働時間	
	始業時刻		終業時刻	

Point 拘束時間と休息期間

拘束時間	始業時刻から終業時刻までの時間 ➡労働時間と休憩時間（仮眠時間を含む）の合計時間
休息期間	勤務と次の勤務の間の時間

❷ 拘束時間

　拘束時間は，「1年」，「1か月」，「1日」のそれぞれについて，次のような限度があります。

（1）1年，1か月の拘束時間

①原則

　1年の拘束時間は3,300時間**以内**，かつ，1か月の拘束時間は284時間**以内**が**原則**です。

②例外

　仕事によっては年末年始のように繁忙期もあることか

改善基準告示では，トラック・タクシー・バスの運転者を主な対象として，それぞれについて基準を定めていますが，ここでは，運行管理者〈貨物〉試験に関係のあるトラック運転者（貨物自動車運送事業に従事する運転者）について学習します。

ら，次のような**例外**が認められています。①労使協定により，１年のうち６か月までは，１年の総拘束時間が3,400時間を超えない範囲内において，１か月の拘束時間を310時間まで延長することができます。②この場合，１か月の拘束時間が284時間を超える月は連続３か月までとしなければなりません。また，③１か月の時間外労働および休日労働の合計時間数が100時間未満となるよう努める必要があります。

　次の場合を例にして，見てみましょう。

4月	5月	6月	7月	8月	9月	10月	11月	12月	1月	2月	3月	年間計
295時間	284時間	245時間	267時間	300時間	260時間	250時間	295時間	310時間	300時間	284時間	310時間	3,400時間

※１か月および１年についての拘束時間の延長に関する労使協定があるものとする。

　この例の場合，１年の総拘束時間は3,400時間を超えず，１か月の拘束時間が310時間を超える月もなく，１か月の拘束時間が284時間を超える月は４月・８月・11月・12月・１月・３月で６か月なので，例外①には違反しません。また，１か月の拘束時間が284時間を超える月が連続しているのは11月・12月・１月の３か月なので，例外②にも違反していません。したがって，この例は，改善基準告示に適合しています。

Point	1年，1か月の拘束時間
原則	1年：3,300時間以内＋1か月：284時間以内
例外	①1年の総拘束時間が3,400時間を超えない範囲内において，1か月の拘束時間を310時間まで延長可（労使協定により，1年のうち6か月まで） ②1か月の拘束時間が284時間を超える月は連続3か月まで ③1か月の時間外労働および休日労働の合計時間数が100時間未満となるよう努める

ひっかけ注意！

「284時間を超える」とは，284時間ちょうどは含まれないことに注意。

用語

努める

「努力する」という意味であり，強制力は伴わない。

第4章 労働基準法関係

Q&A

労使協定と労働協約は、どこが異なるのですか？

労使協定は「労働協約」と似ていますが、労働協約は、①事業場に労働組合がある場合のみ、その労働組合と使用者の間で結ぶことができる、②労働者の要求の実現のために結ぶもの（労使協定は使用者の都合のため。例えば、労使協定なしに時間外労働をさせると、法に違反し罰則が科される）などの点が異なります。

（2）1日の拘束時間

「1日」とは、始業時刻から起算して24時間をいいます。

ただし、次の例のような場合、「1日」の計算が複雑になるので、注意してください。

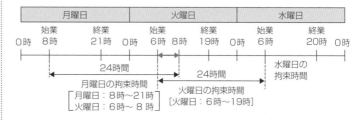

ここが重要!!

このように、次の日の始業時刻が早くなり、拘束時間が加算される場合が計算問題のポイントになります。落ち着いて、見落とさないようにしましょう。

上の例では、月曜日の始業時刻である8時から24時間、つまり、**火曜日の8時まで**が「1日」と計算されます。そのため、火曜日の始業時刻である6時から8時まで（上の例の赤線部分）も**月曜日の拘束時間に含まれる**ことになります。したがって、月曜日の始業時刻の8時から終業時刻の21時までの**13時間**と火曜日の始業時刻の6時から8時までの**2時間**の合計**15時間**が、月曜日の拘束時間と計算されることになります。なお、火曜日の始業時刻の**6時か**

ら8時までの2時間も，火曜日の拘束時間に含まれるので，注意してください。つまり，1日の拘束時間を計算する場合には，二重に数える時間も出てくるわけです。

①原則

1日の拘束時間の**原則**は，13時間**以内**です。これを延長する場合であっても，拘束時間の限度（**最大拘束時間**）は15時間です。

②例外

例外として，運転者の1週間における運行がすべて長距離貨物運送で，かつ，一の運行における休息期間が住所地以外の場所におけるものである場合（以下「**宿泊を伴う長距離貨物運送の場合**」）は，その1週間について2回に限り，1日の拘束時間を16時間まで**延長**することができます。

③延長の制限

また，1日の拘束時間について**13時間を超えて**延長する場合（宿泊を伴う長距離貨物運送の場合を含む）は，**14時間を超える回数をできるだけ少なくする**よう努める必要があります。その回数は**1週間について2回以内**が目安です。この場合において，**14時間を超える日が連続すること**は望ましくありません。

次の例のような場合について，見てみましょう（宿泊を伴う長距離貨物運送の場合に該当しないものとする）。

用語

長距離貨物運送
一の運行の走行距離が450km以上の貨物運送のこと。

一の運行
運転者が所属する事業場を出発してから当該事業場に帰着するまでのこと。

月曜日			火曜日			水曜日		
始業 8時	終業 21時		始業 6時	終業 19時		始業 6時	終業 20時	
0時	拘束時間	0時		拘束時間	0時		拘束時間	0時

木曜日			金曜日			土曜日		
始業 7時	終業 20時		始業 8時	終業 20時		始業 8時	終業 12時	
0時	拘束時間	0時		拘束時間	0時		拘束時間	休息期間	0時

上の例で，1週間における1日の拘束時間は，次のようになります（月曜日と火曜日の拘束時間は前記のとおり）。

月曜日の拘束時間：15時間

火曜日の拘束時間：19時 − 6時 = 13時間

水曜日の拘束時間：20時 − 6時 = 14時間

木曜日の拘束時間：20時 − 7時 = 13時間

金曜日の拘束時間：20時 − 8時 = 12時間

土曜日の拘束時間：12時 − 8時 = 4時間

　宿泊を伴う長距離貨物運送の場合に該当しないときは，最大拘束時間は15時間とされています。この例の場合，1日の拘束時間が15時間を超える日はなく，また，14時間を超える回数は月曜日の15時間の1回のみで，1週間について2回までの目安を満たします。 したがって，改善基準告示に適合しています。

Point	1日の拘束時間		
原則	13時間以内。最大拘束時間は15時間	**延長の制限**	・13時間を超えて延長する場合は，14時間を超える回数をできるだけ少なくするよう努める ・1週間について2回までが目安 ・14時間を超える日が連続することは望ましくない
例外	宿泊を伴う長距離貨物運送の場合は，16時間まで延長可（1週間につき2回に限る）		

③ 休息期間

（1）原則

　1日の休息期間は，勤務終了後，継続11時間**以上**与えるよう努めることを基本とし，**継続9時間**を下回ってはならないのが**原則**です。

（2）例外

　例外として**宿泊を伴う長距離貨物運送の場合**，1週間について2回に限り，休息期間を**継続8時間以上**とすることができます。 また，休息期間のいずれかが**継続9時間を下回る場合**は，一の運行終了後，**継続12時間以上の休息期間**を与えなければなりません。

　なお，使用者は，運転者の休息期間について，運転者の住所地における休息期間が，それ以外の場所における休息

期間より長くなるように努める必要があります。

❹ 運転時間

（1）1日の運転時間

2日（始業時刻から起算して48時間）を平均して，9時間**以内**です。

始業時刻から48時間が2日なので，例えば，月曜日の始業時刻が7時であれば，水曜日の7時までが2日であり，平均して1日あたり9時間（つまり2日で18時間）を超えないように運転しなければならないということです。

なお，試験では，運転時間に関する問題は「特定日の運転時間」として出題されます。

この場合には，「**特定日の前日＋特定日**」と「**特定日＋特定日の翌日**」のそれぞれの運転時間の平均がいずれも**9時間を超えていれば，改善基準告示に違反している**ことになり，どちらか一方の平均が9時間以内であれば，改善基準告示に違反していません。次の場合を例にして，見てみましょう。

「特定日」って，どういうことですか？

特定日の前日	特定日	特定日の翌日
運転時間10時間	運転時間10時間	運転時間8時間

「特定日の前日＋特定日」の運転時間は，「10時間＋10時間＝20時間」で，この2日を平均すると「20時間÷2＝10時間」で，9時間を超えています。

一方，「特定日＋特定日の翌日」の運転時間は，「10時間＋8時間＝18時間」で，この2日を平均すると「18時間÷2＝9時間」で，9時間を超えていません。

したがって，この例の場合は，改善基準告示に違反していないことになります。

1日の運転時間の計算は，特定の日を起算日として2日ごとに区切り，その2日間の平均とすることが望ましいとされていますが，その起算日となる特定の日が「特定日」です。

（2）1週間の運転時間

特定の日を起算日として2週間ごとに区切り，2週間を平均して，44時間**以内**（＝2週間で88時間以内）です。

なお，起算日となる「特定の日」については，「１日（ついたち）」とする問題が出題されることがほとんどです。つまり，「１日～ 14日までの２週間」，「15日～ 28日までの２週間」で区切って違反の有無（運転時間の平均が44時間を超えていないか）を判断するということです。

⑤ 連続運転時間

（1）原則

連続運転時間は，**原則**として**4時間以内**でなければならず，運転開始後4時間以内，または4時間経過直後に，30分以上，運転を中断しなければなりません。ただし，次のように運転の中断は，1回が**おおむね連続10分以上**とした上で分割することもできますが，1回が**10分未満**の運転の中断は，**3回以上連続**してはいけません。また，運転の中断時には，原則として**休憩**を与えなければなりません。

PLUS ONE プラス1

5分の休憩は，「おおむね連続10分以上」と乖離（かいり）しているため，運転中断の時間とは認められない。

○	4時間または4時間以内				30分	
○	2時間40分		20分	1時間20分		10分
○	1時間20分	9分	1時間20分	9分	1時間20分	12分
✕	4時間10分				30分	
✕	2時間40分		20分	1時間30分		10分
✕	1時間20分	9分	1時間20分	9分	1時間20分	9分

■：運転時間　■：休憩時間

Q&A

運転の中断時には，原則として休憩を与えるとありますが，休憩以外の中断は認められないのでしょうか？

業務の実態等を踏まえ，短期的には運行計画の見直しが難しい等の「特段の事情」がある場合には，運転の中断時に，例えば，荷積みや荷卸しを行ったとしても，改善基準告示違反となるわけではありません。

（2）例外

　例外として，高速道路等のサービスエリアまたはパーキングエリア等が満車であることなどにより駐車または停車できず，やむを得ず**連続運転時間が4時間を超える場合**には，4時間30分まで延長することができます。

⑥ 予期し得ない事象への対応時間の取扱い

　運転者が，災害や事故等の通常予期し得ない事象に遭遇し，運行が遅延した場合，1日の拘束時間，1日の運転時間，連続運転時間から，予期し得ない事象への対応時間を除くことができます。この場合，勤務終了後，通常どおりの**休息期間**（継続11時間以上与えるよう努めることを基本とし，継続9時間を下回らない）を与えることが必要です。

　予期し得ない事象への対応時間とは，一定の事象により生じた**運行の遅延に対応するための時間**であること，および，**客観的な記録により確認できる時間**であることの両方の要件を満たす時間をいいます。

⑦ 拘束時間・休息期間の特例

（1）休息期間の分割の特例—分割休息

　業務の必要上，勤務終了後，**継続9時間以上**（宿泊を伴う長距離貨物運送の場合は継続8時間以上）の休息期間を与えることが困難な場合，次の要件を満たすものに限り，

第4章 労働基準法関係

プラス1
「1か月の拘束時間」などほかの規定からは，予期し得ない事象への対応時間を除くことはできない。

プラス1
一定の事象とは，①運転中に乗務している車両が予期せず故障したこと，②運転中に予期せず乗船予定のフェリーが欠航したこと，③運転中に災害や事故の発生に伴い，道路が封鎖されたことまたは道路が渋滞したこと，④異常気象（警報発表時）に遭遇し，運転中に正常な運行が困難となったこと，のいずれかをいう。

用語
客観的な記録
「運転日報上の記録」に加え，「予期し得ない事象の発生を特定できる客観的な資料」により確認できる状態をいう。

当分の間，一定期間（1か月程度を限度）における**全勤務回数の2分の1を限度**に，休息期間を拘束時間の途中および拘束時間の経過直後に**分割**して与えることができます。

①分割された休息期間は，1回あたり**継続3時間以上**とし，**2分割または3分割**とすること

②1日において，休息期間を2分割する場合は**合計10時間以上**，3分割する場合は**合計12時間以上**の休息期間を与えなければならないこと

③休息期間を3分割する日が**連続しない**よう努めること

（2）2人乗務の特例

①原則

運転者（隔日勤務に就く運転者以外のもの）が同時に1台の自動車に2人以上乗務する場合であって，車両内に身体を伸ばして休息することができる設備があるときは，**原則として，1日の最大拘束時間を20時間まで延長**するとともに，**休息期間を4時間まで短縮**することができます。

②例外

例外として，車両内の設備が一定の要件に該当する車両内ベッドであり，かつ，勤務終了後，**継続11時間以上**の休息期間を与える場合は，**1日の最大拘束時間を24時間**まで延長することができます。この場合において，**8時間以上の仮眠時間**を与える場合には，**最大拘束時間を28時間**まで延長することができます。

（3）隔日勤務の特例

①原則

業務の必要上やむを得ない場合には，**原則として，当分の間**，次の条件のもとに，運転者を隔日勤務に就かせることができます。

• **2暦日の拘束時間が21時間を超えない**こと

• **勤務終了後に継続20時間以上の休息期間を与える**こと

②例外

例外として，事業場内の仮眠施設等において，**夜間に4**

用語

隔日勤務

始業および終了の時刻が同一の日に属さない業務。例えば，月曜日8時に始業し，火曜日5時に終業し，退勤後は休息期間とし，水曜日8時に始業する業務。

PLUS ONE プラス1

車両内ベッドが満たすべき要件は，①長さ198cm以上，かつ，幅80cm以上の連続した平面であること，および②クッション材等により走行中の路面等からの衝撃が緩和されるものであること。

用語

暦日

こよみで定められた1日。

時間以上の仮眠を与える場合には，２週間における総拘束時間が**126時間**（21時間×６勤務）**を超えない範囲**において，２週間について３回を限度に，この２暦日の拘束時間を24時間まで延長することができます。

（４）フェリーに乗船する場合の特例

運転者が勤務の途中でフェリーに乗船する場合には，フェリーの乗船時間は**原則**として休息期間として取り扱います。また，この休息期間とされた時間を，与えるべき**休息期間の時間から減ずる**ことができます。

ただし，減算後の休息期間は，２人乗務の場合を除き，フェリー下船時刻から勤務終了時刻までの時間の２分の１を下回ってはなりません。

次の勤務例では，フェリー乗船時間（８時間）が休息期間として扱われ，勤務終了後に与えるべき休息期間（９時間）から減ずることができるので，減算後の休息期間は１時間以上必要となるところ，２時間与えています。また，勤務終了後の休息期間は，フェリー下船時刻から勤務終了時刻までの時間（４時間）の２分の１である２時間を下回ってはなりませんが，２時間の休息期間を与えています。したがって，この勤務例は，改善基準告示に適合しています。

プラス1
フェリーの乗船時間が８時間（２人乗務の場合には４時間，隔日勤務の場合には20時間）を超える場合には，原則としてフェリーの下船時刻から次の勤務が開始される。

始業			終業
拘束時間	フェリー乗船時間	拘束時間	休息期間
４時間	８時間	４時間	２時間

↑
フェリー乗船時間は原則として休息期間となる

⑧ 休日労働の限度

使用者は，貨物自動車運送事業に従事する運転者に法定休日に労働させる場合には，その回数は**２週間について１回が限度**です。なお，休日労働によって１日の最大拘束時間，１か月の拘束時間，１年の拘束時間を超えてはなりません。

休日労働
➡P234

第４章 労働基準法関係

学習項目	Q できたらチェック ✓
	☐ **1** 貨物自動車運送事業に従事する自動車運転者の拘束時間は，1ヵ月について [A] を超えず，かつ，1年について [B] を超えないものとすること。ただし，労使協定により，1年について6ヵ月までは，1ヵ月について310時間まで延長することができ，かつ，1年について [C] まで延長することができる。 4年度CBT改
拘束時間	☐ **2** 貨物自動車運送事業に従事する自動車運転者の1日（始業時刻から起算して24時間をいう。以下同じ。）についての拘束時間は，13時間を超えないものとし，当該拘束時間を延長する場合であっても，最大拘束時間は [A] とすること。ただし，貨物自動車運送事業に従事する自動車運転者に係る1週間における運行が全て長距離貨物運送であり，かつ，一の運行における休息期間が，当該自動車運転者の住所地以外の場所におけるものである場合においては，当該1週間について2回に限り最大拘束時間を [B] とすることができる。この場合において，1日についての拘束時間が [C] を超える回数をできるだけ少なくするよう努めるものとすること。 2年度CBT改
休息期間	☐ **3** 使用者は，トラック運転者の休息期間については，当該トラック運転者の住所地における休息期間がそれ以外の場所における休息期間より長くなるように努めるものとする。 4年度CBT改
運転時間・連続運転時間	☐ **4** 下表は，貨物自動車運送事業に従事する自動車運転者の5日間の運転時間の例を示したものであるが，5日間すべての日を特定日とした2日を平均し1日当たりの運転時間が「自動車運転者の労働時間等の改善のための基準」に違反しているものはどれか。 3年3月改

①

	休日	1日目	2日目	3日目	4日目	5日目	休日
運転時間	－	10時間	7時間	11時間	10時間	8時間	－

②

	休日	1日目	2日目	3日目	4日目	5日目	休日
運転時間	－	7時間	8時間	9時間	10時間	9時間	－

学習項目	**Q** できたらチェック ✔

| 運転時間・連続運転時間 | □ **5** 下表は，貨物自動車運送事業に従事する自動車運転者の運転時間及び休憩時間の例を示したものであるが，連続運転の中断方法として「自動車運転者の労働時間等の改善のための基準」に適合している。 予想 |

運転時間	休憩時間	運転時間	休憩時間	運転時間	休憩時間	運転時間
2時間10分	20分	1時間50分	10分	4時間	30分	30分

第4章 労働基準法関係

拘束時間・休息期間の特例	□ **6** 使用者は，業務の必要上，トラック運転者に勤務（宿泊を伴う長距離貨物輸送に該当する場合を除く。）の終了後継続9時間以上の休息期間を与えることが困難な場合，一定の要件を満たすものに限り，当分の間，一定期間における全勤務回数の3分の2を限度に，休息期間を拘束時間の途中及び拘束時間の経過直後に分割して与えることができるものとする。 2年度CBT改
	□ **7** 使用者は，業務の必要上やむを得ない場合には，当分の間，2暦日についての拘束時間が22時間を超えず，かつ，勤務終了後，継続20時間以上の休息期間を与える場合に限り，トラック運転者を隔日勤務に就かせることができる。 4年度CBT改
	□ **8** トラック運転者がフェリーに乗船している時間は，原則として，2時間（フェリー乗船時間が2時間未満の場合には，その時間）については拘束時間として取り扱い，その他の時間については休息期間として取り扱うものとする。 4年度CBT改

休日労働の限度	□ **9** 使用者は，トラック運転者に労働基準法第35条の休日に労働させる場合は，当該労働させる休日は2週間について1回を超えないものとし，当該休日の労働によって改善基準告示第4条第1項に定める拘束時間及び最大拘束時間を超えないものとする。 2年度CBT改

A 解答 1. **A**→284時間 **B**→3,300時間 **C**→3,400時間／2. **A**→15時間 **B**→16時間 **C**→14時間／3. ○／4. ② 4日目を特定日とした場合,「特定日の前日＋特定日」の運転時間が19時間（平均9.5時間），「特定日＋特定日の翌日」の運転時間が19時間（平均9.5時間）であり，いずれも9時間を超えている／5. ○／6. ×「3分の2」ではなく，「2分の1」／7. ×「22時間」ではなく，「21時間」／8. × フェリーの乗船時間は原則として休息期間として取り扱う。拘束時間とする取扱いはない／9. ○

第5章
実務上の知識および能力

事業用自動車の運転に関することや，事業用自動車の速度や走行距離の計算など，一人前の運行管理者となるためには，法的な知識だけでなく，業務において必要となる一般知識や能力も身につけておく必要があります。

自動車に働く自然力と停止距離

Lesson 1

頻出度 A

自動車で走行しているときは，いろいろな自然の力が働きます。その内容と性質をここで押さえましょう。停止距離・空走距離・制動距離はよく出題されるので，混乱しないようにしっかり覚えましょう。

1 自動車に働く自然力

Point 遠心力と衝撃力は，自動車の速度の2乗に比例して大きくなる。

（1）慣　性

慣性(かんせい)とは，物体が外から力を受けないかぎり，その**運動状態を保つ性質**です。したがって，静止している物体は静止し続け，運動している物体は運動し続けます。

走行中の自動車は，クラッチを切っても慣性によって走り続けようとするので，すぐに止めることはできません。

（2）摩擦力

摩擦力(まさつ)とは，物体が他の物体と接触しながら運動するときに，その**接触面に生じる抵抗力**です。

自動車を止める際にも，この摩擦力を利用しています。ブレーキをかけると，タイヤの回転が止まります。すると，地面と接触した部分に，自動車が進んでいる方向とは逆の方向に摩擦力が生じるため，自動車を停止させることができるのです。タイヤが磨耗(まもう)していたり，アスファルトの路面が濡(ぬ)れていたりすると摩擦抵抗が小さくなり，制動距離が長くなります。

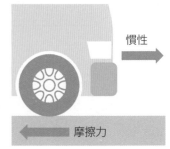

慣性

摩擦力

（3）遠心力

遠心力(えんしん)とは，円運動をしている物体が受ける慣性力の一種で，**円の中心から遠ざかる方向（外側）に働く力**です。

プラス1

路面が雨に濡れて，タイヤがすり減っている場合の制動距離は，乾燥した路面でタイヤの状態がよい場合に比べて2倍程度にのびることがある。

制動距離
⮕P263

　自動車がカーブを曲がろうとする，つまり円運動をすると，遠心力が働いて自動車は外側へ滑り出そうとします。

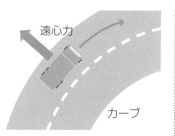

遠心力

カーブ

　遠心力は，自動車の速度が速く，また自動車の重量が大きいほど大きくなり，**カーブの半径が小さいほど大きくな**ります。遠心力は自動車の**速度の２乗に比例して大きくな**るので，速度が２倍になれば遠心力は４倍に，速度が３倍になれば遠心力は９倍になります。

（4）衝撃力

　衝撃力とは，**物体が他の物体に衝突した際に受ける力**です。衝撃力は，自動車の速度が速く，また自動車の重量が大きいほど大きくなります。衝撃力も遠心力と同じく，自動車の**速度の２乗に比例して大きくなります**。

Q&A

自動車が衝突した場合の衝撃力はどのくらいなのですか？

　自動車が時速60㎞でコンクリートの固定壁に衝突した場合，約14mの高さ（ビルの５階程度）から落ちたのと同じ程度の衝撃力を受けます。時速80㎞では，約25mの高さから落ちたのと同じ程度の衝撃力となります。

❷ 停止距離

　運転者が危険を認識して自動車を停止させようとしてから，実際に自動車が停止するまでの距離を停止距離といいます。運転中の安全な車間距離は，停止距離と同じ程度以上の距離となります。

　停止距離には，空走距離と制動距離が含まれます。

第5章 実務上の知識および能力

PLUS ONE プラス1
カーブの半径が大きいと曲がりやすいのは，遠心力が小さいからである。

ここが重要!!
速度の２乗に比例するということは，減速する場合も同様です。速度が１／２になれば，遠心力・衝撃力は１／２×１／２＝１／４になります。

PLUS ONE プラス1
自動車が衝突するときの衝撃力は，車両総重量が２倍になると２倍になる。

ひっかけ注意!
運転者が疲れている場合に長くなるのは空走距離であって制動距離ではない。

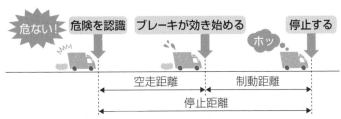

Point 停止距離＝空走距離＋制動距離

停止距離	空走距離	運転者が危険を認識してブレーキを踏み，実際にブレーキが効き始めるまでの間に自動車が走る距離
	制動距離	ブレーキが効き始めてから自動車が停止するまでの距離

PLUS ONE プラス1
空走距離にかかる時間は，約1秒間である。これを反応時間または反射時間という。

危ない！　危険を認識　ブレーキが効き始める　ホッ　停止する

空走距離　　制動距離

停止距離

確認しよう！ 問題 de 実力チェック!!

学習項目		Q できたらチェック ☑
自動車に働く自然力	□ 1	同一速度で走行する場合，カーブの半径が小さいほど遠心力は大きくなる。　3年3月改
	□ 2	自動車がカーブを走行するとき，自動車の重量及びカーブの半径が同一の場合に，速度を2分の1に落として走行すると遠心力の大きさは2分の1になる。　4年度CBT
	□ 3	自動車が衝突するときの衝撃力は，速度が2倍になると4倍になる。　4年度CBT
停止距離	□ 4	運転者が危険を感じてからブレーキを踏み，ブレーキが実際に効き始めるまでの間に自動車が走る距離と，ブレーキが効き始めてから自動車が停止するまでの距離とを合わせた距離を停止距離という。　予想
	□ 5	天候，路面やタイヤの状態，荷物の重さ等を考えに入れ，前の自動車が急に止まっても，これに追突しないような安全な車間距離をとらなければならないが，安全な車間距離は，停止距離と同じ程度以上の距離である。　予想
	□ 6	運転者が疲れているときは，危険を感じて判断するまでの反応時間が長くなるので，制動距離は長くなる。　16年8月

A 解答 1.○／2.× 遠心力は速度の2乗に比例するので，速度が2分の1になれば，遠心力は4分の1になる／3.○ 衝撃力は速度の2乗に比例する／4.○／5.○／6.× 空走距離が長くなる

視力と視野

走行中の自動車運転者の視力や視野は，さまざまな要因による影響を受け，それが事故につながる場合もあります。明るさの変化による視力の低下や，大型車の場合の距離の錯覚などはしばしば出題されているので，しっかりと理解しておきましょう。

① 視 力

（1）静止視力と動体視力

　人が静止した状態で静止した対象物を見る場合の視力を静止視力といいます。一方，人が動きながら，または動いている対象物を見る場合の視力を動体視力といいます。

　動体視力は，静止視力に比べて低くなります。したがって，自動車の速度が速くなるほど視力が低下し，それだけ危険な状況の発見が遅れることになるので注意が必要です。

（2）視力の低下

　運転による疲労の影響が最も強く現れるのが，目だといわれています。疲労の度が高まるにつれて視力も低下し，見落としや見間違いが多くなります。

　また，**静止視力も動体視力も加齢とともに低下していき**ますが，特に動体視力は，60歳以降は急速に低下するといわれています。

（3）明るさの変化と視力

　明るさが急に変わると，視力は一時急激に低下するので注意が必要です。暗い場所から明るい場所に移動したときに目が慣れることを明順応，逆に明るい場所から暗い場所に移動したときに目が慣れることを暗順応といい，暗順応の方が明順応よりも時間がかかります。

■順応に要する時間

明順応	<	暗順応
暗い場所		明るい場所
↓		↓
明るい場所		暗い場所

　つまり，日中，明るいところを運転している状況から，

PLUS ONE プラス1

高齢運転者の場合には加齢に伴う網膜の感受性低下の影響を受け，暗い所での視力が高まらず，時間が経過しても明るさの感覚や色の感覚が回復しにくくなる。

PLUS ONE プラス1

片目の視野160度のうち，色彩を完全に確認できるのはさらに狭く，左右それぞれで35度付近までである。

四輪車を運転する場合，二輪車との衝突事故を防止するための注意点として，①二輪車は死角に入りやすいため，その存在に気づきにくい，②二輪車は速度が実際より遅く感じたり，距離が遠くに見えたりする特性があることなどを理解しておく必要があります。

暗いトンネル内に入った場合と，トンネルから出た場合を比較すると，前者の方が後者よりも時間がかかります。したがって，**暗いトンネルに入る際には速度を落とす**などして，より慎重に運転しなければなりません。

また，夜間の運転で，対向車のライトを直接目に受けると，まぶしさのために一瞬視力を失った状態（幻惑）になり，視力の回復に時間（3〜10秒）がかかることになります。夜間の運転では，対向車のライトを直視しないようにしなければなりません。

❷ 視　野

人が目の位置を変えずに見渡せる範囲を視野といいます。普通，人間が静止しているときの視野は，**片目で左右それぞれ160度程度，両目なら200度程度**です。

自動車の速度が速くなればなるほど運転者の視野は狭くなり，遠くを注視するようになるために，近くは見えにくくなります。したがって，速度を出しすぎると，近くから飛び出してくる歩行者や自転車などを見落としやすくなるので注意が必要です。

また，高齢運転者の場合は，加齢に伴う視野の狭小化が生じ，交差点などで出会い頭の衝突事故などを起こしやすくなるなどの危険が生じます。

❸ 距離の錯覚等

前方の自動車を大型車と乗用車から同じ距離で見た場合，それぞれの視界や見え方が異なります。トラックなど運転者席が高い位置にある**大型車**の場合は，**実際より車間距離を長く感じる**ので，余裕があるように錯覚してしまいます。

また，大型車は，前照灯・尾灯の位置が普通車よりも高い位置にあるため，夜間には前を走る大型車までの車間距離を実際よりも長く判断したり，対向の大型車の位置を実

際よりも遠く判断するとい
う錯覚が生じます。

対向の大型車の位置
を遠いと錯覚すると，
右折の際に衝突事故
が起こる可能性があ
り危険ですね。

確認しよう！ 問題 de 実力チェック!!

学習項目	🅠 できたらチェック ✔
視　力	☐ **1** 運転者の目は，車の速度が速いほど，周辺の景色が視界から消え，物の形を正確に捉えることができなくなるため，周辺の危険要因の発見が遅れ，事故につながるおそれが高まることを理解させるよう指導している。　2年度CBT
	☐ **2** 運転時における情報入手は視力によるところが大きいが，45歳前後から低下する静止視力に比べ，動体視力は加齢による低下率が少なく個人差も小さい。　18年8月
視　野	☐ **3** 目の位置を変えずに見渡せる範囲を視野といい，普通，人間の静止時の視野は片目で左右それぞれ80度くらい，両目なら200度くらいである。　17年8月
	☐ **4** 自動車の速度が速くなるほど，運転者の視野は狭くなり，遠くを注視するようになるために，近くは見えにくくなる。したがって，速度を出しすぎると，近くから飛び出してくる歩行者や自転車などを見落としやすくなることから，速度の出しすぎに注意するよう運転者に対し指導する必要がある。　25年8月
距離の錯覚等	☐ **5** 前方の自動車を大型車と乗用車から同じ距離で見た場合，それぞれの視界や見え方が異なり，大型車の場合には運転席が高いため，車間距離をつめてもあまり危険に感じない傾向となるので，この点に注意して常に適正な車間距離をとるよう運転者を指導する必要がある。　3年度CBT

A解答 1.○／2.× 静止視力・動体視力とも加齢により低下する／3.× 片目で左右それぞれ160度くらい／4.○／5.○

Lesson 3 ブレーキ・タイヤに起こる現象と悪条件下の運転等

頻出度 A

走行中の自動車に起こる現象とその防止法をはじめ，悪条件下で運転する場合や，緊急時に注意しなければならないことは，業務において大事なのはもちろん，試験でも頻出なので，よく学習しましょう。

ここが重要!!

それぞれの現象の内容をすべて覚えるのは大変なので，赤字のキーワードを中心に押さえ，現象名と対応するようにしておきましょう。

用語

ブレーキ・ドラム
車輪と一緒に回転する円筒形ドラムのこと。このドラムの内側にブレーキ・ライニングを押し付けて制動力を得る方式のブレーキを，ドラムブレーキという。

ブレーキ・ライニング
ブレーキ・ドラムやディスクローターと接して回転を止めるための摩擦材のこと。

① ブレーキやタイヤに起こる現象

走行している自動車のブレーキやタイヤに起こることがある現象の名称と，その内容・防止法には，以下のようなものがあります。

（1）ブレーキに起こる現象

		内　容	防止法
フェード現象	フット・ブレーキを使いすぎると，ブレーキ・ドラムやブレーキ・ライニングなどが摩擦のため過熱して	ドラムとライニングの間の**摩擦力が減り**，ブレーキの効きが悪くなる	急な下り坂や長い下り坂では，エンジン・ブレーキ等を使用する
ベーパー・ロック現象		その熱がブレーキ液に伝わって，**ブレーキ液内に気泡が発生し**，ブレーキの効きが悪くなる	

（2）タイヤに起こる現象

タイヤは，車種に合った規定の空気圧を正しく守るとともに，以下のような現象に注意する必要があります。

	内　容	防止法
ハイドロプレーニング現象	路面が水で覆われているときに高速で走行すると，タイヤの排水作用が悪くなり，**水の膜の上を滑走する状態**になって，操縦不能になる	スピードを抑えた走行やタイヤの空気圧を高めにする

ウェット・スキッド現象	雨の降り始めに, **路面の油や土砂などの微粒子**が雨と混じって滑りやすい膜を形成するため, タイヤと路面との摩擦係数が低下し, 急ブレーキをかけたときなどにスリップする	雨の降り始めには速度を落とし, 不用意な急ハンドルや急ブレーキを避ける
スタンディング・ウェーブ現象	タイヤの空気圧不足で高速走行したときに, **タイヤに波打ち現象が生じ**, セパレーション（剥離）やコード切れが発生する	あらかじめ高速走行するときには, 空気圧を高めにする

タイヤの空気圧が低すぎると, 磨耗が早くなったり, 燃費が悪くなってしまいますね。

そうですね。かじ取り車輪のタイヤ空気圧が左右均等でないと, 空気圧が低い方にハンドルをとられることもありますよ。

❷ 悪条件下の運転・緊急時における心得

（1）雨の日の運転

　雨の日は, 以下の点に注意して運転する必要があります。
①速度を落とす
②車間距離を十分にとる
③急発進・急ブレーキ・急ハンドルを避ける
④わだちを避けて運転する

　前車の作ったわだちを避けるのは, 雨でわだちに水がたまっているため, そこを通るとブレーキ・ドラムに水が入ってブレーキの効きが悪くなるからです。

　できるだけわだちを避けるようにし, 左または右に寄って走行するのが安全です。

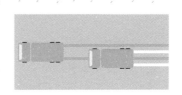

雨の日は前車のわだちを避ける

（2）濃霧の中の運転

　濃霧の中での運転では, **前照灯を下向き**に点灯します。これは, 前照灯の明かりが霧に乱反射して, 見通しが悪くなるのを防ぐためです。

　そして, 十分な車間距離を保ちながら, センターラインやガードレール, 直前の自動車の尾灯を目安に, 速度を落として慎重に運転するようにします。

PLUS ONE プラス1

車両は, トンネルの中, 濃霧がかかっている場所その他の場所で, 視界が高速道路では200m, その他の道路では50m以下であるような暗い場所を通行する場合および当該場所に駐停車している場合においては, 前照灯, 車幅灯, 尾灯その他の灯火をつけなければならない。

（3）夜間の運転

夜間，対向車線の自動車のヘッドライトを直接目に受けると，まぶしさのため一瞬目が見えなくなることがあります。対向車のライトがまぶしいときは，視点をやや左前方に移して，目がくらまないようにします。

また，夜間の走行中には，自分の自動車と対向車のライトで，お互いの光が重なり合い，その間にいる歩行者や自転車が見えなくなること（蒸発現象）があるので，注意が必要です。

（4）カーブでの運転

カーブを走行する際には，カーブに差しかかる手前までで十分速度を下げておいて，カーブに合った安全な速度を保ちながらまわり，自動車が直線に向いたら加速すること（スローイン・ファストアウト走行）をするように心がけると安全です。

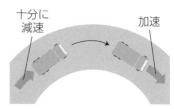

十分に減速　加速

（5）大地震が発生した場合の運転

走行中に大地震が発生した場合，急ハンドルや急ブレーキを避けるなどして，できるだけ安全な方法によって道路の左側に車を停止させるようにします。

停止後は，カーラジオなどによって地震情報や交通情報を聞き，その情報や周囲の状況に応じて行動します。

避難のために自動車を使用することは止め，自動車を置いて避難するときは，できるだけ道路外の場所に移動させるようにします。やむを得ず道路上に自動車を置いて避難する場合は，エンジンを止め，**エンジンキー**は付けたままにし，窓を閉め，ドアはロックしないでおきます。

問題 de 実力チェック!!

学習項目	🅠できたらチェック ✅
ブレーキやタイヤに起こる現象	☐ **1** ハイドロプレーニング現象とは，路面が水でおおわれているときに高速で走行するとタイヤの排水作用が悪くなり，水上を滑走する状態になって操縦不能になることをいう。これを防ぐため，日頃よりスピードを抑えた走行に努めるべきことや，タイヤの空気圧及び溝の深さが適当であることを日常点検で確認することの重要性を，運転者に対し指導する必要がある。 29年3月改
	☐ **2** ベーパー・ロック現象とは，フット・ブレーキを使い過ぎると，ブレーキ・ドラムやブレーキ・ライニングが摩擦のため過熱することにより，ドラムとライニングの間の摩擦力が低下し，ブレーキの効きが悪くなることをいう。これを防ぐため，長い下り坂などでは，エンジン・ブレーキ等を使用し，フット・ブレーキのみの使用を避けるよう運転者に対し指導する必要がある。 29年3月改
悪条件下の運転・緊急時における心得	☐ **3** 霧が発生したときは視界が悪くなるので，前照灯を上向きに点灯して，センターラインやガードレール，直前の自動車の尾灯を目安にし，速度を落として慎重な運転をするようにする。 21年3月
	☐ **4** 自動車の夜間の走行時において，自車のライトと対向車のライトで，お互いの光が重なり合い，その間にいる歩行者や自転車が見えなくなることをクリープ現象という。 4年度CBT
	☐ **5** カーブを走行する際，カーブの手前までに十分速度をおとし，カーブにあった安全な速度を保ちながらまわり，自動車が直線に向いたら加速する，いわゆるスローイン・ファストアウト走行をすると安全である。 16年8月
	☐ **6** 大地震が発生した場合，自動車を置いて避難するときは，できるだけ道路外の場所に移動しておく。やむを得ず道路上に置いて避難するときは，道路の左側に寄せて駐車し，盗難などの混乱を避けるため，エンジンキーを抜き，窓を閉め，ドアをロックする。 20年3月改

🅐解答 **1**.○／**2**.× フェード現象の説明である／**3**.× 前照灯は下向きにする／**4**.×「クリープ現象」ではなく，「蒸発現象」／**5**.○／**6**.× エンジンキーは付けたままにし，ドアはロックしないでおく

第5章

実務上の知識および能力

第5章　実務上の知識および能力

Lesson 4 高速道路の運転と設備

頻出度 **C**

高速道路では一般道路よりも速度を上げて走行するため，事故が起きないように特別な注意が必要です。また，一般道路にはない設備も設けられているので，設備の名称と内容をしっかり覚えておきましょう。

1 高速道路の運転

高速自動車国道の本線車道に入るときは，加速車線で**十分に加速してから入る**ようにします。加速が不十分な状態で本線車道に入ると，他の自動車の走行の流れを妨げて危険だからです。

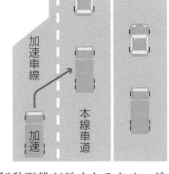

走行中は，一般道路におけるよりも速度が出ている分，制動距離が長くなるため，追突を避けるために車間距離を十分にとる必要があります。

故障などにより運転ができなくなったときは，**自動車の後方の路上に停止表示器材を置く**ほか，昼間でも視界が悪い場合は，**非常点滅表示灯（ハザードランプ），駐車灯または尾灯をつけなければなりません。**

停止表示器材を置くときには，**発炎筒を使って合図する**など後続車に十分注意を促すことが必要です。

2 高速道路の設備

高速道路には，以下のような設備が用意されています。

Point パーキングエリアは約15kmごと，非常電話は約1kmごとに設置されている。

PLUS ONE プラス1

時速100kmであれば100m，時速80kmであれば80mが必要な車間距離の目安とされているが，路面が濡れている場合などは，さらに長い車間距離をとる必要がある。

停止表示器材
➡P210

PLUS ONE プラス1

平成29年2月より，高速道路の路線名に併せ，その地固有の言語に依存しない路線番号を用いる「ナンバリング」が導入され，訪日外国人を含め，すべての利用者にわかりやすい道案内の実現が図られることとなった。

E1

サービスエリア （SA）	食堂・売店・トイレ・ガソリンスタンドなどの設備があり，**約50kmごとに設けられている**※
パーキングエリア （PA）	売店やトイレなどの設備があり，**約15kmごと**に設けられている
非常電話	事故や故障などの緊急通報用として，**約1kmごと**（トンネル内は約200mごと）に設けられている
吹流し	横風に対する運転者への注意喚起（横風の強さの判断）のために，**河川付近や谷間を横断する箇所**に設けられている
ハイウェイラジオ	周波数1,620kHzで，最新の道路状況や交通規制の状況を聴くことができる
ETC	有料道路の料金所に設置したアンテナと自動車に装着した車載器との間で無線通信を用いて**自動的に料金の支払を行い**，ノンストップで料金所を通行することができるシステム
R○○○の標識	道路の**曲線カーブの半径**を示している。例えば「R400」の場合は，半径が400mの円曲線のカーブということ

※サービスエリアの設備や設置距離については，明確な規定やルールがあるわけではなく，例外も多い

第5章　実務上の知識および能力

プラス1
ETCは，高速道路だけでなく，有料道路にも設置されている。

ここが重要!!
R400よりもR600の方が円曲線の半径が大きいので，より緩やかなカーブということになりますね。

273

問題 de 実力チェック!!

学習項目	Q できたらチェック ✔
高速道路の運転	☐ **1** 高速自動車国道の本線車道に入るときは，その手前で一時停止または徐行して，本線車道を走行中の他の自動車の進行を妨げないようにする。 予想
	☐ **2** 高速自動車国道で故障などにより運転ができなくなったときは，自動車の前方の路上に停止表示器材を置くほか，昼間でも視界が200m以下の場合は，非常点滅表示灯，駐車灯または尾灯をつけなければならない。 予想
高速道路の設備	☐ **3** ハイウェイラジオ（周波数1620kHz）では，最新の道路状況や交通規制の状況を聴くことができる。 17年8月
	☐ **4** 「右（又は左）方屈曲あり」の標識中にあるR600とR450では，R450の方が曲線半径が大きく，カーブは緩やかである。 17年8月
	☐ **5** 非常電話は，事故や故障発生時などの緊急通報用として約2km毎に設けられている。 19年8月
	☐ **6** サービスエリアは，食堂，売店，トイレ，ガソリンスタンド，修理工場などの設備があり，約50km毎に設けられている。 19年8月

A 解答 **1.**× 一時停止または徐行ではなく，十分に加速してから本線車道に入る／**2.**× 停止表示器材は自動車の後方に置く／**3.**○／**4.**× R600の方が曲線半径が大きく，カーブは緩やかである／**5.**× 約2kmではなく約1kmごと（トンネル内は約200mごと）に設けられている／**6.**○

Lesson 5 運転者の健康管理等

頻出度 B

交通事故は，運転者の病気や服用した薬が原因となって生じる場合もあり，運転者の健康管理は事故の防止に不可欠です。睡眠時無呼吸症候群は，自動車の運転に大きな影響を与える病気として近年話題になっています。その症状や合併症の有無などをよく理解しましょう。

① 自動車の運転に影響する病気

Point 自動車の運転に影響する病気として，生活習慣病，睡眠時無呼吸症候群（SAS），アルコール依存症などがある。

（1）生活習慣病

　脳卒中や心臓病などを原因とする運転中の突然死による事故は増加傾向にあります。この脳卒中や心臓病などは**病気の原因が生活習慣に関係している**ことから，生活習慣病と呼ばれています。生活習慣病は，暴飲暴食や運動不足などの悪習慣が積み重なって発病するといわれています。

（2）睡眠時無呼吸症候群（SAS）

　近年，漫然運転や居眠り運転の原因として，睡眠時無呼吸症候群（SAS）とよばれる病気が注目されています。

　睡眠時無呼吸症候群は，睡眠中に呼吸が止まった状態（無呼吸）が断続的に繰り返される病気です。睡眠不足により運転中に強い眠気を感じることもあるので，早期に治療を受けることが必要不可欠となります。ただし，必ずしも眠気を感じることがない場合もあるので，SASスクリーニング検査を実施する場合には，検査対象者を絞ることなく，すべての運転者に対して定期的に，また，雇い入れ時等のタイミングでSASスクリーニング検査を受けさせることが重要です。

　睡眠時無呼吸症候群の原因としては，肥満や顎の形状，睡眠薬，アルコール依存によるものが挙げられています。この病気をそのまま放置しておくと，睡眠時無呼吸のため

PLUS ONE プラス1
生活習慣病には，このほかにも糖尿病・脂質異常症・高血圧などがある。

PLUS ONE プラス1
運転者が軽症度の睡眠時無呼吸症候群（SAS）と診断された場合は，残業を控えるなど業務上での負荷の軽減や，睡眠時間を多く取る，過度な飲酒を控えるなどの生活習慣の改善によって，業務が可能な場合があるので，事業者は，医師と相談して慎重に対応すべきである。

に血液が固まりやすくなり，狭心症，心筋梗塞，脳梗塞といった**重大な合併症を引き起こす**おそれがあります。

Q&A

睡眠時無呼吸症候群（SAS）の疑いがあるのは，どのような症状がある場合ですか？

寝ている間に呼吸が止まる，頻繁に目が覚める，大きないびきをかく，昼間の集中力が低下するなどの症状です。なかなか本人が自覚しにくい病気なので，注意が必要です。

（3）アルコール依存症

　近年，飲酒運転による悲惨な事故が多発し，これが社会問題化するようになりました。このため，自動車運送事業者においては，アルコール検知器の導入などによる点呼の強化が図られています。

　飲酒運転が常習化する背景には，**アルコール依存症**という病気があります。アルコールなしではいられない状態になり，自分で飲酒をコントロールできなくなる病気です。飲酒が原因で，身体だけでなく精神的障害や知的能力の障害も生じます。この病気は完治することが難しく，**一度回復しても飲酒をすると再発**するおそれがあります。

ここが重要!!
アルコール依存症は，回復後も，節酒ではなく断酒が必要です。断酒会に参加するなどして，アルコールを断つ意志を持ち続けなければなりません。

❷ 薬剤による影響・加齢による影響

（1）かぜ薬など

　かぜ薬・解熱剤・咳止めなどには，眠気を誘う成分が含まれているものがあります。また，血圧降下薬などを服用すると，めまいを起こすことがあるので，これらの薬を服用した後の自動車の運転には注意が必要です。場合によっては，**服用後には運転を見合わせることも必要**となります。

（2）加　齢

　加齢は，視力や視野に影響を与えるだけではありません。高齢運転者は加齢に伴って**判断能力が低下**し，対向車・歩

行者の安全確認，道路標識の確認，進路変更や交差点での
ウインカー指示，速度の減速といった操作が重なるような
場合など，多面的な情報処理が必要な場面では，情報処理
のオーバーフローが生じやすくなります。

❸ 健康診断

労働安全衛生法に基づく「労働安全衛生規則」において，
事業者は，労働者に定期的な健康診断を実施しなければな
らないことが規定されています。

（1）定期健康診断等

事業者は，常時使用する労働者（特定業務従事者を除き
ます）に対し，1年以内ごとに1回，定期に，医師による
健康診断を実施しなければなりません。

また，深夜業を含む業務など，労働安全衛生規則に定め
る業務に常時従事する労働者（特定業務従事者）に対して
は，その**業務へ配置替えを行った際，および6か月以内ご
とに1回**，定期に，定期健康診断と同じ内容の健康診断を
実施しなければなりません。

（2）雇入時の健康診断

事業者は，常時使用する労働者を雇い入れるときは，そ
の労働者に対しても健康診断を実施しなければなりません
が，医師による健康診断を受けてから3か月以内の者を雇
い入れる場合に，その労働者が健康診断の結果を証明する
書面を提出したときは，健康診断（実施項目）を省略する
ことができます。

（3）健康診断の結果についての意見聴取と記録

健康診断の項目に異常の所見があると診断された労働者
に対しては，その健康診断の結果に基づき，その労働者の
健康を保持するために必要な措置について，医師または歯
科医師の意見を聴かなければなりません。また，健康診断
の結果に基づき，健康診断個人票を作成し，これを5年間
保存しなければなりません。

PLUS ONE プラス1
運転者が自ら受けた
健康診断（人間ドッ
クなど）であっても，
法令で必要な定期健
康診断の項目を充足
している場合は，法
定健診として代用で
きる。

PLUS ONE プラス1
事業者は，事業者が
行う健康診断を受け
た労働者に対し，遅
滞なく，当該健康診
断の結果を通知しな
ければならない。

第5章 実務上の知識および能力

運転者が自ら受けた
健康診断の結果につ
いても，同様に保存
します。

問題 de 実力チェック!!

学習項目			Q できたらチェック ✔
自動車の運転に影響する病気	☐	**1**	近年，脳卒中や心臓病などに起因した運転中の突然死による事故が増加傾向にあるが，これらの病気の要因が生活習慣に関係していることから生活習慣病と呼ばれている。この病気は，暴飲暴食や運動不足などの習慣が積み重なって発病するので，定期的な健康診断の結果に基づいて生活習慣の改善を図るよう運転者に対し呼びかけている。 29年8月
	☐	**2**	睡眠時無呼吸症候群（SAS）は，大きないびきや昼間の強い眠気など容易に自覚症状を感じやすいので，事業者は，自覚症状を感じていると自己申告をした運転者に限定して，SASスクリーニング検査を実施している。 2年8月
	☐	**3**	常習的な飲酒運転の背景には，アルコール依存症という病気があるといわれている。この病気は専門医による早期の治療をすることにより回復が可能とされており，一度回復すると飲酒しても再発することはないので，事業者は，アルコール依存症から回復した運転者に対する飲酒に関する指導を特別に行うことはしていない。 27年8月
薬剤による影響・加齢による影響	☐	**4**	事業者は，運転者が医師の診察を受ける際は，自身が職業運転者で勤務時間が不規則であることを伝え，薬を処方されたときは，服薬のタイミングと運転に支障を及ぼす副作用の有無について確認するよう指導している。 30年3月
健康診断	☐	**5**	事業者は，常時使用する労働者を雇い入れるときは，当該労働者に対し，労働安全衛生規則に定める既往歴及び業務歴の調査等の項目について医師による健康診断を行わなければならない。ただし，医師による健康診断を受けた後，3ヵ月を経過しない者を雇い入れる場合において，その者が当該健康診断の結果を証明する書面を提出したときは，当該健康診断の項目に相当する項目については，この限りでない。 2年8月
	☐	**6**	事業者は，業務に従事する運転者に対し法令で定める健康診断を受診させ，その結果に基づいて健康診断個人票を作成して3年間保存している。また，運転者が自ら受けた健康診断の結果を提出したものについても同様に保存している。 3年度CBT

A 解答 **1.**○／**2.**× 睡眠時無呼吸症候群（SAS）は，なかなか本人が自覚しにくい病気なので，運転者全員に対し，定期的にSASスクリーニング検査を実施することが望ましい／**3.**× 回復後も飲酒をすると再発するおそれがある／**4.**○／**5.**○／**6.**×「3年間」ではなく，「5年間」

第5章　実務上の知識および能力

交通事故の防止

交通事故の防止は運行管理者の業務に深く関わる問題であり，近年は毎回のように出題されています。特にヒヤリ・ハットやドライブレコーダーについては，正確に覚えておきましょう。

1 交通事故の防止対策

交通事故の防止対策を効率的・効果的に実行していくためには，事故情報を多角的に分析し，事故実態を把握したうえで，①計画の策定，②対策の実施，③効果の評価，④対策の見直しおよび改善，という一連の**交通安全対策のPDCAサイクルを繰り返し行っていくことが必要となります。**

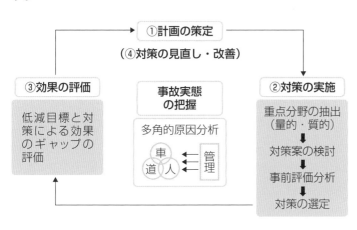

交通事故の再発を防止するためには，発生した事故の調査や事故原因の分析は非常に重要なことであり，事故惹起運転者の社内処分および再教育に特化した対策のみを講じることは，適切ではありません。

PDCAサイクル
➡P87

2 ヒヤリ・ハット

Point 1件の重大事故の背景には，29件の軽傷事故と，300件のヒヤリ・ハットがある（**ハインリッヒの法則**）。

ヒヤリ・ハットとは，運転者が運転中に他の自動車などと衝突・接触するおそれがあったと認識することです。このヒヤリ・ハットを調査し，減少させていくことが，交通事故防止対策に有効な手段となります。

大半のドライバーは，「ひとつ間違えれば事故になったかもしれない」ケースが数多く存在していることを繰り返し経験しています。このような「事故が起こりそうだったが，幸いにも回避できた」出来事が，ヒヤリ・ハットです。

（1）ハインリッヒの法則

1件の重大事故（死亡・重傷事故等）が発生する背景には，**29件の軽傷事故**と，**300件のヒヤリ・ハット**があるとされており，これをハインリッヒの法則といいます。

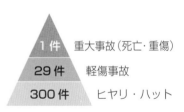

1件	重大事故（死亡・重傷）
29件	軽傷事故
300件	ヒヤリ・ハット

（2）ヒヤリ・ハット調査

ヒヤリ・ハット調査は，ヒヤリ・ハットの経験をドライバー個人の経験にとどめず，すべてのドライバーが共有することによって，**ヒヤリ・ハットの起こる状況を把握**し，より実効性のある交通事故の予防策を立て，成果を上げることを目的として行われます。個人責任の追及のために行うわけではありません。

❸ 運転支援装置等

（1）ドライブレコーダー

ドライブレコーダーは，自動車の運行中に，運転者の視点から自車と周辺情報を記録する装置です。交通事故や急ブレーキ・急ハンドルなどによって，自動車が一定以上の衝撃を受けると，衝突前と衝突後の前後10数秒間の映像などを自動的に保存します。

また，ドライブレコーダーの中には，ヒヤリ・ハットの**直前直後の映像**だけでなく，運転者のブレーキ操作やハンドル操作などの運転状況を記録し，解析・診断することによって，運転者のクセや車両の蛇行（だこう）などによる疲れなどを読み取ることができるものがあります。このため，運転者の指導に活用されています。

（2）衝突被害軽減ブレーキ

衝突被害軽減ブレーキは，レーダー等により先行車との距離を常に検出し，追突の危険性が高まったら，まずは警

運行管理者は，運転者が運転支援装置（自動車に備えられている安全性の向上を図るための装置）にかかる事故の特徴を理解し，運転支援装置の機能を正確に把握することの必要性を実感できるような指導を行う必要があります。

🏆 ひっかけ注意！

「ドライブレコーダー」を「デジタル式運行記録計」などと変えて，誤りとして出題されている。間違わないように名称をしっかりと覚えておく。

報を発して，運転者にブレーキ操作を促し，それでも運転者がブレーキ操作をせず，追突，もしくは追突の可能性が高いと判断したときは，システムにより自動的にブレーキをかけ，衝突時の速度を低く抑える装置です。

（3）ふらつき注意喚起装置

ふらつき注意喚起装置は，運転者の低覚せい状態や低覚せい状態に起因する挙動を検知し，運転者に注意を喚起する装置です。

（4）車線逸脱警報装置

車線逸脱警報装置は，走行車線を認識し，車線から逸脱した場合，あるいは逸脱しそうになった場合に，運転者が車線中央に戻す操作をするよう警報が作動する装置です。

（5）車両安定性制御装置

車両安定性制御装置は，急なハンドル操作や積雪がある路面の走行などを原因とした横転の危険を，運転者へ警告するとともに，エンジン出力やブレーキ力を制御し，横転の危険を軽減させる装置です。

（6）アンチロック・ブレーキシステム

アンチロック・ブレーキシステム（ABS）は，急ブレーキをかけたときなどにタイヤがロック（回転が止まること）するのを防ぐことにより，車両の進行方向の安定性を保ち，また，ハンドル操作で障害物を回避できる可能性を高める装置です。

❹ その他の交通事故防止対策

（1）飲酒運転・覚せい剤の影響

飲酒して運転すると，中枢神経に対する麻酔作用から規範意識が低下して交通法規などへの遵法心が弱くなります。また，認知能力の減退・注意力散漫・判断力の低下など，心身機能へ悪影響を及ぼします。

いわゆる「残り酒」とは，会社に出勤して運転業務に就く頃までアルコールが代謝されずに体内に残ってしまう状

用語

低覚せい状態
通常と居眠りの中間，いわゆる眠気のある状態のこと。

第5章 実務上の知識および能力

プラス1
飲酒により体内に摂取されたアルコールを処理するために必要な時間の目安については，個人差はあるが，例えばビール500mL（アルコール5％），チューハイ350mL（アルコール7％）の場合，おおむね4時間とされている。

プラス1

交通事故防止対策に
有効な手段として「指
差呼称」がある。運
転者の錯覚，誤判断，
誤操作等を防止する
ため，道路の信号や
標識などを指で差し，
その対象が持つ名称
や状態を声に出して
確認することをいう。

プラス1

人間が自分の両手・
両足で支えられる衝
撃は体重の2～3倍
が限度といわれてお
り，これは，時速7km
程度の速度で衝突し
たときの力に相当す
る。つまり，時速7km
を超える速度での衝
突には，シートベル
トなしでは耐えられ
ない。

用語

ヒューマンエラー

人間に起因する，機
械や装置・設備の誤
作動による過誤・失
敗のこと。この場合
は自動車の運転ミス
のことをいう。

プラス1

自動車安全運転セン
ターが発行する運転
記録証明書には，過
去5年，3年，1年
間の交通違反，交通
事故，運転免許の行
政処分が記録される。

態です。この状態で運転すると，酒気帯び運転や飲酒運転
となることがあるので，自動車運送事業者においてはアル
コール検知器を活用するなどして，点呼時に適切なチェッ
クを行う必要があります。

また，覚せい剤を使用して運転すると，疲労や眠気が取
れたような錯覚を起こします。しかし，薬物の作用が消失
すると，逆に使用前よりも激しい疲労感・不安感・けん怠感・
憂うつ感などに襲われます。

（2）シートベルト

シートベルトの着用は，交通事故にあった場合の被害を
大幅に軽減するだけでなく，衝突時の乗員の車外放出によ
る被害を防止する効果があります。また，運転姿勢が正し
く保てるため疲労を軽減できるなど，交通事故の防止上さ
まざまな効果をもたらします。

シートベルト非着用者が自動車乗車中に死に至る致命的
損傷を受けた部位は，頭部と胸部が多くなっています。

（3）適性診断

適性診断は，運転者の運転行動や運転態度が安全運転に
とって好ましい方向へ変化するように動機づけを行うこと
により，運転者自身の安全意識を向上させるためのもので
す。これは，ヒューマンエラーによる事故の発生を未然に
防止するための有効な手段となっています。

Q&A 交通事故防止対策のかいなく，営
業運転中に重大な交通事故を起こ
してしまったらどうなりますか？

運転者は，民法の不法行為責任，その運転手の使用者は，
民法の使用者責任を問われる可能性があります。また，
使用者が事業の停止等の行政処分を受けたり，運行管理者も運
行管理者資格者証の返納を命じられる場合もあります。

問題 de 実力チェック!!

学習項目	Q できたらチェック ✔
交通事故の防止対策	☐ **1** 交通事故の防止対策を効率的かつ効果的に講じていくためには，事故情報を多角的に分析し，事故実態を把握したうえで，①計画の策定，②対策の実施，③効果の評価，④対策の見直し及び改善，という一連の交通安全対策のPDCAサイクルを繰り返すことが重要である。 2年度CBT
ヒヤリ・ハット	☐ **2** いわゆるヒヤリ・ハットとは，運転者が運転中に他の自動車等と衝突又は接触するおそれなどがあったと認識した状態をいい，1件の重大な事故（死亡・重傷事故等）が発生する背景には多くのヒヤリ・ハットがあるとされており，このヒヤリ・ハットを調査し減少させていくことは，交通事故防止対策に有効な手段となっている。 元年8月
運転支援装置等	☐ **3** ドライブレコーダーは，事故時の映像だけでなく，運転者のブレーキ操作やハンドル操作などの運転状況を記録し，解析することにより運転のクセ等を読み取ることができるものがあり，運行管理者が行う運転者の安全運転の指導に活用されている。 4年度CBT
運転支援装置等	☐ **4** 衝突被害軽減ブレーキは，レーダー等で検知して前方の車両等に衝突する危険性が生じた場合に運転者にブレーキ操作を行うよう促し，さらに衝突する可能性が高くなると自動的にブレーキが作動し，衝突による被害を軽減させるためのものである。当該ブレーキが備えられている自動車に乗務する運転者に対しては，当該ブレーキの機能等を正しく理解させる必要がある。 29年8月
その他の交通事故防止対策	☐ **5** 適性診断は，運転者の運転能力，運転態度及び性格等を客観的に把握し，運転の適性を判定することにより，運転に適さない者を運転者として選任しないようにするためのものであり，ヒューマンエラーによる交通事故の発生を未然に防止するための有効な手段となっている。 4年度CBT

第5章 実務上の知識および能力

A 解答 1.〇／2.〇 1件の重大事故が発生する背景には，29件の軽傷事故と，300件のヒヤリ・ハットがあるとされている／3.〇／4.〇／5.✕ 運転に適さない者を運転者として選任しないようにするためのものではなく，運転者自身の安全意識を向上させるためのものである

第5章 実務上の知識および能力

交通公害

地球温暖化問題には，自動車の排気ガスが大きく影響を及ぼしており，二酸化炭素の排出を抑えたハイブリッド車などは，もう私たちにとって身近な存在といえます。大気汚染に対する施策の名称は，しっかり覚えましょう。

頻出度 **C**

① 自動車の排気ガス

（1）排気ガスによる大気汚染

自動車の排気ガスのなかには，一酸化炭素・炭化水素・窒素酸化物など，人体に有害な物質が含まれており，大気を汚染する原因のひとつとなっています。

（2）温室効果ガス

用語

温室効果ガス
太陽からの熱を地球に封じ込め，地表を暖める働きがある，大気中の二酸化炭素やメタンなどのガスのこと。

地球の温暖化防止に向けて，先進国の温室効果ガスの排出量の削減などを定めた「**京都議定書**」が平成17年2月に発効しました。わが国でもそのための対策を総合的かつ計画的に推進することとなり，「地球温暖化対策の推進に関する法律」が施行されました。

ここでいう温室効果ガスとは，二酸化炭素・メタン・代替フロンなどのことです。なかでも**二酸化炭素（CO_2）は温室効果ガスの約9割**を占めています。「地球温暖化対策の推進に関する法律」では，地球の温暖化防止のための温室効果ガスとして，二酸化炭素・メタン・一酸化二窒素・代替フロンなどの7種類が定められています。

わが国の二酸化炭素の排出量は，全体の**約2割を運輸部門**が占め，このうち**約9割が自動車に起因**するものです。このことから，地球温暖化対策の推進のため，自動車から排出される二酸化炭素の削減が求められています。

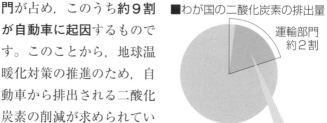

■わが国の二酸化炭素の排出量

運輸部門
約2割

約9割が自動車に起因

2 自動車の速度・重量との関係

（1）騒音と振動

　自動車が走行すると，排気管やタイヤなどから走行騒音が発生し，さらに道路周辺に振動を与えることになります。これらの騒音と振動は，自動車の速度が速いほど，また，自動車の重量が重いほど，大きくなります。

（2）燃料消費など

　自動車の速度と燃料消費量には密接な関係があり，速度が**速すぎても遅すぎても**燃料消費量は多くなります。

　また，急発進・急ブレーキ・空ぶかしをしたり，客待ちや貨物の積み卸しで継続的に停止するためにアイドリング状態を続けたりすると，燃料消費量が多くなるほか，人体に有害な物質や二酸化炭素の排出量が多くなります。

3 大気汚染への対策

（1）パークアンドライド

　都市部などの交通渋滞緩和のために，通勤などに使用されている自動車等を，郊外の鉄道駅やバス停に設けた駐車場に停車させ，そこから鉄道や路線バスなどの公共交通機関に乗り換えて移動する方法をパークアンドライドといいます。これは，交通渋滞の緩和だけでなく，排出ガスの削減効果も期待できます。

（2）エコドライブ

　駐停車中にエンジンを停止するアイドリングストップや，急発進・急加速を避けた等速度運転などを心がけた省エネルギー運転をエコドライブといいます。環境の保全だけでなく，運行経費の削減や安全面での効果もあります。

 用語

アイドリング
自動車のエンジンを，負荷をかけずに低速で空回りさせること。

車を駐めて（パーク）公共交通機関に乗る（ライド）ということですね。

第5章　実務上の知識および能力

285

（3）モーダルシフト

　旅客・貨物の輸送手段を，より環境汚染に与える影響の小さいものに転換することを**モーダルシフト**といいます。具体的には，トラックによる輸送の一部を内航海運や鉄道輸送に切り替えて，二酸化炭素の排出量を少なくするなどの取組みです。

（4）新しい自動車

　交通公害に対処するため，以下のような新しい自動車が作られています。

燃料電池自動車	燃料電池で水素と酸素を化学反応させて電気を作り，その電気エネルギーを動力に変換して走行させる自動車	二酸化炭素などの排出ガスはゼロで，出るのは水だけ
ハイブリッド車	従来のガソリンエンジンと電気モーターを組み合わせた自動車	走行の状況に応じてガソリンエンジンと電気モーターを作動させることで，通常のガソリンエンジン車よりも燃費効率がよく，二酸化炭素の排出を抑えることができる
天然ガス自動車	天然ガスを燃料とする自動車	ガソリン車と比べて地球温暖化の原因となる二酸化炭素や光化学スモッグ・酸性雨などの原因となる窒素酸化物，炭化水素などの排出量が少ない

（5）ITS（高度道路交通システム）

　最先端の情報通信技術を駆使して，人・道路・車を情報

でネットワークし，一体のシステムとして構築したものを**ITS（高度道路交通システム）**といいます。交通事故や渋滞・環境問題・エネルギー問題などの解決に大きく貢献することが期待されています。

ここが重要!!

試験では，パークアンドライドとモーダルシフトの名前と内容を入れ替えて出題されたりしています。混乱しないように覚えましょう。

PLUS ONE プラス1

具体的には，カーナビと道路交通情報通信システムや，バスロケーションシステムなどが実施されている。

確認しよう!
問題 de 実力チェック!!

学習項目			Q できたらチェック ☑
自動車の排気ガス	☐	1	「地球温暖化対策の推進に関する法律」においては，地球の温暖化防止のための温室効果ガスとして，二酸化炭素，メタン，一酸化二窒素，代替フロン等の7種類が定められている。 20年8月改
	☐	2	我が国の二酸化炭素の排出量については，全体の約2割を運輸部門が占め，このうち2分の1が自動車に起因することから，地球温暖化対策の推進のため自動車から排出される二酸化炭素の更なる削減が求められている。 20年3月
大気汚染への対策	☐	3	エコドライブとは，駐停車中にエンジンを停止するアイドリングストップや急発進・急加速を避けた等速度運転などを励行する省エネルギー運転のことで，環境の保全のために必要なだけでなく，運行経費の削減や安全面の効果などをもたらすものである。 20年3月
	☐	4	燃料電池自動車とは，炭素と酸素を化学反応させることにより直接に電気を発生させる装置を備え，かつ，その電力により作動する原動機を有する自動車をいい，二酸化炭素や有害なガスは発生するが，それらの排出量は極めて少ない。 21年3月
	☐	5	モーダルシフトとは，都市部などの交通渋滞の緩和のため，通勤などに使用されている自動車等を郊外の鉄道駅やバス停に設けた駐車場に停車させ，そこから鉄道や路線バスなどの公共交通機関に乗り換えて移動する方法のことで，交通渋滞の緩和だけでなく，二酸化炭素などの排出ガスの削減効果も期待できるものである。 20年8月

第5章 実務上の知識および能力

A 解答 1.○／2.× 運輸部門によるもののうち約9割が自動車に起因する／3.○／4.× 水素と酸素を化学反応させ，二酸化炭素などの排出ガスは出ない／5.× モーダルシフトでなくパークアンドライド

第5章 実務上の知識および能力

時速等の計算

時速・秒速・燃料消費率・事故率・停止距離などを求める計算問題が毎回出題されていますが，計算方法を覚えておけば確実に得点できるので，ここで例題を解きながらしっかりと押さえておきましょう。

1 速度・距離・時間

Point

①走行距離(km)は，平均時速(km)×所要時間
※時速を秒速に直す問題は，以下の計算を忘れずに！
　秒速(m)＝時速(km)÷3600　×　1000
　　　　　　　　　　(1時間は3600秒)　(1kmは1000m)
②ある距離を走行する時間(所要時間)は，走行距離÷平均時速
③平均時速は，走行距離÷所要時間

ここが重要!!

乗り物などの物体が1時間に動く距離を時速（km/hと表します）といい，1秒間に動く距離を秒速（m/sと表します）といいます。

走行距離などの計算は，①～③の式を使います。実際に例題を解いて，これらの式の使い方を学習しましょう。

例題 1 距離を求める問題（1）

トラックがA営業所からB営業所まで走行した場合，最初の2時間は平均時速50kmで走行したが，その後渋滞に巻き込まれたため，平均時速25kmで走行し，A営業所を出発してから3時間30分後にB営業所に到着した。A営業所からB営業所までの距離は何kmか？

A 🚚 ———— 2h ———————— 1.5h ———— B
　　　　　50km/h　　　　　　　25km/h

ここが重要!!

解き方を覚えてしまえば，計算問題は難しくありません。ただし，試験場では計算機の使用が認められないので，あわてて計算間違いをしないように注意しましょう。

解答 1 解答するためのポイント（1）

距離を求めるこの例題では，①の式を使います。
最初の2時間の走行距離は，
　　平均時速50km×2時間＝100km
です。
次に，平均時速25kmに減速してからは，3時間30分－2時間＝1時間30分，すなわち1.5時間走行したことがわかるので，この間の走行距離は，
　　平均時速25km×1.5時間＝37.5km

となります。
したがって，A営業所からB営業所までの距離は，

100km + 37.5km = 137.5km

となります。

解答 137.5km

2 距離を求める問題（2）

平均時速45kmで走行中のトラックが，3秒間に走行する距離は何mか？

2 解答するためのポイント（2）

この例題では，①の式を使いますが，秒速が問われているのがポイントです。
時速45kmを秒速に直すと，

時速45km ÷ 3,600 × 1,000 = 秒速12.5m

となります。
したがって，このトラックが3秒間に走行する距離は，

秒速12.5m × 3秒 = 37.5m

となります。

解答 37.5m

　時速と秒速の対応関係は，以下の表のようになります。時速10kmがおよそ秒速2.8mにあたることを覚えておけば，解答の目安になるでしょう。

時速10km	→	秒速2.8m	時速50km	→	秒速13.9m
時速20km	→	秒速5.6m	時速60km	→	秒速16.7m
時速30km	→	秒速8.3m	時速80km	→	秒速22.2m
時速40km	→	秒速11.1m	時速100km	→	秒速27.8m

この時速と秒速の目安を覚えておくと，計算問題が楽になりますね。

時間・速度を求める問題

トラックがA営業所から50km離れたB営業所まで，平均時速40kmで走行した場合，出発してから何時間何分でB営業所に到着するか？また，このトラックが同じ経路でB営業所からA営業所に戻ってきたところ，帰路に要した時間は2時間45分であった場合，往復の平均時速は時速何kmか？

解答
3

解答するためのポイント

時間・速度を求めるこの例題では，②③の式を使います。
50kmの距離を平均時速40kmで走行した場合，かかる時間は，

50km÷平均時速40km＝1.25時間（0.25時間は60分の4分の1なので，15分）

です。
したがって，このトラックは出発してから1時間15分でB営業所に到着します。

解答 1時間15分

また，往復に要した時間は，1.25時間＋2.75時間（45分は1時間の4分の3なので，0.75時間）＝4時間となるので，往復の平均時速は，

50km×2÷4時間＝時速25km

となります。

解答 時速25km

計算問題をしっかりマスターしておきましょう。

2 燃料消費率

燃料消費率（燃費）とは，燃料1リットル（L）あたりの走行距離をいい，km／Lの単位で表します。以下の式で求められます。

Point ④燃料消費率（燃費）
＝走行距離(km)÷消費した燃料(L)

例題
4 燃料消費率を求める問題

トラックが，45km離れたA営業所とB営業所を往復したところ，15Lの燃料を消費した。この場合の燃料消費率を求めよ。

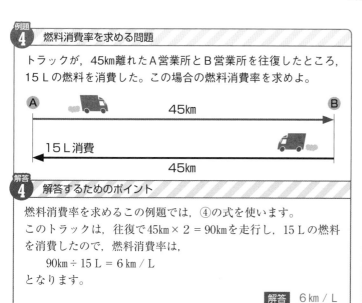

解答
4 解答するためのポイント

燃料消費率を求めるこの例題では，④の式を使います。
このトラックは，往復で45km×2＝90kmを走行し，15Lの燃料を消費したので，燃料消費率は，

　　90km÷15L＝6km／L

となります。

解答 6km／L

3 事故発生率

　事故発生率は，それぞれの営業所ごとに，一定期間内に発生した事故の状況（件数や事故の内容など）を把握し，比較するために計算します。
　事故の内容別に責任点数が付けられ，以下の式で事故発生率が求められます。

⑤事故発生率
＝（事故の種類別件数×1件あたりの責任点数）の合計÷
（稼働車両数×1車両あたりの平均走行距離）

第5章 実務上の知識および能力

A・B・C・Dの4営業所における，ある期間中の稼働車両数，1車両あたりの平均走行距離，交通事故発生件数の状況が表1，事故の内容ごとの1件あたりの責任点数が表2のとおりである場合に，事故発生率が少ない順に4営業所の成績順位を求めよ。

表1

| 営業所 | 稼働車両数 | 1車両あたりの平均走行距離(km) | 交通事故発生件数 | | | | |
| | | | 事故の内容 | | | | 計 |
			I	II	III	IV	
A	45	1,600	0	1	2	5	8
B	55	2,500	1	1	3	3	8
C	60	2,200	2	1	3	5	11
D	65	1,800	0	2	4	5	11

表2

事故の内容		1件あたりの責任点数
I	死亡事故	900
II	重傷事故	500
III	軽傷事故	300
IV	物損事故	100

事故発生率を求めるこの例題では，⑤の式を使います。

まず，営業所ごとに，(事故の種類別件数×1件あたりの責任点数)の合計を求めると，以下のようになります。

A = 900 × 0 + 500 × 1 + 300 × 2 + 100 × 5 = 1,600
B = 900 × 1 + 500 × 1 + 300 × 3 + 100 × 3 = 2,600
C = 900 × 2 + 500 × 1 + 300 × 3 + 100 × 5 = 3,700
D = 900 × 0 + 500 × 2 + 300 × 4 + 100 × 5 = 2,700

⑤の式に数値を当てはめて計算すると，それぞれの営業所の事故発生率が，以下のように求められます。

A = 1,600 ÷ (45 × 1,600) ≒ 0.0222
B = 2,600 ÷ (55 × 2,500) ≒ 0.0189
C = 3,700 ÷ (60 × 2,200) ≒ 0.0280

D = 2,700 ÷ (65 × 1,800) ≒ 0.0231

したがって，事故発生率が少ない順に並べると，1位B，2位A，3位D，4位Cとなります。

> 解答 **1位：B　2位：A　3位：D　4位：C**

④ 停止距離

すでに学習したとおり，停止距離とは，運転者が危険を認識して走行中の自動車を停止（急ブレーキをかける）させようとしてから，実際に自動車が停止するまでに走る距離のことでした。停止距離は，**空走距離**と**制動距離**の合計なので，以下の式で求められます。

> **Point** **⑥停止距離**
> 　　　　＝空走距離（秒速×空走時間）＋制動距離

例題 6 停止距離を求める問題

トラックが時速72kmで走行中，障害物を発見し，急ブレーキをかけて停止した。このトラックの時速72kmにおける制動距離が45m，空走時間が0.8秒であった場合，停止距離を求めよ。

解答 6 解答するためのポイント

停止距離を求めるこの例題では，⑥の式を使います。
時速72kmで走行するトラックの秒速は，

　　72km ÷ 3,600 × 1,000 = 20 m

となるので，この場合の空走距離は，

　　20 m × 0.8 = 16 m

です。
したがって，停止距離は，

　　16 m + 45 m = 61 m

となります。

> 解答 **61 m**

停止距離
⇒P263

空走距離は，運転者が危険を認識してブレーキを踏んで，実際にブレーキが効き始めるまでの間に自動車が走る距離のことで，制動距離は，ブレーキが効き始めてから自動車が停止するまでの距離のことでしたね。

第5章　実務上の知識および能力

ここが重要!!
時速を秒速に直すのを忘れないように注意しましょう。

5 すれ違い・追越し

　トラックなどがすれ違いを完了するために要する時間と，追い越すために必要な距離についても出題されます。

Point ⑦すれ違いを完了するために要する時間（秒）
　　　＝（両車間の距離＋両車の長さの合計）÷両車の秒速の合計

例題 7　すれ違いを完了するために要する時間を求める問題

長さ12.9mのトラックAが，下図のように一般道路を時速50kmで走行中に，対向車線前方の250mの地点に時速40kmで走行してくる長さ12.1mのバスBを認めた。この場合，両車は引き続き同じ速度で走行するものとして，両車がすれ違いを完了するのは何秒後か？

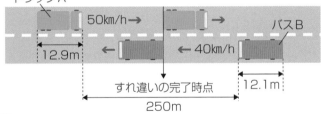

トラックA
50km/h→
12.9m
バスB
← 40km/h
すれ違いの完了時点
12.1m
250m

解答 7　解答するためのポイント

すれ違いを完了するために要する時間を求めるこの例題では，⑦の式を使います。

すれ違いを完了するためには，両車間の距離に加えて，A・Bそれぞれの最後部までの長さを考慮する必要があります。

$$250\,\text{m} + 12.9\,\text{m} + 12.1\,\text{m} = 275\,\text{m}$$

A・B両車は，

時速50km＋時速40km＝時速90km

の速さで接近してきています。90kmは，

$$90 \times 1{,}000 = 90{,}000\,\text{m}$$

なので，これを秒速に直すと，

$$90{,}000\,\text{m} \div 3{,}600\,秒 = 秒速25\,\text{m}$$

すれ違いを完了するまでの時間は，

$$275\,\text{m} \div 秒速25\,\text{m} = 11\,秒$$

となります。

解答 11秒後

Point ⑧追い越すために必要な距離
＝後車の時速×{（前車の長さ＋後車の長さ＋車間距離×
2）÷（後車の時速－前車の時速）}

例題 8 追い越すために必要な距離を求める問題

時速72kmで走行中のトラックA（長さ9m）が，下図のように
時速50kmで走行中の前車バスB（長さ11m）との車間距離
100mの地点から，バスBを追い越し，100m前方に達するま
での走行距離は何mか？

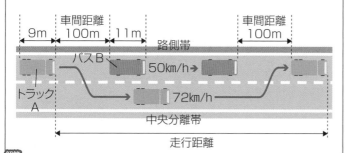

解答 8 解答するためのポイント

追い越すために必要な距離を求めるこの例題では，⑧の式を使
います。
Aは，前を行くBを追い越すためには，
　　Aの長さ（9m）＋Bの長さ（11m）＋車間距離（100m）× 2
　　＝220m＝0.22km
の距離を，Bよりも余計に進まなければなりません。
Bも走っているので，この距離を進む速度は，
　　Aの時速（72km）－Bの時速（50km）＝時速22km
です。
追越しにかかる時間は，
　　0.22km÷時速22km＝1/100時間
Aは時速72kmで走っているので，追越しに要する走行距離は，
　　時速72km×1/100時間＝0.72km＝720m
となります。

解答 720m

自動車が追越しをす
るときは，前の自動
車と追越しをする自
動車の速度差が小さ
い場合には，追越し
に長い時間と距離が
必要になります。

第5章 実務上の知識および能力

学習項目	❓できたらチェック ✅
速度・距離・時間	☐ **1** 自動車が平均時速40kmでA営業所からB営業所まで走行し，A営業所を出発してから3時間30分後にB営業所に到着した。A営業所からB営業所までの距離は何kmか。 `予想`
	☐ **2** 平均時速72kmで走行中の自動車が，5秒間に走行する距離は何mか。 `予想`
	☐ **3** 自動車がA営業所から81km離れたB営業所まで，平均時速45kmで走行した場合，出発してから何時間何分でB営業所に到着するか。 `予想`
	☐ **4** 自動車がA営業所から120km離れたB営業所まで行って帰ってきた場合，往復に要した時間が4時間15分であった。往復の平均時速は時速何kmか。ただし，小数点が出る場合は，小数点第2位を四捨五入するものとする。 `予想`
停止距離	☐ **5** 時速36キロメートルで走行中の自動車を例に取り，運転者が前車との追突の危険を認知しブレーキ操作を行い，ブレーキが効きはじめるまでに要する空走時間を1秒間とし，ブレーキが効きはじめてから停止するまでに走る制動距離を8メートルとすると，当該自動車の停止距離は約13メートルとなるなど，危険が発生した場合でも安全に止まれるような速度と車間距離を保って運転するよう指導している。 `4年度CBT`
すれ違い・追越し	☐ **6** 長さ9.5mのトラックAが，時速42kmで走行中に，対向車線前方の205mの地点に時速48kmで走行してくる長さ10.5mのバスBを認めた。この場合，両車は引き続き同じ速度で走行するものとして，両車がすれ違いを完了するまでに何秒かかるか。 `予想`
	☐ **7** 時速60kmで走行中の長さ10mのトラックが，前を時速40kmで走行する長さ5mの自動車を追い越すために必要な距離は何mか。なお，両車両の車間距離は100mとする。 `予想`

A 解答 1.平均時速40km×3.5時間＝140km／**2.**平均時速72km÷3,600×1,000×5秒＝100m／**3.**81km÷平均時速45km＝1.8時間＝1時間48分／**4.**120km×2÷4.25時間≒平均時速56.5km／**5.**× 時速36km÷3,600×1,000×1秒＋8m＝18m。停止距離は約18mとなる／**6.**(205m＋9.5m＋10.5m)÷{(時速42km＋時速48km)×1,000÷3,600}＝9秒／**7.**時速60km×{(5m＋10m＋100m×2)÷1,000}÷(時速60km－時速40km)×1,000＝645m（追越し後の車間距離も考えなければならないので，車間距離を2倍にすることに注意すること）

試験お役立ち情報

ここでは，さまざまな出題方法による問題や，苦手とする方の多い計算問題の数式一覧表など，試験に役立つ情報をまとめました。最大限に利用して，試験で得点できるよう役立ててください。

試験対策

Lesson +α

頻出度 A

令和3年度第1回試験からCBT試験に全面移行しました。そこで、CBT試験がどのようなものか、また、どのような出題方法なのかを理解しておくため、さまざまな出題方法の問題を用意しました。

試験方法はCBT試験となり、少し変わりましたが、学習内容に変更はないので、安心してください。

❶ CBT試験の概要

CBT試験とは、テストセンターにおいてパソコンを使用して行う試験方法のことです。問題用紙やマークシートを使用せず、パソコンの画面に表示される問題を見てマウス等を用いて解答する試験です。

これまでの筆記試験とは異なり、試験上の注意事項として、次のようなことが明記されています。

（1）　試験時間は90分となります。
　　　試験開始後、残り時間が画面右上に表示されます。
（2）　試験が早く終了された方は、「試験終了」ボタンを押した後、いつでも退室できます。
　　　万一、試験の途中で間違って「試験終了」ボタンを押した場合は試験の再開はできません。
（3）　「文字サイズ」を変更する場合は、画面右上の「文字サイズ」のボタンで変更できます。
（4）　画面右側の「後で確認する」にチェックを選択すると、後から見直しが容易にできます。

これまでの筆記試験と異なるのは、解答の仕方です。マークシートを塗りつぶすことから、パソコンの画面上でマウス等で解答を選択することに変わりました（下記の「問題画面（イメージ）」参照）。

問題画面（イメージ）

問4　近代オリンピックに関する次の記述のうち、[誤っているものを1つ] 選びなさい。

1．オリンピックシンボルは、オリンピック憲章に定義された結び合う5つの輪（オリンピック・リング）で構成されるシンボルである。

2．オリンピックマーク、略称五輪は5色のうち5つ5つ5つのことオリンピックマーク、五輪マークのことである。

3．オリンピックマーク使用される5色は、青、黄、茶、緑、赤である。

4．オリンピックマークの5つの輪は、ヨーロッパ、南北アメリカ、アフリカ、アジア及びオセアニアの5大陸と、その相互の結合と連帯を意味している。

[正しいものを2つ] 選びなさい。
1　2　3　4

マウスで解答を選択

CBT試験をイメージできるサンプルテストは、試験センターのホームページの「CBT試験の体験版」

から受けることができます。どのようなものか体験しておくことをおすすめします。

また，出題方法がこれまでの筆記試験とは少し変わりました。ただ，これまでよりも解答しやすくなった点もあるので，次にさまざまな出題方法について，具体的にみていきましょう。

② **さまざまな出題方法の問題** （解答は P307）

解答の仕方が異なっている問題があります。設問に従って，解答してみましょう。

問題① 正しいもの（誤っているもの）を2つ（1つ）選ぶ問題 30年3月改

次の記述のうち，貨物自動車運送事業の運行管理者の行わなければならない業務として【正しいものを2つ】選びなさい。なお，解答にあたっては，各選択肢に記載されている事項以外は考慮しないものとする。

1．法令の規定により，運転者等に対して点呼を行い，報告を求め，確認を行い，及び指示を与え，並びに記録し，及びその記録を保存し，並びに運転者に対して使用するアルコール検知器を備え置くこと。
2．法令に規定する「運行記録計」を管理し，及びその記録を保存すること。
3．事業用自動車に係る事故が発生した場合には，法令の規定により「事故の発生日時」等の所定の事項を記録し，及びその記録を保存すること。
4．運行管理規程を定め，かつ，その遵守について運行管理業務を補助させるため選任した補助者及び運転者に対し指導及び監督を行うこと。

解答① 解答するためのポイント ➔ P122 ～ 123，P134～P139

1．運行管理者の業務は，運転者等に対して点呼を行い，報告を求め，確認を行い，指示を与え，また所定の事項を記録してその記録を保存し，運転者に対して使用するアルコール検知器を「常時有効に保持すること」です。
4．補助者や運転者に対する指導・監督は運行管理者の業務ですが，運行管理規程を定めることは事業者の義務です。

この問題は，4つの選択肢のうち，正しい内容（誤っている内容）が2つわかれば，消去法で正解が導き出せます。

+α

試験お役立ち情報

それぞれの空欄に入れるべき字句が示されているので，解答しやすいですね！

問題 2 文章中の空欄に入れる語句等を選んで解答し，全てが正しいとき正解とする問題

2年度CBT

道路交通法に定める交通事故の場合の措置についての次の文中，A，B，Cに入るべき字句として【いずれか正しいものを1つ】選びなさい。

　交通事故があったときは，当該交通事故に係る車両等の運転者その他の乗務員は，直ちに車両等の運転を停止して，＿＿A＿＿し，道路における危険を防止する等必要な措置を講じなければならない。この場合において，当該車両等の運転者（運転者が死亡し，又は負傷したためやむを得ないときは，その他の乗務員）は，警察官が現場にいるときは当該警察官に，警察官が現場にいないときは直ちに最寄りの警察署の警察官に当該交通事故が発生した日時及び場所，当該交通事故における＿＿B＿＿及び負傷者の負傷の程度並びに損壊した物及びその損壊の程度，当該交通事故に係る車両等の積載物並びに＿＿C＿＿を報告しなければならない。

A　①事故状況を確認　　　　　　②負傷者を救護
B　①死傷者の数　　　　　　　　②事故車両の数
C　①当該交通事故について講じた措置　②運転者の健康状態

解答 2 解答するためのポイント　　　　　　　　　　　　⟶ P54

道交法第72条第1項では，「交通事故があったときは，当該交通事故に係る車両等の運転者その他の乗務員〈中略〉は，直ちに車両等の運転を停止して，**負傷者を救護**し，道路における危険を防止する等必要な措置を講じなければならない。この場合において，当該車両等の運転者（運転者が死亡し，又は負傷したためやむを得ないときは，その他の乗務員。〈中略〉）は，警察官が現場にいるときは当該警察官に，警察官が現場にいないときは直ちに最寄りの警察署（派出所又は駐在所を含む。〈中略〉）の警察官に当該交通事故が発生した日時及び場所，当該交通事故における**死傷者の数**及び負傷者の負傷の程度並びに損壊した物及びその損壊の程度，当該交通事故に係る車両等の積載物並びに**当該交通事故について講じた措置**〈中略〉を報告しなければならない。」と規定しています。

正しいもの全ての組合せの問題　　　　　　　　2年度CBT

運行管理者が運転者に対し実施する危険予知訓練に関し，下図の交通場面の状況において考えられる＜運転者が予知すべき危険要因＞とそれに対応する＜運行管理者による指導事項＞として，【最もふさわしい＜選択肢の組み合わせ＞1～10の中から3つ】選びなさい。

【交通場面の状況】
・住宅街の道路を走行している。
・前方に二輪車が走行している。
・右側の脇道から車や自転車が出ようとしている。
・前方の駐車車両の向こうに人影が見える。

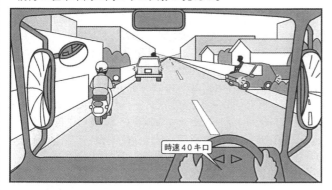

時速40キロ

1．＜運転者が予知すべき危険要因＞
①　二輪車を避けようとしてセンターラインをはみ出すと，対向車と衝突する危険がある。
②　駐車車両に進路を塞がれた二輪車が右に進路を変更してくることが予測されるので，このまま進行すると二輪車と衝突する危険がある。
③　前方右側の脇道から左折しようとしている車の影に見える自転車が道路を横断してくると衝突する危険がある。
④　後方の状況を確認せずに右側に進路変更をすると，後続の二輪車と接触する危険がある。
⑤　駐車車両の先に歩行者が見えるが，この歩行者が道路を横断してくるとはねる危険がある。
2．＜運行管理者による指導事項＞
ア　住宅街を走行する際に駐車車両があるときは，その付近の歩行者の動きにも注意しスピードを落として走行する。
イ　単路でも，いつ前車が進路変更などのために減速や停止をするかわからないので，常に車間距離を保持しておく。

問題文が長くて，難問の部類ですね。

そうとも限りませんよ。「運転者が予知すべき危険要因」と「運行管理者による指導事項」の関連を意識して，最もふさわしいかを考えていきましょう。また，「選択肢の組み合わせ」が示されているので，これもヒントになります。まずは冷静に問題文を読んでください。

+α
試験お役立ち情報

ウ　進路変更するときは，必ず後続車の有無を確認するととも
　　に，後続車があるときは，決して強引な進路変更はしない。

エ　右側の脇道から自転車が出ようとしているので，周辺の交
　　通状況を確認のうえ，脇道の自転車の動きに注意し走行する。
　　仮に出てきた場合は先に行かせる。

オ　二輪車は，後方の確認をしないまま進路を変更することが
　　よくあるので，二輪車を追い越そうとはせず先に行かせる。

3．＜選択肢の組み合わせ＞

1：①－イ　　　2：①－ウ　　　3：②－エ　　　4：②－オ
5：③－ア　　　6：③－エ　　　7：④－イ　　　8：④－オ
9：⑤－ア　　10：⑤－ウ

解答

3 解答するためのポイント　　　　　　　　　　⇒ P125，P279

②－オ　前方の二輪車が進路を変更することにより，この二輪
　　車と衝突する危険があることを＜運転者が予知すべき危険要
　　因＞としています。したがって，二輪車の進路変更について
　　述べているオの＜運行管理者による指導事項＞が対応します。

③－エ　前方で左折しようとしている車の影に見える自転車と
　　の衝突の危険があることを＜運転者が予知すべき危険要因＞
　　としています。したがって，脇道の自転車の動きに注意する
　　よう述べているエの＜運行管理者による指導事項＞が対応し
　　ます。

⑤－ア　道路を横断してくる歩行者をはねる危険があることを
　　＜運転者が予知すべき危険要因＞としています。したがって，
　　駐車車両の付近の歩行者の動きに注意するよう述べているア
　　の＜運行管理者による指導事項＞が対応します。

問題 4 適切なものを全て選び，全てが正しいとき正解とする問題　29年3月改

自動車運送事業者において最近普及の進んできた映像記録型ドライブレコーダー（以下「ドライブレコーダー」という。）等を活用した運転者指導の取組に関する次の記述のうち，【適切なものをすべて】選びなさい。なお，解答にあたっては，各選択肢に記載されている事項以外は考慮しないものとする。

1．ドライブレコーダーによる危険度の高い運転やヒヤリ・ハットの映像記録と，デジタル式運行記録計の速度・加速度等のデータを連携させることにより，運転行動全体を適確に把握し，運転指導や運行管理の改善に役立てている。

2．ドライブレコーダーは，事故時の映像だけでなく，運転者のブレーキ操作やハンドル操作などの運転状況を記録し，解析診断することで運転のクセ等を読み取ることができるものがあり，運行管理者が行う運転者の安全運転の指導に活用されている。

3．デジタル式運行記録計は，自動車の運行中，交通事故や急ブレーキ，急ハンドルなどにより当該自動車が一定以上の衝撃を受けると，衝突前と衝突後の前後10数秒間の映像などを記録する装置であり，事故防止対策の有効な手段の一つとして活用されている。

4．衝突被害軽減ブレーキは，レーダー等で検知した前方の車両等に衝突する危険性が生じた場合に運転者にブレーキ操作を行うよう促し，さらに衝突する可能性が高くなると自動的にブレーキが作動し，衝突による被害を軽減させるためのものである。当該ブレーキが備えられている自動車に乗務する運転者に対しては，当該ブレーキの機能等を正しく理解させる必要がある。

解答 4 解答するためのポイント　➡ P122 ～ P123，P280 ～ P281

3．映像記録型ドライブレコーダーとは，車両に大きな衝撃が加わった前後十数秒の時間，位置，前方映像，加速度，ウインカー操作，ブレーキ操作等を記録する装置です。デジタル式運行記録計は，自動車の速度や運行距離，運行時間などを自動的にメモリーカードなどに記録する装置であり，映像を記録する機能はありません。

この問題では，正しい選択肢が複数あれば，すべてを選択しなければなりません。選択漏れがないように，注意してください。

+α

試験お役立ち情報

この問題は，選択肢ごとに選んだ解答すべてに正解しないと得点にならないので，要注意です。

荷主から貨物自動車運送事業者に対し，往路と復路において，それぞれ荷積みと荷下ろしを行うよう運送の依頼があった。これを受けて，運行管理者は次に示す「当日の運行計画」を立てた。この事業用自動車の運行に関する次のア～ウについて解答しなさい。なお，本運行は，高速道路のサービスエリア等に駐停車できないため，やむを得ず連続運転時間を延長できる場合には該当しない。また，本問においては，荷積み及び荷下ろしの時間は，運転中断の時間として扱うものとする。解答にあたっては，「当日の運行計画」及び各選択肢に記載されている事項以外は考慮しないものとする。

「当日の運行計画」

往路

○ A営業所を出庫し，30キロメートル離れたB地点まで平均時速30キロメートルで走行する。

○ B地点にて20分間の荷積みを行う。

○ B地点から165キロメートル離れたC地点までの間，一部高速自動車国道を利用し，平均時速55キロメートルで走行して，C地点に12時に到着する。20分間の荷下ろし後，1時間の休憩をとる。

復路

○ C地点にて20分間の荷積みを行い，13時40分に出発し，60キロメートル離れたD地点まで平均時速30キロメートルで走行する。D地点で20分間の休憩をとる。

○ 休憩後，D地点からE地点まで平均時速25キロメートルで走行して，E地点に18時に到着し，20分間の荷下ろしを行う。

○ E地点から20キロメートル離れたA営業所まで平均時速30キロメートルで走行し，19時に帰庫する。

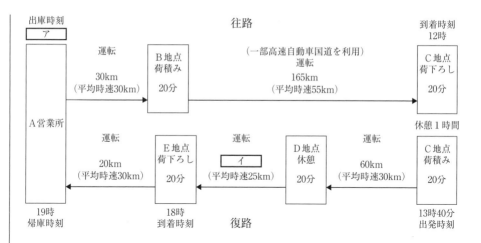

ア．C地点に12時に到着させるためにふさわしいA営業所の出庫時刻 ア について，次の①～④の中から【正しいものを1つ】選びなさい。
　① 7時00分　　② 7時20分
　③ 7時40分　　④ 8時00分

イ．D地点とE地点間の距離 イ について，次の①～④の中から【正しいものを1つ】選びなさい。
　① 45キロメートル　　② 50キロメートル
　③ 55キロメートル　　④ 60キロメートル

ウ．当日の全運行において，連続運転時間は「自動車運転者の労働時間等の改善のための基準」に照らし，違反しているか否かについて，次の①～②の中から【正しいものを1つ】選びなさい。
　① 違反していない　　② 違反している

解答
5　解答するためのポイント　　➡ P254 ～ P255, P288

ア．**走行時間**は「**距離÷時速**」で求めることができます。運行計画によれば，A営業所から30キロメートル離れたB地点まで平均時速30キロメートルで走行するので，この間の走行時間は，30km÷時速30km＝1時間となります。また，B地点からC地点までは165キロメートルを平均時速55キロメートルで走行するので，この間の走行時間は，165km÷時速55km＝3時間となります。B地点での荷積み時間が20分あるので，A営業所を出庫してからC地点に到着するまでに，1時間＋20分＋3時間＝4時間20分かかります。したがって，C地点に12時に到着させるためにふさわしいA営業所の出庫時刻は，

12時 − 4時間20分 = **7時40分**となります。

イ．Ｃ地点を13時40分に出発し，Ａ営業所に19時に帰庫して
いるので，この間にかかった時間は，19時 − 13時40分 = 5時
間20分です。また，ＣＤ間の走行時間は60km ÷ 時速30km =
2時間，ＥＡ間の走行時間は20km ÷ 時速30km = 2/3時間 =
40分なので，**ＤＥ間の走行時間**は，5時間20分 − 2時間（Ｃ
Ｄ間の走行時間）− 20分（Ｄ地点での休憩時間）− 20分（Ｅ
地点での荷下ろし時間）− 40分（ＥＡ間の走行時間）= **2時
間**となります。距離は「**時速×走行時間**」で求めることがで
きるので，Ｄ地点とＥ地点の間の距離は，時速25km × 2時間
= **50km**となります。

ウ．改善基準告示では，連続運転時間は，原則として**4時間以
内**でなければならず，運転開始後4時間以内，または4時間
経過直後に，**30分以上**，**運転を中断**しなければならないと
しています。ただし，運転の中断は，**1回がおおむね連続10分
以上**とした上で分割することもできます。また，運転の中断
時には，原則として休憩を与えなければなりません（ただし，
特段の事情がある場合は，荷積み・荷下ろしの時間も運転中
断時間として扱われる）。これをふまえて本問の運行計画を見
ると（本問では，荷積み・荷下ろしの時間も運転中断時間と
して扱うことを前提とする），往路は「1時間の運転⇒20分
の運転中断（荷積み）⇒3時間の運転⇒1時間40分の運転中
断（荷下ろし20分 + 休憩1時間 + 荷積み20分）」なので，**4
時間の運転**に対し，**30分以上の運転中断**（合計2時間の休憩等）
をしています。復路は，まず「2時間の運転⇒20分の運転中
断（休憩）⇒2時間の運転⇒20分の運転中断（荷下ろし）」
なので，**4時間の運転**に対し，**30分以上の運転中断**（合計40
分の休憩等）をしており，その後は，**4時間以内**（40分）の
運転後に乗務を終了しています。したがって，往路・復路と
もに連続運転時間は4時間を超えておらず，改善基準告示に
違反していません。

③ 計算問題の数式一覧表

　計算問題が苦手な方のために，計算問題の数式を一覧表にしました。計算問題で数式が思い出せないとき，また，試験の直前に，この一覧表を見て確認してみてください。

1　速度・距離・時間

- 走行距離(km)＝**平均時速(km)×所要時間**
　※時速を秒速に直す問題は，以下の計算を忘れないように！
　秒速(m)＝時速(km)÷3600×1000
　　　　　　　　（1時間は3600秒）（1kmは1000m）
- ある距離を走行する時間（所要時間）＝**走行距離÷平均時速**
- 平均時速＝**走行距離÷所要時間**

2　燃料消費率

- 燃料消費率(燃費)＝**走行距離(km)÷消費した燃料(L)**

3　事故発生率

- 事故発生率
　＝**(事故の種類別件数×1件あたりの責任点数)の合計÷**
　(稼働車両数×1車両あたりの平均走行距離)

4　停止距離

- 停止距離＝**空走距離(秒速×空走時間)＋制動距離**

5　すれ違い・追越し

- すれ違いを完了するために要する時間(秒)
　＝**(両車間の距離＋両車の長さの合計)÷両車の秒速の合計**
- 追い越すために必要な距離
　＝**後車の時速×{(前車の長さ＋後車の長さ＋車間距離×2)÷**
　(後車の時速−前車の時速)}

PLUS ONE プラス1

速度・距離・時間の数式は，次の図でも導き出せる。

使い方は，求めるものを指で隠すだけでよい。例えば，速度の数式を知りたいときは，「速度」の部分を隠す。そうすると，「距離÷時間」と数式が出てくる。

α 試験お役立ち情報

A ②さまざまな出題方法の問題　解答
問題1　2・3／問題2　A→2　B→1　C→1／問題3　4・6・9／問題4　1・2・4／問題5　ア→3　イ→2　ウ→1

一問一答
復習ドリル50問

ここでは，試験で繰り返し問われる重要ポイントを一問一答にしました。問題と解答解説は見開きになっているので，知識の確認もスムーズに行えます。解説部分は，赤シートを使って穴埋め問題としても活用できます。過去問題と予想模擬試験に取り組む前のチェックに役立ててください。

第1章 道路交通法関係

 Q1 車両は，法令の規定により駐車しようとする場合には，当該車両の右側の道路上に3メートル（道路標識等により距離が指定されているときは，その距離）以上の余地があれば駐車してもよい。

 Q2 車両は，道路外の施設または場所に出入するためやむを得ない場合において歩道等を横断するとき，または法令の規定により歩道等で停車し，もしくは駐車するため必要な限度において歩道等を通行するときは，歩道等に入る直前で一時停止し，かつ，歩行者の通行を妨げないようにしなければならない。

 Q3 車両は，道路の中央から左の部分の幅員が6mに満たない道路において，他の車両を追い越そうとするとき（道路の中央から右の部分を見とおすことができ，かつ，反対の方向からの交通を妨げるおそれがない場合に限るものとし，道路標識等により追越しのため右側部分にはみ出して通行することが禁止されている場合を除く）は，道路の中央から右の部分にその全部または一部をはみ出して通行することができる。

 Q4 信号機の表示する信号の種類が赤色の灯火のときは，交差点において，すでに右折している自動車は，青色の灯火により進行することができることとされている自動車に優先して進行することができる。

 Q5 車両は，踏切の前後の側端からそれぞれ前後に10メートル以内の道路の部分においては，法令の規定もしくは警察官の命令により，または危険を防止するため一時停止する場合のほか，停車し，または駐車してはならない。

車両は，法令の規定により駐車しようとする場合には，車両の右側の　✕
道路上に3.5m（道路標識等によって距離が指定されているときはその
距離）以上の余地がなくなる場所には，原則として駐車できない。

 記述のとおり。また，横断歩道等に接近する場合に，歩行者等が横断　○
しているときや横断しようとしているときは，横断歩道等の直前で一
時停止し，歩行者等の通行を妨げないようにしなければならない。

 記述のとおり。なお，道路の中央から左側部分の幅員が6m以上の場　○
合には，追越しは道路の中央から左側部分で行わなければならず，道
路の中央から右側にはみ出してはならない。

 交差点ですでに右折している車両等（多通行帯道路等通行一般原動機　✕
付自転車，特定小型原動機付自転車および軽車両を除く）は，そのま
ま進行できる。ただし，青色の灯火によって進行している車両等の進
行妨害をしてはならない。

 記述のとおり。また，車両は，法令の規定・警察官の命令により，ま　○
たは危険を防止するため，停止し，もしくは停止しようとして徐行し
ている車両等またはこれらに続いて停止し，もしくは徐行している車
両等に追いついたときは，その前方にある車両等の側方を通過してそ
の車両等の前方に割り込み，またはその前方を横切ってはならない。

一問

車両は，横断歩道または自転車横断帯の前後の側端からそれぞれ前後に5m以内の道路の部分においては，法令の規定もしくは警察官の命令により，または危険を防止するため一時停止する場合のほか，停車し，または駐車してはならない。

 自動車の使用者は，自動車の運転者に対し，道路交通法第57条第1項で定める積載物の重量，大きさ，もしくは積載の方法の制限を超えて積載をして運転することを命じ，またはこれらの行為をすることを容認してはならない。

 車両等の運転者が右折し，または転回するときの合図を行う時期は，その行為をしようとする地点（交差点において右折する場合にあっては，当該交差点の手前の側端）から30メートル手前の地点に達したときである。

 準中型免許を受けた者（大型免許・中型免許保有者を除く）であって，21歳以上かつ普通免許を受けていた期間（当該免許の効力が停止されていた期間を除く）が通算して3年以上の者は，政令で定める準中型自動車を運転することができる。

 下の道路標識は，「車両は，法令の規定もしくは警察官の命令により，または危険を防止するため一時停止する場合のほか，8時から20時までの間は停車してはならない。」ことを示している。

 「道路標識，区画線及び道路標示に関する命令」に定める様式
斜めの帯および枠を赤色，文字および縁を白色，地を青色とする。

A6 記述のとおり。また，車両は，交差点の側端または道路のまがりかどから5m以内の道路の部分においても，法令の規定もしくは警察官の命令により，または危険を防止するため一時停止する場合のほか，停車し，または駐車してはならない。 ○

 A7 使用者は，運転者に対し，この積載制限違反運転のほかにも，無免許運転，最高速度違反運転，酒気帯び運転，過労・薬物運転，無資格運転，車両放置行為を命じたり，または運転者がこれらの行為をすることを容認したりしてはならない。 ○

 A8 記述のとおり。また，車両の運転者が同一方向に進行しながら進路を左方または右方に変えるときの合図を行う時期は，進路を左方または右方に変えようとする時の3秒前のときである。 ○

 A9 記述のとおり。準中型免許は18歳から取得することができ，車両総重量が3,500kg以上7,500kg未満または最大積載量が2,000kg以上4,500kg未満の準中型自動車を運転することができる。 ○

一問

 A10 設問の道路標識は，「車両は，8時から20時までの間は駐車してはならない。」ことを示している。停車ではない。 ×

第2章 貨物自動車運送事業法関係

 国土交通大臣は，一般貨物自動車運送事業の許可の申請において，その事業の計画が過労運転の防止，事業用自動車の安全性その他輸送の安全を確保するため適切なものであること等，法令で定める許可の基準に適合していると認めるときでなければ，その許可をしてはならない。

 一般貨物自動車運送事業とは，特定の者の需要に応じ，有償で，自動車（三輪以上の軽自動車および二輪の自動車を除く。）を使用して貨物を運送する事業をいう。

 一般貨物自動車運送事業者は，運転者が長距離運転または夜間の運転に従事する場合であって，疲労等により安全な運転を継続することができないおそれがあるときは，あらかじめ，当該運転者と交替するための運転者を配置しておかなければならない。

 業務終了後の点呼においては，「道路運送車両法第47条の2第1項及び第2項の規定による点検（日常点検）の実施又はその確認」について報告を求め，および確認を行わなければならない。

 貨物自動車運送事業者は，業務前点呼または業務後点呼のいずれか一方を対面または対面による点呼と同等の効果を有するものとして国土交通大臣が定める方法で行うことができない業務を行う運転者等に対しては，これらの点呼のほかに，業務の途中において少なくとも1回，対面による点呼と同等の効果を有するものとして国土交通大臣が定める方法（この方法により点呼を行うことが困難である場合には，電話その他の方法）による中間点呼を行わなければならない。

A11 記述のとおり。なお，一般貨物自動車運送事業者が許可の申請をする ◯
際には，必要事項を記載した申請書を提出し，その申請書には必要な
書類を添付しなければならない。

 A12 一般貨物自動車運送事業とは，他人の需要に応じ，有償で，自動車（三 ✕
輪以上の軽自動車および二輪の自動車を除く）を使用して貨物を運送
する事業であって，特定貨物自動車運送事業以外のものをいう。

 A13 記述のとおり。また，事業者は，休憩または睡眠のための時間および ◯
勤務が終了した後の休息のための時間が十分に確保されるように，国
土交通大臣が告示で定める基準に従って，運転者の勤務時間および乗
務時間を定め，運転者にこれらを遵守(じゅんしゅ)させなければならない。

 A14 業務前点呼においては，道路運送車両法第47条の2第1項および第2 ✕
項の規定による点検（日常点検）の実施またはその確認が報告事項と
されているが，業務後点呼においては，このことは報告事項とはされ
ていない。

 A15 中間点呼を行う必要があるのは，業務前と業務後のいずれも対面によ ✕
る点呼または対面による点呼と同等の効果を有するものとして国土交
通大臣が定める方法による点呼ができないときであり，いずれか一方
でも対面による点呼または対面による点呼と同等の効果を有するもの
として国土交通大臣が定める方法による点呼ができる場合は，中間点
呼を行う義務はない。

一問

業務終了後の点呼における運転者の酒気帯びの有無については，当該運転者からの報告と目視等による確認で酒気を帯びていないと判断できる場合は，アルコール検知器を用いての確認は実施する必要はない。

 一般貨物自動車運送事業者は，業務前および業務後の点呼のいずれも対面または対面による点呼と同等の効果を有するものとして国土交通大臣が定める方法で行うことのできない業務を含む運行ごとに，所定事項を記載した運行指示書を作成しなければならない。

 事業者は，特別積合せ貨物運送にかかる運行系統に配置する事業用自動車にかかる運転者または特定自動運行保安員の業務について，運行記録計による記録を行わなければならない。

 一般貨物自動車運送事業者等は，事業用自動車にかかわる事故が発生した場合には，所定の事項を記録し，その記録をその事業用自動車の運行を管理する営業所において1年間保存しなければならない。

 一般貨物自動車運送事業者は，法令に基づき事業用自動車の運転者として常時選任するために新たに雇い入れた場合には，当該運転者について，自動車安全運転センターが交付する無事故・無違反証明書または運転記録証明書等により，雇い入れる前の事故歴を把握し，事故惹起運転者に該当するか否かを確認しなければならない。

 一般貨物自動車運送事業者は，新たに選任した運行管理者に，選任届出をした日の属する年度（やむを得ない理由がある場合にあっては，当該年度の翌年度）に基礎講習または一般講習（基礎講習を受講していない当該運行管理者にあっては，基礎講習）を受講させなければならない。ただし，他の事業者において運行管理者として選任されていた者にあっては，この限りでない。

A16 業務前点呼や業務後点呼などの際，酒気帯びの有無について確認を行 ✕
う場合には，運転者の状態を目視などで確認するだけでなく，必ず運
転者の所属する営業所に備えられたアルコール検知器を用いて行わな
ければならない。

 A17 記述のとおり。一般貨物自動車運送事業者は，運行指示書により事業 ◯
用自動車の運転者等に対し適切な指示を行い，また，これをその運転
者等に携行させなければならない。

 A18 記述のとおり。事業者は，その事業用自動車の瞬間速度，運行距離お ◯
よび運行時間を運行記録計により記録し，その記録を1年間保存しな
ければならない。

 A19 業務の記録の保存期間は1年間だが，事故の記録の保存期間は3年間。 ✕

 A20 記述のとおり。事故惹起運転者とは，死者または重傷者を生じた交通 ◯
事故を引き起こした運転者や，軽傷者を生じた交通事故を引き起こし，
かつ，その事故前の3年間に交通事故を引き起こしたことがある運転
者をいう。

 A21 運行管理者として「新たに選任した者」とは，当該事業者において初 ✕
めて選任された者のことをいい，当該事業者において過去に運行管理
者として選任されていた者や他の営業所で選任されていた者は含まれ
ない。つまり，他の事業者において運行管理者として選任されていた
者であっても，当該事業者において運行管理者として選任されたこと
がなければ，運行管理者として選任された者は，「新たに選任した者」
に該当することになる。したがって，他の事業者において運行管理者
として選任されていた者であっても，当該事業者において初めて運行
管理者として選任された者には，基礎講習または一般講習を受講させ
なければならない。

一問

一般貨物自動車運送事業者は，事故を引き起こした場合または処分の原因となった違反行為をした場合には，これにかかる営業所に属する運行管理者（当該営業所に複数の運行管理者が選任されている場合にあっては，統括運行管理者および事故等について相当の責任を有する者として運輸支局長等が指定した運行管理者）に，当該事故の報告書を運輸支局長等に提出した日または当該処分のあった日から1年（やむを得ない理由がある場合にあっては，1年6か月）以内においてできる限り速やかに特別講習を受講させなければならない。

 偏荷重が生じたり，貨物が運搬中に荷崩れ等により落下することを防止するため貨物の積載方法について，従業員に対する指導および監督を行うことは，一般貨物自動車運送事業の運行管理者の業務である。

 事業用自動車の運転者が走行中に意識がもうろうとしてきたので直近の駐車場に駐車させ，その後の運行を中止した。後日，当該運転者は脳梗塞と診断された場合，一般貨物自動車運送事業者は自動車事故報告規則に基づき，国土交通大臣に報告しなければならない。

 消防法に規定する危険物である灯油を積載した事業用のタンク車が，運搬途中の片側1車線の一般道のカーブ路においてハンドル操作を誤り，転覆し，積み荷の灯油の一部がタンクから漏えいする単独事故を引き起こした。この事故で，当該タンク車の運転者が軽傷を負った場合，一般貨物自動車運送事業者は自動車事故報告規則に基づき運輸支局長等に速報を要する。

A22 当該事故または当該処分があった日から1年（やむを得ない理由がある ✕
る場合にあっては，1年6か月）以内においてできる限りすみやかに
特別講習を受講させなければならない。

 A23 記述のとおり。また，過積載による運送の防止について，運転者，特 ◯
定自動運行保安員その他の従業員に対する指導および監督を行うこと
も，運行管理者の業務である。

 A24 運転者または特定自動運行保安員の疾病により，事業用自動車の運行 ◯
を継続することができなくなった場合には，国土交通大臣への報告が
必要である。

 A25 自動車が転覆したことにより，自動車に積載された危険物，火薬類ま ◯
たは高圧ガスなどの全部・一部が飛散し，または漏えいした事故につ
いては，事故報告書を提出するほかに，24時間以内に，できる限りす
みやかに，その事故の概要を運輸監理部長または運輸支局長に速報を
する必要がある。

一問

臨時運行許可の有効期間は，特にやむを得ない場合を除き5日を超えてはならない。

 一時抹消登録を受けた自動車の所有者は，その自動車が滅失し，解体し（整備または改造のために解体する場合を除く），または自動車の用途を廃止した場合などには，その事由があった日から15日以内に，永久抹消登録の申請をしなければならない。

 検査標章は，自動車検査証がその効力を失ったとき，または継続検査，臨時検査もしくは構造等変更検査の結果，当該自動車検査証の返付を受けることができなかったときは，当該自動車に表示してはならない。

 貨物の運送の用に供する普通自動車であって，車両総重量が8t以上または最大積載量が5t以上のものの原動機には，時速100kmを超えて自動車が走行しないよう燃料の供給を調整し，かつ，自動車の速度の制御を円滑に行うことができるものとして，告示で定める基準に適合する速度抑制装置を備えなければならない。

 自動車（被けん引自動車を除く。）には，警音器の警報音発生装置の音が，連続するものであり，かつ，音の大きさおよび音色が一定なものである警音器を備えなければならない。

記述のとおり。また，有効期間が満了したときは，その日から5日以 ○
内に臨時運行許可証と臨時運行許可番号標（仮ナンバー）を返納しな
ければならない。

 一時抹消登録を受けた自動車の場合は，永久抹消登録の申請ではなく， ✕
国土交通大臣への届出をしなければならない。

 記述のとおり。検査標章は，①自動車検査証を交付するとき，②自動 ○
車検査証に有効期間を記録して返付するときに交付され，国土交通省
令で定めるところにより，その交付の際の自動車検査証の有効期間の
満了する時期が表示されている。

 車両総重量8t以上または最大積載量が5t以上の貨物自動車の原動 ✕
機には，時速90kmを超えて走行しないよう速度抑制装置を備えなけ
ればならない。

 記述のとおり。自動車の警音器は，警報音を発生することにより他の ○
交通に警告することができ，かつ，その警報音が他の交通を妨げない
ものとして，音色，音量等に関し告示で定める基準に適合するもので
なければならない。

一問

労働基準法第106条に基づき使用者は，この法律およびこれに基づく命令の要旨，就業規則，時間外労働・休日労働に関する協定等を，常時各作業場の見やすい場所へ掲示し，または備え付けること，書面を交付することその他の厚生労働省令で定める方法によって，労働者に周知させなければならない。

 労働時間は，事業場を異にする場合においても，労働時間に関する規定の適用については通算するが，異なる事業者の複数の事業場で労働する場合には，労働時間を通算しないことができる。

 使用者は，労働者に，休憩時間を含め1週間について40時間を超えて，労働させてはならない。また，1週間の各日については，労働者に，休憩時間を含め1日について8時間を超えて，労働させてはならない。

 使用者が，労働基準法の規定により労働時間を延長し，または休日に労働させた場合においては，その時間またはその日の労働については，通常の労働時間または労働日の賃金の計算額の2割5分以上5割以下の範囲内でそれぞれ政令で定める率以上の率で計算した割増賃金を支払わなければならない。

 使用者は，年次有給休暇が10日以上付与される労働者を対象に，労働者ごとに年次有給休暇を付与した日（基準日）から1年以内に5日について，取得時季を指定して年次有給休暇を取得させなければならない。

 就業規則は，法令または当該事業場について適用される労働協約に反してはならない。また，行政官庁は，法令または労働協約に抵触する就業規則の変更を命ずることができる。

A31 使用者が労働者に周知させる方法は，①常時，各作業場の見やすい場 ○
所に掲示し，または備え付けること，②労働者に書面を交付すること，
③電子的データとして記録し，かつ，各作業場に労働者がその記録の
内容を常時確認できる機器を設置することがある。

 A32 労働時間は，事業場を異にする場合においても，労働時間に関する規 ✕
定の適用については通算する。これは，同じ事業者の複数の事業場で
労働する場合だけでなく，異なる事業者の複数の事業場で労働する場
合でも，同様である。

 A33 使用者は原則として労働者に，休憩時間を除き，1日について8時間， ✕
1週間について40時間を超えて労働させてはならない。休憩時間は含
まれないので注意。

 A34 記述のとおり。また，使用者が労働者に，原則として午後10時から午 ○
前5時までの間に労働させた場合（深夜労働）には，通常の労働時間
の賃金の計算額の2割5分以上の率で計算した割増賃金を支払わなけ
ればならない。

 A35 時季指定については，労働者の意見を聴かなければならず，できる限 ○
り労働者の希望に沿った取得時季になるように，聴取した意見を尊重
するよう努めなければならない。

 A36 記述のとおり。使用者が一方的に定める就業規則よりも，国会や省庁 ○
などが定める法令や，労働者側である労働組合と使用者とで定める労
働協約が優先するのは，当然のことといえる。

一問

下表は，貨物自動車運送事業に従事する自動車運転者の特定日を起算日と
した運転時間を示したものであるが，このうち「自動車運転者の労働時間
等の改善のための基準」に<u>違反しているもの</u>はどれか。

1.

特定日の前日		特定日		特定日の翌日
運転時間10時間		運転時間10時間		運転時間8時間

2.

特定日の前日		特定日		特定日の翌日
運転時間9時間		運転時間10時間		運転時間10時間

3.

特定日の前日		特定日		特定日の翌日
運転時間9時間		運転時間10時間		運転時間8時間

4.

特定日の前日		特定日		特定日の翌日
運転時間11時間		運転時間9時間		運転時間9時間

- -

 使用者は，トラック運転者（隔日勤務に就く運転者以外のもの）が同時に
1台の事業用自動車に2人以上乗務する場合であって，車両内に身体を伸
ばして休息することができる設備があるときは，原則として，1日につい
ての最大拘束時間を22時間まで延長することができる。

- -

 使用者は，業務の必要上やむを得ない場合には，原則として，当分の間，
2暦日についての拘束時間が20時間を超えず，かつ，勤務終了後，継続
20時間以上の休息期間を与える場合に限り，トラック運転者を隔日勤務に
就かせることができる。

A37 改善基準告示では，1日の運転時間を，2日（始業時刻から起算して48時間）を平均して，9時間以内に制限している。

本問の1〜4について，それぞれ「特定日の前日＋特定日」，「特定日＋特定日の翌日」の2日の平均運転時間を計算すると，以下の表のようになる。

	「特定日の前日＋特定日」の平均運転時間	「特定日＋特定日の翌日」の平均運転時間
1	（10＋10）÷2＝10時間	（10＋8）÷2＝9時間
2	（9＋10）÷2＝9.5時間	（10＋10）÷2＝10時間
3	（9＋10）÷2＝9.5時間	（10＋8）÷2＝9時間
4	（11＋9）÷2＝10時間	（9＋9）÷2＝9時間

ここで，「特定日の前日＋特定日」の平均運転時間と，「特定日＋特定日の翌日」の平均運転時間との両方が9時間を超えなければ違反にはならないので，1・3・4は違反していない。しかし，2は両方とも9時間を超えているので違反している。

正解　2

問

 A38 使用者は，トラック運転者（隔日勤務に就く運転者以外のもの）が同時に1台の事業用自動車に2人以上乗務する場合であって，車両内に身体を伸ばして休息することができる設備があるときは，原則として，1日についての最大拘束時間を20時間まで延長することができるとともに，休息期間を4時間まで短縮することができる。　✕

 A39 使用者は，業務の必要上やむを得ない場合には，原則として，当分の間，2暦日についての拘束時間が21時間を超えず，かつ，勤務終了後，継続20時間以上の休息期間を与える場合に限り，トラック運転者を隔日勤務に就かせることができる。　✕

下表は，貨物自動車運送事業に従事する自動車運転者の１年間における各月の拘束時間の例を示したものであるが，このうち，「自動車運転者の労働時間等の改善のための基準」に<u>違反していないもの</u>はどれか。なお，１か月及び１年についての拘束時間の延長に関する労使協定があるものとし，年間の拘束時間は違反していないものとする。

1.

	4月	5月	6月	7月	8月	9月	10月	11月	12月	1月	2月	3月
各月の拘束時間	295時間	284時間	245時間	267時間	300時間	260時間	250時間	295時間	310時間	300時間	284時間	310時間

2.

	4月	5月	6月	7月	8月	9月	10月	11月	12月	1月	2月	3月
各月の拘束時間	295時間	285時間	244時間	267時間	300時間	260時間	250時間	295時間	312時間	300時間	282時間	310時間

3.

	4月	5月	6月	7月	8月	9月	10月	11月	12月	1月	2月	3月
各月の拘束時間	295時間	285時間	245時間	266時間	260時間	250時間	300時間	295時間	310時間	300時間	284時間	310時間

4.

	4月	5月	6月	7月	8月	9月	10月	11月	12月	1月	2月	3月
各月の拘束時間	295時間	284時間	245時間	207時間	300時間	260時間	250時間	295時間	312時間	300時間	282時間	310時間

改善基準告示では，原則として，1年の拘束時間は3,300時間以内，かつ，1か月の拘束時間は284時間以内に制限している。ただし，①労使協定により，1年のうち6か月までは，1年の総拘束時間が3,400時間を超えない範囲内において，1か月の拘束時間を310時間まで延長することができるが，②1か月の拘束時間が284時間を超える月は連続3か月までとしなければならない。

　本問では，労使協定があるものとされている。また，年間の拘束時間は上記の規定に違反していないものとされているので，拘束時間の年間合計を計算する必要はない。

1. 1か月の拘束時間が310時間を超える月はなく，1か月の拘束時間が284時間を超える月は4月，8月，11月，12月，1月，3月の6か月であり，上記①には違反していない。また，1か月の拘束時間が284時間を超える月が連続しているのは11月，12月，1月の3か月なので，上記②にも違反していない。したがって，改善基準告示に違反していない。
2. 1か月の拘束時間が284時間を超える月は4月，5月，8月，11月，12月，1月，3月の7か月であり，しかも12月は310時間を超えているので（上記①に違反），改善基準告示に違反している。
3. 1か月の拘束時間が284時間を超える月は4月，5月，10月，11月，12月，1月，3月の7か月であり（上記①に違反），しかも284時間を超える月が連続しているのが10月，11月，12月，1月の4か月なので（上記②に違反），改善基準告示に違反している。
4. 1か月の拘束時間が284時間を超える月は4月，8月，11月，12月，1月，3月の6か月だが，12月は310時間を超えているので（上記①に違反），改善基準告示に違反している。

　以上より，改善基準告示に違反していないものは，1である。　正解　1

一問

車両の重量が重い自動車は，スピードを出すことにより，カーブでの遠心力が大きくなるため横転などの危険性が高くなり，また，制動距離が長くなるため追突の危険性も高くなる。このため，法定速度を遵守し，十分な車間距離を保つことを運転者に指導する必要がある。

 自動車が時速78kmで走行中，障害物を発見し急ブレーキをかけて停止したときの停止距離について，次のうち正しいものはどれか。

この場合，

① 当該自動車の時速78kmにおける制動距離は55m

②空走距離は空走時間を1秒

として算出する。

ただし，小数点が出る場合は，小数点第2位を四捨五入するものとする。

1：	70.4m
2：	72.5m
3：	75.7m
4：	76.7m

 四輪車を運転する場合，二輪車との衝突事故を防止するための注意点として，①二輪車は死角に入りやすいため，その存在に気づきにくく，また，②二輪車は速度が実際より遅く感じたり，距離が実際より遠くに見えたりする特性がある。したがって，運転者に対してこのような点に注意するよう指導する必要がある。

 ウェット・スキッド現象とは，雨の降りはじめに，路面の油や土砂などの微粒子が雨と混じって滑りやすい膜を形成するため，タイヤと路面との摩擦係数が低下し急ブレーキをかけたときなどにスリップすることをいう。

A41 記述のとおり。カーブでの遠心力は、車両の重量に比例し、速度の2 ○
乗に比例して大きくなる。また、慣性力は車両の重量に比例して大き
くなるので、重量が増加するほど制動距離が長くなり、追突の危険性
も高くなるため、法定速度の遵守（じゅんしゅ）、車間距離について指導する必要が
ある。

 A42 空走距離と制動距離とを加えたものが停止距離である。
1km＝1,000m、1時間＝3,600秒であるから、時速78kmを秒速に
直すと、

78 × 1,000 ÷ 3,600 ≒ 21.7m/秒

空走時間は1秒であるから、空走距離は、

21.7m/秒× 1秒＝ 21.7m

停止距離＝空走距離＋制動距離であるから、本問の場合の停止距離は、

21.7m ＋ 55m ＝ 76.7m

となる。　　　　　　　　　　　　　　　　　　　　　　　　正解　4

一問

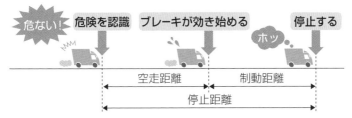

 A43 記述のとおり。また、トラックなど運転者席が高い位置にある大型車 ○
の場合は、運転者の視点の位置が高く、前方を上から見下ろすように
運転するため、前方の視界が広く開いている。そのため、実際より車
間距離を長く感じてしまうことがある。したがって、必要な車間距離
がとれているかどうかについても注意する必要がある。

 A44 記述のとおり。ウェット・スキッド現象を防ぐには、雨の降り始めに ○
は速度を落とし、車間距離を十分にとって不用意な急ハンドルや急ブ
レーキを避けるのがよい。

事業者は，法令により定められた健康診断を実施することが義務づけられ
ている が，運転者が自ら受けた健康診断（人間ドックなど）において，法
令で必要な定期健康診断の項目を充足している場合であっても，法定健診
として代用することができない。

 事業者は，運転者が医師の診察を受ける際は，自身が職業運転者で勤務時
間が不規則であることを伝え，薬を処方されたときは，服薬のタイミング
と運転に支障を及ぼす副作用の有無について確認するよう指導している。

 自動車のハンドルを左に切り旋回した場合，左側の後輪が左側の前輪の軌
跡に対し外側を通ることとなり，この前後輪の軌跡の差を内輪差という。
大型車などホイールベースが長いほど内輪差が小さくなることから，運転
者に対し，交差点での左折時には，内輪差による歩行者や自転車等との接触，
巻き込み事故に注意するよう指導する必要がある。

 アンチロック・ブレーキシステム（ABS）は，急ブレーキをかけた時など
にタイヤがロック（回転が止まること）するのを防ぐことにより，車両の
進行方向の安定性を保ち，また，ハンドル操作で障害物を回避できる可能
性を高める装置である。ABS を効果的に作動させるためには，できるだけ
強くブレーキペダルを踏み続けることが重要であり，この点を運転者に指
導する必要がある。

 バン型トラックの後方は，ほとんど死角となって見えない状態となること
から，後退時の事故の要因となることがある。その対策として，バックア
イカメラを装着して，死角を大きく減少させることができるが，その使用
にあたっては，バックアイカメラにも限界があり，過信しないよう運転者
に指導する必要がある。

A45 人間ドックなど運転者が自ら受けた健康診断であっても，法令で必要な定期健康診断の項目を充足しているときは，法定健診として代用することができる。 ✕

 A46 かぜ薬・解熱剤・咳止めなどには，眠気を誘う成分が含まれているものがあり，また，血圧降下薬などを服用すると，めまいを起こすことがあるので，これらの薬を服用した後の自動車の運転には注意が必要となる。したがって，本記述のような指導は適切である。 〇

 A47 内輪差とは，後輪が前輪の軌跡に対して内側を通ることになる際の前後輪の軌跡の差をいう。また，大型車などホイールベースが長いほど内輪差は大きくなるので，運転者に対し，交差点での左折時には，内輪差による歩行者や自転車等との接触，巻き込み事故に注意する必要がある。 ✕

 A48 記述のとおり。アンチロック・ブレーキシステム（ABS）が作動することにより，最適なブレーキ力が得られ，車両の進行方向の安定性が保たれ，ハンドルも効くようになる。ABS が作動すると，振動や音が生じることがあるが，故障ではないので，そのまま強く踏み続けるように指導する必要がある。 〇

 A49 記述のとおり。バックアイカメラが装着されていると，後退するときに後方の様子がモニターで見えるので，とても便利である。ただし，後方上部の様子や左右から近づいてくる人などはモニターには映らないので，バックアイカメラを過信せずに，目視やサイドミラーによる確認を併せて行うように指導する必要がある。 〇

貨物自動車が，下図のように A 営業所を出発して B 営業所に向けて走行中，当初，平均時速 30km であったが，30 分後に道路渋滞のため平均時速 20km となり，A 営業所を出発してから 57km 走行後に B 営業所に到着した。当該自動車の運転者が B 営業所で 20 分間の休憩をした後，C 営業所に向かい，B 営業所を出発してから 21km 走行後に C 営業所に到着した。

この場合，

① A 営業所から B 営業所までの運転時間

② B 営業所から C 営業所に向けて平均時速 28km で走行したとして，A 営業所から C 営業所までの合計の所要時間

について，次のうち正しいものはどれか。

ただし，小数点が出る場合は，小数点第 3 位を四捨五入するものとする。

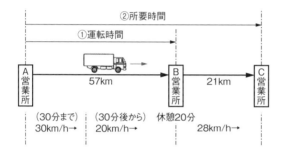

	①	②
1：	2時間36分	3時間19分
2：	2時間40分	3時間35分
3：	2時間36分	3時間41分
4：	2時間40分	3時間55分

本問の貨物自動車は，A営業所を出発してから30分間，平均時速30kmで走行しており，この間の走行距離は，1時間が60分であることから，

30km × 30 ÷ 60 ＝ 15km

である。

A営業所とB営業所の距離は57kmであるから，残りの距離は，

57km － 15km ＝ 42km

この距離を，平均時速20kmで走行してB営業所に到着したのであるから，その間の走行時間は，

42km ÷ 20km/ 時＝ 2.1時間＝ 2時間6分

A営業所からB営業所までの運転時間は，

30分＋2時間6分＝ <u>2時間36分</u>

である。

次に，②について考える。本問の貨物自動車は，B営業所から21km離れたC営業所に向けて平均時速28kmで走行しているので，その間の走行時間は，

21km ÷ 28km/ 時＝ 0.75時間＝ 45分

したがって，A営業所からC営業所までの合計の所要時間は，B営業所での休憩20分も入れて，

2時間36分＋20分＋45分

＝ 2時間101分

＝ <u>3時間41分</u>

となる。 正解 3

一問

令和4年度CBT試験出題例

過去問題

■注　意

※令和3年度第1回試験からCBT試験に全面移行しました。

①答えを記入する際は，各問題の設問の指示に従い解答してください。

なお，解答にあたっては，各問および各選択肢に記載された事項以外は，考慮しないものとしてください。

また，設問で求める数と異なる数の解答をしたもの，および複数の解答を求める問題で一部不正解のものは，正解としません。

②参考書・携帯電話（その他の通信機器を含む）および電卓その他計算機能があるすべてのものの使用を禁止します。

■合格基準

次の（1）および（2）を同時に満たす得点が必要です。

（1）原則として，総得点が満点の**60%**（30問中**18問**）以上

（2）科目ごとに正解が**1問以上**であり，「実務上の知識及び能力」については正解が**2問以上**

■試験時間

90分

過去問題〈令和4年度CBT試験出題例〉

1. 貨物自動車運送事業法関係

問1 貨物自動車運送事業に関する次の記述のうち,【正しいものを2つ】選びなさい。なお,解答にあたっては,各選択肢に記載されている事項以外は考慮しないものとする。**改**

1. 一般貨物自動車運送事業者は,「事業用自動車の運転者,特定自動運行保安員及び運行の業務の補助に従事する従業員の休憩又は睡眠のための施設の位置及び収容能力」に係る事業計画の変更をしようとするときは,国土交通大臣の認可を受けなければならない。

2. 貨物自動車運送事業とは,一般貨物自動車運送事業,特定貨物自動車運送事業,貨物軽自動車運送事業及び貨物自動車利用運送事業をいう。

3. 一般貨物自動車運送事業者は,運送約款を定め,又はこれを変更しようとするときは,国土交通大臣の認可を受けなければならない。

4. 一般貨物自動車運送事業の許可の取消しを受けた者は,その取消しの日から2年を経過しなければ,新たに一般貨物自動車運送事業の許可を受けることができない。

※改題している部分は,＿＿＿線で示しています。

問2 貨物自動車運送事業法等における運行管理者等の義務及び選任についての次の記述のうち,【誤っているものを1つ】選びなさい。なお,解答にあたっては,各選択肢に記載されている事項以外は考慮しないものとする。

1. 一般貨物自動車運送事業者は,事業用自動車（被けん引自動車を除く。）の運行を管理する営業所ごとに,当該営業所が運行を管理する事業用自動車の数を30で除して得た数（その数に1未満の端数があるときは,これを切り捨てるものとする。）に1を加算して得た数以上の運行管理者を選任しなければならない。

2. 一般貨物自動車運送事業者は,運行管理者がその業務として行う助言を尊重しなければならず,事業用自動車の運転者その他の従業員は,運行管理者がその業務として行う指導に従わなければならない。

3. 一般貨物自動車運送事業者は,運行管理者の業務を補助させるための者（補助者）の選任については,運行管理者の履行補助として業務に支障が生じない場合であっても,同一事業者の他の営業所の補助者を兼務させることはできない。

4. 一般貨物自動車運送事業者は，運行管理者に対し，法令で定める業務を行うため必要な権限を与えなければならない。

問3 次の記述のうち，一般貨物自動車運送事業の運行管理者が行わなければならない業務として，【正しいものを2つ】選びなさい。なお，解答にあたっては，各選択肢に記載されている事項以外は考慮しないものとする。改

1. 運転者，特定自動運行保安員及び事業用自動車の運行の業務の補助に従事する従業員（以下「乗務員等」という。）が有効に利用することができるように，休憩に必要な施設を整備し，及び乗務員等に睡眠を与える必要がある場合にあっては睡眠に必要な施設を整備し，並びにこれらの施設を適切に管理し，及び保守すること。

2. 運行管理規程を定め，かつ，その遵守について運行管理業務を補助させるため選任した者（補助者）及び運転者に対し指導及び監督を行うこと。

3. 事業用自動車に備えられた非常信号用具及び消火器の取扱いについて，当該事業用自動車の乗務員等に対する適切な指導を行うこと。

4. 法令の規定により，運転者又は特定自動運行保安員（以下「運転者等」という。）ごとに運転者等台帳を作成し，営業所に備え置くこと。

※改題している部分は，＿＿＿線で示しています。

問4 貨物自動車運送事業の事業用自動車の運転者に対する点呼についての法令等の定めに関する次の記述のうち，【正しいものをすべて】選びなさい。なお，解答にあたっては，各選択肢に記載されている事項以外は考慮しないものとする。 🈹

1. 貨物自動車運送事業者は，事業用自動車の運行の業務に従事しようとする運転者に対して対面により，又は対面による点呼と同等の効果を有するものとして国土交通大臣が定める方法（運行上やむを得ない場合は電話その他の方法。）により点呼を行い，次に掲げる事項について報告を求め，及び確認を行い，並びに事業用自動車の運行の安全を確保するために必要な指示を与えなければならない。

   （1）酒気帯びの有無
   （2）疾病，疲労，睡眠不足その他の理由により安全な運転をすることができないおそれの有無
   （3）道路運送車両法第47条の2第1項及び第2項の規定による点検の実施又はその確認

2. 2日間にわたる運行（営業所から出発し1日目を遠隔地で終了，2日目に営業所に戻るもの。）については，1日目の業務前の点呼及び2日目の業務後の点呼についてはいずれも対面により又は対面による点呼と同等の効果を有するものとして国土交通大臣が定める方法で行うことができることから，業務前の点呼及び業務後の点呼のほかに，当該業務途中において少なくとも1回対面による点呼と同等の効果を有するものとして国土交通大臣が定める方法（当該方法により点呼を行うことが困難である場合にあっては，電話その他の方法）により点呼（中間点呼）を行う必要はない。

3. 同一事業者内の全国貨物自動車運送適正化事業実施機関が認定している安全性優良事業所（Gマーク営業所）と当該営業所の車庫間で行うIT点呼の実施は，1営業日のうち連続する16時間以内としなければならない。

4. 貨物自動車運送事業者は，営業所と当該営業所の車庫が離れている場合は，運行上やむを得ない場合として，電話その他の方法により点呼を行うことができる。

※改題している部分は，＿＿＿線で示しています。

問5 次の自動車事故に関する記述のうち，一般貨物自動車運送事業者が自動車事故報告規則に基づき国土交通大臣に【報告を要するものを2つ】選びなさい。なお，解答にあたっては，各選択肢に記載されている事項以外は考慮しないものとする。 🈹

1. 事業用自動車が右折の際，一般原動機付自転車と接触し，当該一般原動機付自転車が転倒した。この事故で，一般原動機付自転車の運転者に30日間の通院による医師の治療を要する傷害を生じさせた。

2. 事業用自動車の運転者が運転操作を誤り，当該事業用自動車が道路の側壁に衝突した後，運転者席側を下にして転覆した状態で道路上に停車した。この事故で，当該運転者が10日間の医師の治療を要する傷害を負った。

3. 事業用自動車の運転者がハンドル操作を誤り，当該事業用自動車が道路の側壁に衝突した。その衝撃により積載されていた消防法第2条第7項に規定する危険物である灯油の一部が道路に漏えいした。

4. 事業用自動車が交差点に停車していた貨物自動車に気づくのが遅れ，当該事業用自動車がこの貨物自動車に追突し，さらに後続の自家用乗用自動車3台が関係する玉突き事故となり，この事故により8人が軽傷を負った。

※改題している部分は，＿＿＿線で示しています。

問6 一般貨物自動車運送事業者（以下「事業者」という。）の過労運転等の防止等についての法令の定めに関する次の記述のうち，【誤っているものを1つ】選びなさい。なお，解答にあたっては，各選択肢に記載されている事項以外は考慮しないものとする。改

1. 運転者が一の運行における最初の勤務を開始してから最後の勤務を終了するまでの時間（ただし，「自動車運転者の労働時間等の改善のための基準」（改善基準告示）の規定に定める自動車運転者がフェリーに乗船している時間のうち休息期間とされる時間を除く。）は，168時間を超えてはならない。

2. 事業者は，休憩又は睡眠のための時間及び勤務が終了した後の休息のための時間が十分に確保されるように，国土交通大臣が告示で定める基準に従って，運転者の勤務時間及び乗務時間を定め，当該運転者にこれらを遵守させなければならない。

3. 事業者は，事業計画に従い業務を行うに必要な員数の運転者又は特定自動運行保安員を常時選任しておかなければならず，この場合，選任する運転者及び特定自動運行保安員は，日々雇い入れられる者，2ヵ月以内の期間を定めて使用される者又は試みの使用期間中の者（14日を超えて引き続き使用されるに至った者を除く。）であってはならない。

4. 特別積合せ貨物運送を行う事業者は，当該特別積合せ貨物運送に係る運行系統であって起点から終点までの距離が100キロメートルを超えるものごとに，所定の事項について事業用自動車の運行の業務に関する基準を定め，かつ，当該基準の遵守について乗務員等に対する適切な指導及び監督を行わなければならない。

※改題している部分は，＿＿＿線で示しています。

問7　一般貨物自動車運送事業者（以下「事業者」という。）の事業用自動車の運行の安全を確保するために，事業者が行う国土交通省告示で定める特定の運転者に対する特別な指導の指針に関する次の文中，Ａ，Ｂ，Ｃに入るべき字句として【いずれか正しいものを1つ】選びなさい。

1. 事業者は，適齢診断（高齢運転者のための適性診断として国土交通大臣が認定したもの。）を運転者が65才に達した日以後1年以内に1回受診させ，その後　　Ａ　　以内ごとに1回受診させること。

2. 事業者は，初任運転者に対する特別な指導について，当該事業者において初めて事業用自動車に乗務する前に実施すること。ただし，やむを得ない事情がある場合には，乗務を開始した後　　Ｂ　　以内に実施すること。

3. 事業者が行う初任運転者に対する特別な指導は，法令に基づき運転者が遵守すべき事項，事業用自動車の運行の安全を確保するために必要な運転に関する事項などについて，15時間以上実施するとともに，安全運転の実技について，　　Ｃ　　以上実施すること。

Ａ：① 2年　　　② 3年
Ｂ：① 1ヵ月　　② 3ヵ月
Ｃ：① 20時間　 ② 30時間

問8　一般貨物自動車運送事業者（以下「事業者」という。）の貨物の積載方法等に関する次の記述のうち，【正しいものを2つ】選びなさい。なお，解答にあたっては，各選択肢に記載されている事項以外は考慮しないものとする。🈥

1. 事業者は，危険物を運搬する場合，その運転者に対し，消防法（昭和23年法律第186号）その他の危険物の規制に関する法令に基づき，運搬する危険物の性状を理解させるとともに，取扱い方法，積載方法及び運搬方法について留意すべき事項を指導しなければならない。また，運搬中に危険物が飛散又は漏えいした場合に安全を確保するためにとるべき方法を指導し，習得させなければならない。

2. 事業者は，事業用自動車（車両総重量が8トン以上又は最大積載量が5トン以上のものに限る。）に，貨物を積載するときは，偏荷重が生じないように積載するとともに，運搬中に荷崩れ等により事業用自動車から落下することを防止するため，貨物にロープ又はシートを掛けること等必要な措置を講じなければならない。

3. 事業者は，道路法第47条第2項の規定（車両でその幅，重量，高さ，長さ又は最小回転半径が政令で定める最高限度を超えるものは，道路を通行させてはならない。）に違反し，又は政令で定める最高限度を超える車両の通行に関し道路管理者が付した条件（通行経路，通行時間等）に違反して事業用自動車を通行させること

を防止するため，運転者に対する適切な指導及び監督を怠ってはならない。

4. 車両総重量が8トン以上又は最大積載量が5トン以上の普通自動車である事業用自動車の運行の業務に従事する運転者等は，当該業務において，法令の規定に基づき作成された運行指示書に「貨物の積載状況」が記録されている場合は，業務の記録に当該事項を記録したものとみなされる。

※改題している部分は，＿＿＿線で示しています。

2．道路運送車両法関係

問9 自動車の登録等についての次の記述のうち，【誤っているものを1つ】選びなさい。なお，解答にあたっては，各選択肢に記載されている事項以外は考慮しないものとする。

1. 登録自動車の所有者は，当該自動車の使用者が道路運送車両法の規定により自動車の使用の停止を命ぜられ，同法の規定により自動車検査証を返納したときは，その事由があった日から30日以内に，当該自動車登録番号標及び封印を取りはずし，自動車登録番号標について国土交通大臣に届け出なければならない。

2. 自動車は，自動車登録番号標を国土交通省令で定める位置に，かつ，被覆しないことその他当該自動車登録番号標に記載された自動車登録番号の識別に支障が生じないものとして国土交通省令で定める方法により表示しなければ，運行の用に供してはならない。

3. 道路運送車両法に規定する自動車の種別は，自動車の大きさ及び構造並びに原動機の種類及び総排気量又は定格出力を基準として定められ，その種別は，普通自動車，小型自動車，軽自動車，大型特殊自動車，小型特殊自動車である。

4. 登録自動車について所有者の変更があったときは，新所有者は，その事由があった日から15日以内に，国土交通大臣の行う移転登録の申請をしなければならない。

問10　自動車の検査等についての次の記述のうち，【正しいものを2つ】選びなさい。なお，解答にあたっては，各選択肢に記載されている事項以外は考慮しないものとする。**改**

1. 自動車は，指定自動車整備事業者が継続検査の際に交付した有効な保安基準適合標章を表示している場合であっても，自動車検査証を備え付けなければ，運行の用に供してはならない。

2. 自動車の使用者は，継続検査を申請する場合において，道路運送車両法第67条（自動車検査証記録事項の変更及び構造等変更検査）の規定による自動車検査証の変更記録の申請をすべき事由があるときは，あらかじめ，その申請をしなければならない。

3. 国土交通大臣は，一定の地域に使用の本拠の位置を有する自動車の使用者が，天災その他やむを得ない事由により，継続検査を受けることができないと認めるときは，当該地域に使用の本拠の位置を有する自動車の自動車検査証の有効期間を，期間を定めて伸長する旨を公示することができる。

4. 自動車に表示されている検査標章には，当該自動車の自動車検査証の有効期間の起算日が表示されている。

※改題している部分は，＿＿＿線で示しています。

問11　道路運送車両法に定める自動車の点検整備等に関する次の文中，A，B，C，Dに入るべき字句として【いずれか正しいものを1つ】選びなさい。

1. 初めて自動車検査証の交付を受ける車両総重量8,990キログラムの貨物の運送の用に供する自動車については，当該自動車検査証の有効期間は　　A　　である。

2. 車両総重量　　B　　以上又は乗車定員30人以上の自動車は，日常点検において「ディスク・ホイールの取付状態が不良でないこと。」について点検しなければならない。

3. 自動車運送事業の用に供する自動車の日常点検の結果に基づく運行可否の決定は，自動車の使用者より与えられた権限に基づき，　　C　　が行わなければならない。

4. 事業用自動車の使用者は，点検の結果，当該自動車が保安基準に適合しなくなるおそれがある状態又は適合しない状態にあるときは，保安基準に適合しなくなるおそれをなくするため，又は保安基準に適合させるために当該自動車について必要な　　D　　をしなければならない。

A：① 1年　　　　　② 2年
B：① 7トン　　　　② 8トン
C：① 運行管理者　　② 整備管理者
D：① 検査　　　　　② 整備

問12 道路運送車両の保安基準及びその細目を定める告示についての次の記述のうち，【誤っているものを１つ】選びなさい。なお，解答にあたっては，各選択肢に記載されている事項以外は考慮しないものとする。

1. 路線を定めて定期に運行する一般乗合旅客自動車運送事業用自動車に備える旅客が乗降中であることを後方に表示する電光表示器には，点滅する灯火又は光度が増減する灯火を備えることができる。

2. 自動車に備えなければならない後写鏡は，取付部付近の自動車の最外側より突出している部分の最下部が地上2.0メートル以下のものは，当該部分が歩行者等に接触した場合に衝撃を緩衝できる構造でなければならない。

3. 自動車に備えなければならない非常信号用具は，夜間200メートルの距離から確認できる赤色の灯光を発するものでなければならない。

4. 自動車（大型特殊自動車，小型特殊自動車を除く。）の車体の外形その他自動車の形状については，鋭い突起がないこと，回転部分が突出していないこと等他の交通の安全を妨げるおそれがないものとして，告示で定める基準に適合するものでなければならない。

3．道路交通法関係

問13 道路交通法に定める用語の定義等についての次の記述のうち，【誤っているものを１つ】選びなさい。なお，解答にあたっては，各選択肢に記載されている事項以外は考慮しないものとする。改

1. 路側帯とは，歩行者及び自転車の通行の用に供するため，歩道の設けられていない道路又は道路の歩道の設けられていない側の路端寄りに設けられた帯状の道路の部分で，道路標示によって区画されたものをいう。

2. 安全地帯とは，路面電車に乗降する者若しくは横断している歩行者の安全を図るため道路に設けられた島状の施設又は道路標識及び道路標示により安全地帯であることが示されている道路の部分をいう。

3. 車両とは，自動車，原動機付自転車，軽車両及びトロリーバスをいう。

4. 自動車とは，原動機を用い，かつ，レール又は架線によらないで運転し，または特定自動運行を行う車であって，原動機付自転車，軽車両，移動用小型車，身体障害者用の車および遠隔操作型小型車ならびに歩行補助車，乳母車その他の歩きながら用いる小型の車で道路交通法施行令で定めるもの以外のものをいう。

※改題している部分は，＿＿＿線で示しています。

問14　道路交通法に定める灯火及び合図等についての次の記述のうち，【正しいもの
　　を２つ】選びなさい。なお，解答にあたっては，各選択肢に記載されている事項以
　　外は考慮しないものとする。

1. 車両等は，夜間（日没時から日出時までの時間をいう。），道路にあるときは，道
　路交通法施行令で定めるところにより，前照灯，車幅灯，尾灯その他の灯火をつけ
　なければならない。ただし，高速自動車国道及び自動車専用道路においては前方
　200メートル，その他の道路においては前方50メートルまで明りょうに見える程度
　に照明が行われているトンネルを通行する場合は，この限りではない。

2. 停留所において乗客の乗降のため停車していた乗合自動車が発進するため進路を
　変更しようとして手又は方向指示器により合図をした場合においては，その後方に
　ある車両は，その速度を急に変更しなければならないこととなる場合にあっても，
　当該合図をした乗合自動車の進路の変更を妨げてはならない。

3. 車両等の運転者は，山地部の道路その他曲折が多い道路について道路標識等によ
　り指定された区間以外であっても，見とおしのきかない道路のまがりかど又は見と
　おしのきかない上り坂の頂上を通行しようとするときは，必ず警音器を鳴らさなけ
　ればならない。

4. 車両の運転者が同一方向に進行しながら進路を左方又は右方に変えるときの合図
　を行う時期は，その行為をしようとする時の３秒前のときである。

問15　道路交通法及び道路交通法施行令に定める酒気帯び運転等の禁止等に関する次
　　の文中，Ａ，Ｂ，Ｃに入るべき字句として【いずれか正しいものを１つ】選びなさ
　　い。

（1）　何人も，酒気を帯びて車両等を運転してはならない。

（2）　何人も，酒気を帯びている者で，（1）の規定に違反して車両等を運転する
　　こととなるおそれがあるものに対し，　　　Ａ　　　してはならない。

（3）　何人も，（1）の規定に違反して車両等を運転することとなるおそれがある
　　者に対し，酒類を提供し，又は飲酒をすすめてはならない。

（4）　何人も，車両（トロリーバス及び旅客自動車運送事業の用に供する自動車で
　　当該業務に従事中のものその他の政令で定める自動車を除く。）の運転者が酒
　　気を帯びていることを知りながら，当該運転者に対し，当該車両を運転して自
　　己を運送することを要求し，又は依頼して，当該運転者が（1）の規定に違反
　　して運転する　　　Ｂ　　　してはならない。

（5）　（1）の規定に違反して車両等（軽車両を除く。）を運転した者で，その運転
　　をした場合において身体に血液１ミリリットルにつき0.3ミリグラム又は呼気
　　１リットルにつき　　　Ｃ　　　ミリグラム以上にアルコールを保有する状態に

あったものは，３年以下の懲役又は50万円以下の罰金に処する。

A：①　運転を指示　　②　車両等を提供
B：①　車両に同乗　　②　機会を提供
C：①　0.15　　　　　②　0.25

問16　道路交通法に定める法定速度についての次の記述のうち，【誤っているものを１つ】選びなさい。なお，解答にあたっては，各選択肢に記載されている事項以外は考慮しないものとする。**改**

1. 自動車は，道路標識等によりその最高速度が指定されている道路においてはその最高速度を，高速自動車国道の本線車道（往復の方向にする通行が行われている本線車道で，本線車線が道路の構造上往復の方向別に分離されていないものを除く。）並びにこれに接する加速車線及び減速車線以外の道路においては60キロメートル毎時をこえる速度で進行してはならない。

2. 貨物自動車（車両総重量12,000キログラム，最大積載量8,000キログラムであって乗車定員３名のトラック）の最高速度は，道路標識等により最高速度が指定されていない高速自動車国道の本線車道（政令で定めるものを除く。）においては，100キロメートル毎時である。

3. 貨物自動車運送事業の用に供する車両総重量が4,995キログラムの自動車が，故障した車両総重量1,500キログラムの普通自動車をロープでけん引する場合の最高速度は，道路標識等により最高速度が指定されていない一般道路においては，40キロメートル毎時である。

4. 貨物自動車は，高速自動車国道の往復の方向にする通行が行われている本線車道で，道路の構造上往復の方向別に分離されている本線車道においては，道路標識等により自動車の最低速度が指定されている区間にあってはその最低速度に，その他の区間にあっては，50キロメートル毎時の最低速度に達しない速度で進行してはならない。

※改題している部分は，＿＿＿線で示しています。

問17　道路交通法に定める運転者の遵守事項等についての次の記述のうち，【誤って
　　　いるものを1つ】選びなさい。なお，解答にあたっては，各選択肢に記載されてい
　　　る事項以外は考慮しないものとする。

1. 車両等の運転者は，監護者が付き添わない児童若しくは幼児が歩行しているとき
　のほか，高齢の歩行者，身体の障害のある歩行者その他の歩行者でその通行に支障
　のあるものが通行しているときは，一時停止し，又は徐行して，その通行又は歩行
　を妨げないようにしなければならない。

2. 車両等の運転者は，自動車を運転する場合において，道路交通法に規定する初心
　運転者の標識を付けた者が普通自動車（以下「表示自動車」という。）を運転して
　いるときは，危険防止のためやむを得ない場合を除き，当該自動車が進路を変更し
　た場合にその変更した後の進路と同一の進路を後方から進行してくる表示自動車が
　当該自動車との間に同法に規定する必要な距離を保つことができないこととなると
　きは進路を変更してはならない。

3. 車両等は，交差点又はその直近で横断歩道の設けられていない場所において歩行
　者が道路を横断しているときは，必ず一時停止し，その歩行者の通行を妨げないよ
　うに努めなければならない。

4. 車両等の運転者は，児童，幼児等の乗降のため，道路運送車両の保安基準に関す
　る規定に定める非常点滅表示灯をつけて停車している通学通園バス（専ら小学校，
　幼稚園等に通う児童，幼児等を運送するために使用する自動車で政令で定めるもの
　をいう。）の側方を通過するときは，徐行して安全を確認しなければならない。

4．労働基準法関係

問18　労働基準法（以下「法」という。）に定める労働契約等についての次の記述の
　　　うち，【正しいものを2つ】選びなさい。なお，解答にあたっては，各選択肢に記
　　　載されている事項以外は考慮しないものとする。

1. 使用者は，労働者の同意が得られた場合においては，労働契約の不履行について
　違約金を定め，又は損害賠償額を予定する契約をすることができる。

2. 使用者は，労働者が出産，疾病，災害その他厚生労働省令で定める非常の場合の
　費用に充てるために請求する場合においては，支払期日前であっても，既往の労働
　に対する賃金を支払わなければならない。

3. 使用者は，労働者の国籍，信条又は社会的身分を理由として，賃金，労働時間そ
　の他の労働条件について，差別的取扱をしてはならない。

4. 法第20条（解雇の予告）の規定は，法に定める期間を超えない限りにおいて，「日
　日雇い入れられる者」，「3ヵ月以内の期間を定めて使用される者」，「季節的業務に

6ヵ月以内の期間を定めて使用される者」又は「試の使用期間中の者」のいずれか
に該当する労働者については適用しない。

問19 労働基準法（以下「法」という。）に定める労働時間及び休日等に関する次の
記述のうち，【誤っているものを1つ】選びなさい。なお，解答にあたっては，各
選択肢に記載されている事項以外は考慮しないものとする。

1. 使用者は，災害その他避けることのできない事由によって，臨時の必要がある場合
においては，行政官庁の許可を受けて，その必要の限度において法に定める労働時間
を延長し，又は休日に労働させることができる。ただし，事態急迫のために行政官庁
の許可を受ける暇がない場合においては，事後に遅滞なく届け出なければならない。
2. 使用者は，労働時間が6時間を超える場合においては少くとも35分，8時間を超える
場合においては少くとも45分の休憩時間を労働時間の途中に与えなければならない。
3. 使用者は，労働者に対して，毎週少くとも1回の休日を与えなければならない。ただ
し，この規定は，4週間を通じ4日以上の休日を与える使用者については適用しない。
4. 使用者は，当該事業場に，労働者の過半数で組織する労働組合がある場合におい
てはその労働組合，労働者の過半数で組織する労働組合がない場合においては労働
者の過半数を代表する者との書面による協定をし，これを行政官庁に届け出た場合
においては，法定労働時間又は法定休日に関する規定にかかわらず，その協定で定
めるところによって労働時間を延長し，又は休日に労働させることができる。

問20 「自動車運転者の労働時間等の改善のための基準」に定める貨物自動車運送事
業に従事する自動車運転者の拘束時間等に関する次の文中，A，B，C，Dに入る
べき字句として【いずれか正しいものを1つ】選びなさい。**改**

1. 拘束時間は，1ヵ月について ┌─ A ─┐ を超えず，かつ，1年について ┌─ B ─┐
を超えないものとすること。ただし，労使協定により，1年について6ヵ月までは，
1ヵ月について310時間まで延長することができ，かつ，1年について ┌─ C ─┐
まで延長することができるものとする。
2. 1日（始業時刻から起算して24時間をいう。以下同じ。）についての拘束時間は，
13時間を超えないものとし，当該拘束時間を延長する場合であっても，1日につい
ての拘束時間の限度（最大拘束時間）は ┌─ D ─┐ とすること。

A：① 284時間 ② 293時間　　C：① 3,350時間 ② 3,400時間

B：① 3,300時間 ② 3,350時間　　D：① 14時間 ② 15時間

※改題している部分は，＿＿＿線で示しています。

問21 「自動車運転者の労働時間等の改善のための基準」において定める貨物自動車運送事業に従事する自動車運転者（以下「トラック運転者」という。）の拘束時間等の規定に関する次の記述のうち，【正しいものを 1 つ】選びなさい。なお，解答にあたっては，各選択肢に記載されている事項以外は考慮しないものとする。🈲

1. 使用者は，トラック運転者の休息期間については，当該トラック運転者の住所地における休息期間がそれ以外の場所における休息期間より長くなるように努めるものとする。

2. 使用者は，業務の必要上やむを得ない場合には，当分の間，2暦日についての拘束時間が22時間を超えず，かつ，勤務終了後，継続20時間以上の休息期間を与える場合に限り，トラック運転者を隔日勤務に就かせることができる。

3. 労使当事者は，時間外労働協定においてトラック運転者に係る一定期間についての延長時間について協定するに当たっては，当該一定期間は，2週間及び1ヵ月以上3ヵ月以内の一定の期間とするものとする。

> 選択肢3の内容は，改善基準告示の改正により，時間外労働協定に関する規定が変更されたため，不成立となります。

4. トラック運転者がフェリーに乗船している時間は，原則として，2時間（フェリー乗船時間が2時間未満の場合には，その時間）については拘束時間として取り扱い，その他の時間については休息期間として取り扱うものとする。

※改題している部分は，＿＿＿＿線で示しています。

問22 下表の1〜4は，貨物自動車運送事業に従事する自動車運転者の4日間の運転時間及び休憩等の勤務状況の例を示したものである。「自動車運転者の労働時間等の改善のための基準」（以下「改善基準告示」という。）に定める連続運転の中断方法及び2日（始業時刻から起算して48時間をいう。以下同じ。）を平均して1日当たりの運転時間に関する次の記述のうち，【正しいものを2つ】選びなさい。なお，本問では，荷積み及び荷下しの時間は，運転中断の時間として扱うものとする。🈲

前日：休日

1

1日目	乗務開始	運転	荷積み	運転	休憩	運転	休憩	運転	休憩	運転	荷下し	運転	乗務終了	1日の運転時間の合計
営業所														営業所
		1時間50分	30分	2時間	10分	1時間	1時間	1時間30分	10分	1時間40分	15分	1時間		9時間

2

2日目	乗務開始	運転	荷積み	運転	休憩	運転	休憩	運転	休憩	運転	荷下し	運転	乗務終了	1日の運転時間の合計
営業所														営業所
		40分	15分	1時間20分	10分	2時間	1時間	2時間10分	10分	1時間50分	40分	2時間		10時間

3

3日目	乗務開始	運転	荷積み	運転	休憩	運転	休憩	運転	休憩	運転	荷下し	運転	乗務終了	1日の運転時間の合計
営業所														営業所
		1時間	20分	1時間20分	10分	1時間50分	1時間	2時間20分	10分	1時間40分	30分	50分		9時間

4

4日目	乗務開始	運転	荷積み	運転	休憩	運転	休憩	運転	休憩	運転	荷下し	運転	乗務終了	1日の運転時間の合計
営業所														営業所
		1時間30分	30分	2時間20分	10分	1時間30分	1時間	1時間20分	10分	1時間	15分	2時間20分		10時間

翌日：休日

（注）2日を平均した1日当たりの運転時間は，当該4日間のすべての日を特定日とする。

1. 連続運転の中断方法が改善基準告示に違反している勤務日は，2日目及び4日目であり，1日目及び3日目は違反していない。
2. 連続運転の中断方法が改善基準告示に違反している勤務日は，1日目及び4日目であり，2日目及び3日目は違反していない。
3. 2日を平均し1日当たりの運転時間は，改善基準告示に違反していない。
4. 2日を平均し1日当たりの運転時間は，改善基準告示に違反している。

※改題している部分は，～～～線で示しています。なお，法改正により，運転中断の時間は，原則として「休憩」でなければなりませんが，特段の事情があれば，「荷役作業等の時間」も運転中断の時間とすることができることから，本問では，「荷役作業等の時間」を運転中断の時間として扱うことで，出題当時のままの問題としています。

問23 下表の1～3は，貨物自動車運送事業に従事する自動車運転者（隔日勤務に就く運転者以外のもの）の1年間における各月の拘束時間の例を示したものである。下表の空欄A，B，Cについて，次の選択肢ア～ウの拘束時間の組み合わせをあてはめた場合，「自動車運転者の労働時間等の改善のための基準」に【適合するものを選択肢ア～ウの中から1つ】選びなさい。なお，解答にあたっては「1ヵ月及び1年についての拘束時間の延長に関する労使協定」があるものとし，下表に示された内容及び各選択肢に記載されている事項以外は考慮しないものとする。🈹

1.

	4月	5月	6月	7月	8月	9月	10月	11月	12月	1月	2月	3月	Aを除く11カ月の拘束時間の合計
拘束時間（時間）	270	275	288	309	A	310	271	290	310	267	264	272	3126

2.

	4月	5月	6月	7月	8月	9月	10月	11月	12月	1月	2月	3月	Bを除く11カ月の拘束時間の合計
拘束時間（時間）	272	265	285	286	300	274	260	B	300	288	291	260	3081

3.

	4月	5月	6月	7月	8月	9月	10月	11月	12月	1月	2月	3月	Cを除く11カ月の拘束時間の合計
拘束時間（時間）	261	275	271	308	299	277	268	281	285	260	C	274	3059

		A（時間）	B（時間）	C（時間）
選択肢	ア	268	287	305
	イ	288	285	308
	ウ	274	262	310

※改題している部分は，＿＿＿線で示しています。

5．実務上の知識及び能力

問24 運行管理者の日常業務の記録等に関する次の記述のうち，【適切なものをすべて】選びなさい。なお，解答にあたっては，各選択肢に記載されている事項以外は考慮しないものとする。🈹

1. 運行管理者は，事業用自動車の運転者が他の営業所に転出し当該営業所の運転者でなくなったときは，直ちに，運転者等台帳に運転者でなくなった年月日及び理由

を記載して１年間保存している。

2. 運行管理者は，運行記録計により記録される「瞬間速度」，「運行距離」及び「運行時間」等により運転者の運行の実態や車両の運行の実態を分析し，運転者の日常の乗務を把握し，過労運転の防止及び運行の適正化を図る資料として活用しており，この運行記録計の記録を１年間保存している。

3. 運行管理者は，事業用自動車の運転者に対し，事業用自動車の構造上の特性，貨物の正しい積載方法など事業用自動車の運行の安全を確保するために必要な運転の技術及び自動車の運転に関して遵守すべき事項等について，適切に指導を行うとともに，その内容等について記録し，かつ，その記録を営業所において３年間保存している。

4. 運行管理者は，事業者が定めた勤務時間及び乗務時間の範囲内で，運転者が過労とならないよう十分考慮しながら，天候や道路状況などを勘案しつつ，乗務割を作成している。なお，乗務については，早めに運転者に知らせるため，事前に予定を示すことにしている。

※改題している部分は，＿＿＿＿線で示しています。

問25 一般貨物自動車運送事業者が事業用自動車の運転者に対して行う指導・監督に関する次の記述のうち，【適切なものをすべて】選びなさい。なお，解答にあたっては，各選択肢に記載されている事項以外は考慮しないものとする。

1. 時速36キロメートルで走行中の自動車を例に取り，運転者が前車との追突の危険を認知しブレーキ操作を行い，ブレーキが効きはじめるまでに要する空走時間を１秒間とし，ブレーキが効きはじめてから停止するまでに走る制動距離を８メートルとすると，当該自動車の停止距離は約13メートルとなるなど，危険が発生した場合でも安全に止まれるような速度と車間距離を保って運転するよう指導している。

2. 危険ドラッグ等の薬物を使用して運転した場合には，重大な事故を引き起こす危険性が高まり，その結果取り返しのつかない被害を生じることもあることから，運行管理者は，常日頃からこれらの薬物を使用しないよう，運転者等に対し強く指導している。

3. 大雨，大雪，土砂災害などの異常気象時の措置については，異常気象時等処理要領を作成し運転者全員に周知させておくとともに，運転者とも速やかに連絡がとれるよう緊急時における連絡体制を整えているので，普段から事業用自動車の運行の中断，待避所の確保，徐行運転等の運転に関わることについてはすべて運転者の判断に任せ，中断，待避したときは報告するよう指導している。

4. 実際の事故事例やヒヤリハット事例のドライブレコーダー映像を活用して，事故前にどのような危険が潜んでいるか，それを回避するにはどのような運転をすべきかなどを運転者に考えさせる等，実事例に基づいた危険予知訓練を実施している。

問26 一般貨物自動車運送事業者（以下「事業者」という。）が行う事業用自動車の運転者の健康管理に関する次の記述のうち，【適切なものをすべて】選びなさい。なお，解答にあたっては，各選択肢に記載されている事項以外は考慮しないものとする。

1. 事業者は，業務に従事する運転者に対し法令で定める健康診断を受診させ，その結果に基づいて健康診断個人票を作成して５年間保存している。また，運転者が自ら受けた健康診断の結果を提出したものについても同様に保存している。

2. 事業者は，日頃から運転者の健康状態を把握し，点呼において，意識の異常，眼の異常，めまい，頭痛，言葉の異常，手足の異常等の申告又はその症状が見られたら，脳血管疾患の初期症状とも考えられるためすぐに専門医療機関で受診させるよう対応している。

3. トラック運転者は，単独で判断する，連続作業をする，とっさの対応が必要，同じ姿勢で何時間も過ごすなどから，心身の状態が運行に及ぼす影響は大きく，健康状態を保持することが必要不可欠である。このため，事業者は，運転者が運転中に異常を感じたときには，運行継続の可否を自らの判断で行うよう指導している。

4. 睡眠時無呼吸症候群（SAS）は，大きないびきや昼間の強い眠気などの症状があるが，必ずしも眠気を感じることがない場合もある。SASスクリーニング検査を実施する場合には，本人の自覚症状による問診票だけで検査対象者を絞ってしまうと，重症のSAS患者を見過ごしてしまうリスクがあるため，定期的に，また，雇い入れ時等のタイミングで医療機器によるSASスクリーニング検査を受けることが重要である。

問27 交通事故防止対策に関する次の記述のうち，【適切なものをすべて】選びなさい。なお，解答にあたっては，各選択肢に記載されている事項以外は考慮しないものとする。

1. 交通事故は，そのほとんどが運転者等のヒューマンエラーにより発生するものである。したがって，事故惹起運転者の社内処分及び再教育に特化した対策を講ずることが，交通事故の再発を未然に防止するには最も有効である。そのためには，発生した事故の要因の調査・分析を行うことなく，事故惹起運転者及び運行管理者に対する特別講習を確実に受講させる等，ヒューマンエラーの再発防止を中心とした対策に努めるべきである。

2. ドライブレコーダーは，事故時の映像だけでなく，運転者のブレーキ操作やハンドル操作などの運転状況を記録し，解析することにより運転のクセ等を読み取ることができるものがあり，運行管理者が行う運転者の安全運転の指導に活用されている。

3. 指差呼称は，運転者の錯覚，誤判断，誤操作等を防止するための手段であり，道路の信号や標識などを指で差し，その対象が持つ名称や状態を声に出して確認することをいい，安全確認に重要な運転者の意識レベルを高めるなど交通事故防止対策に有効な手段の一つとして活用されている。

4. 適性診断は，運転者の運転能力，運転態度及び性格等を客観的に把握し，運転の適性を判定することにより，運転に適さない者を運転者として選任しないようにするためのものであり，ヒューマンエラーによる交通事故の発生を未然に防止するための有効な手段となっている。

問28 自動車の運転等に関する次の記述のうち，【適切なものを2つ】選びなさい。なお，解答にあたっては，各選択肢に記載されている事項以外は考慮しないものとする。

1. 自動車の夜間の走行時において，自車のライトと対向車のライトで，お互いの光が重なり合い，その間にいる歩行者や自転車が見えなくなることをクリープ現象という。

2. 自動車の乗員が自分の両手両足で支えられる力は，自分の体重のせいぜい2～3倍が限度といわれている。これは，自動車が時速7キロメートル程度で衝突したときの力に相当することになる。このため，危険から自身を守るためにシートベルトを着用することが必要である。

3. 自動車がカーブを走行するとき，自動車の重量及びカーブの半径が同一の場合に，速度を2分の1に落として走行すると遠心力の大きさは2分の1になる。

4. 自動車が衝突するときの衝撃力は，速度が2倍になると4倍になる。

問29 運行管理者は，荷主からの運送依頼を受けて，下の図に示す運行計画を立てた。この運行に関する次の1～3の記述について，解答しなさい。なお，<u>本運行は，高速道路のサービスエリア等に駐停車できないため，やむを得ず連続運転時間を延長できる場合には該当しない。</u>また，<u>本問では，荷積み及び荷下ろしの時間は，運転中断の時間として扱うものとする。</u>解答にあたっては，<運行計画>及び各選択肢に記載されている事項以外は考慮しないものとする。**改**

<運行計画>
A地点から，重量が5,250キログラムの荷物をB地点に運び，その後，戻りの便にて，C地点から5,000キログラムの荷物をD地点に運ぶ行程とする。当該運行は，最大積載量6,000キログラムの貨物自動車を使用し，運転者1人乗務とする。

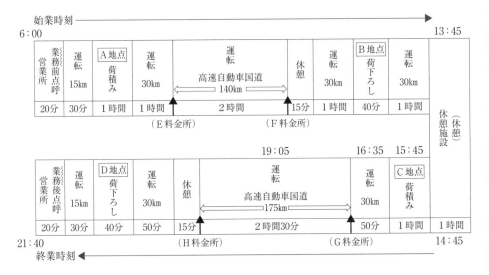

1. E料金所からF料金所までの間の高速自動車国道（本線車道に限る。以下同じ。）の運転時間を2時間，及びG料金所からH料金所までの間の高速自動車国道の運転時間を2時間30分と設定したことは，道路交通法令に定める制限速度に照らし適切か否かについて，【正しいものを1つ】選びなさい。

　① 適切　　② 不適切

2. 当該運転者は前日の運転時間が8時間30分であり，また，翌日の運転時間を8時間30分とした場合，当日を特定の日とした場合の2日を平均して1日当たりの運転時間が「自動車運転者の労働時間等の改善のための基準」（以下「改善基準告示」という。）に違反しているか否かについて，【正しいものを1つ】選びなさい。

　① 違反していない　　② 違反している

3. 当該運行の連続運転時間の中断方法について「改善基準告示」に照らし，違反しているか否かについて，【正しいものを1つ】選びなさい。

① 違反していない　　② 違反している

※改題している部分は，＿＿＿線で示しています。なお，法改正により，運転中断の時間は，原則として「休憩」でなければなりませんが，特段の事情があれば，「荷役作業等の時間」も運転中断の時間とすることができることから，本問では，「荷役作業等の時間」を運転中断の時間として扱うことで，出題当時のままの運行計画としています。

問30　運行管理者が次の事業用普通トラックの事故報告に基づき，事故の要因分析を行ったうえで，同種事故の再発を防止するための対策として，【最も直接的に有効と考えられるものを＜事故の再発防止対策＞から3つ】選びなさい。なお，解答にあたっては，＜事故の概要＞及び＜事故関連情報＞に記載されている事項以外は考慮しないものとする。改

＜事故の概要＞

当該トラックは，17時頃，霧で見通しの悪い高速道路を走行中，居眠り運転により渋滞車列の最後尾にいた乗用車に追突し，4台がからむ多重衝突事故が発生した。当時，霧のため当該道路の最高速度は時速50キロメートルに制限されていたが，当該トラックは追突直前には時速80キロメートルで走行していた。

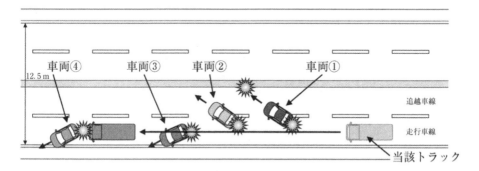

問30　次ページへ続く

1. ＜事故関連情報＞
○ 当該運転者（35歳）は，事故日前日，運行先に積雪があり，帰庫時間が5時間程度遅くなって業務を早朝5時に終了した。その後，事故当日の正午に業務前点呼を受け出庫した。
○ 当該運転者は，事故日前1ヵ月間の勤務において，拘束時間及び休息期間について複数回の「自動車運転者の労働時間等の改善のための基準」（以下「改善基準告示」という。）違反があった。
○ 月1回ミーティングを実施していたが，交通事故を惹起した場合の社会的影響の大きさや疲労などによる交通事故の危険性などについての指導・教育が不足していた。
○ 当該運転者は，事業者が行う定期健康診断において，特に指摘はなかった。

2. ＜事故の再発防止対策＞
① 運行管理者は，運転者に対して，交通事故を惹起した場合の社会的影響の大きさや過労が運転に及ぼす危険性を認識させ，疲労や眠気を感じた場合は直ちに運転を中止し，休憩するよう指導を徹底する。
② 事業者は，運転者に対して，疾病が交通事故の要因となるおそれがあることを理解させ，健康診断結果に基づき，生活習慣の改善を図るなど，適切な心身の健康管理を行うことを理解させる。
③ 運行管理者は，「改善基準告示」に違反しないよう，適切な乗務割を作成するとともに，点呼の際適切な運行指示を行う。
④ 運行管理者は，法令等に定められた適齢診断を運転者に確実に受診させるとともに，その結果を活用し，個々の運転者の特性に応じた指導を行う。
⑤ 運行管理者は，点呼を実施する際，運転者の体調や疲労の蓄積などをきちんと確認し，疲労等により安全な運転を継続することができないおそれがあるときは，当該運転者を交替させる措置をとる。
⑥ 法令で定められた日常点検及び定期点検整備を確実に実施する。その際，速度抑制装置の正常な作動についても，警告灯により確認する。

※改題している部分は，〜〜〜線で示しています。

予想模擬試験

■注 意

※令和3年度第1回試験からCBT試験に全面移行しました。

①答えを記入する際は，各問題の設問の指示に従い解答してください。

なお，解答にあたっては，各問および各選択肢に記載された事項以外は，考慮しないものとしてください。

また，設問で求める数と異なる数の解答をしたもの，および複数の解答を求める問題で一部不正解のものは，正解としません。

②参考書・携帯電話（その他の通信機器を含む）および電卓その他計算機能があるすべてのものの使用を禁止します。

■合格基準

次の（1）および（2）を同時に満たす得点が必要です。

（1）原則として，総得点が満点の**60%**（30問中**18問**）**以上**

（2）**科目ごとに正解が1問以上**であり，「実務上の知識及び能力」については**正解が2問以上**

■試験時間

90分

予想模擬試験

1. 貨物自動車運送事業法関係

問1 貨物自動車運送事業に関する次の記述のうち,【誤っているものを1つ】選び
なさい。なお,解答にあたっては,各選択肢に記載されている事項以外は考慮しな
いものとする。

1. 一般貨物自動車運送事業者は,「営業所又は荷扱所の名称」の事業計画の変更を
したときは,遅滞なくその旨を,国土交通大臣に届け出なければならない。

2. 国土交通大臣が標準運送約款を定めて公示した場合(これを変更して公示した場
合を含む。)において,一般貨物自動車運送事業者が,標準運送約款と同一の運送
約款を定め,又は現に定めている運送約款を標準運送約款と同一のものに変更した
ときは,その運送約款については,国土交通大臣の認可を受けたものとみなす。

3. 一般貨物自動車運送事業者(その事業の規模が国土交通省令で定める規模未満で
あるものを除く。)は,安全管理規程を定め,国土交通省令で定めるところにより,
国土交通大臣の認可を受けなければならない。これを変更しようとするときも,同
様とする。

4. 一般貨物自動車運送事業者は,法令の規定により運行管理者を選任したときは,
遅滞なく,その旨を国土交通大臣に届け出なければならない。これを解任したとき
も,同様とする。

問2 貨物自動車運送事業輸送安全規則に定める貨物自動車運送事業者の過労運転等の防止についての次の文中, A, B, C, Dに入るべき字句として【いずれか正しいものを1つ】選びなさい。

1. 貨物自動車運送事業者は, [A] 状態にある運転者, 特定自動運行保安員及び事業用自動車の運行の業務の補助に従事する従業員（以下「乗務員等」という。）を事業用自動車の運行の業務に従事させてはならない。

2. 貨物自動車運送事業者は, 乗務員等の [B] の把握に努め, 疾病, 疲労, 睡眠不足その他の理由により [C] 運行の業務を遂行し, 又はその補助をすることができないおそれがある乗務員等を事業用自動車の運行の業務に従事させてはならない。

3. 一般貨物自動車運送事業者等は, 運転者が長距離運転又は夜間の運転に従事する場合であって, [D] により安全な運転を継続することができないおそれがあるときは, あらかじめ, 当該運転者と交替するための運転者を配置しておかなければならない。

A 1. 酒気を帯びた　　2. 興奮した
B 1. 健康状態　　　　2. 帰宅時間
C 1. 継続して　　　　2. 安全に
D 1. 酒気帯び　　　　2. 疲労等

問3 次の記述のうち, 一般貨物自動車運送事業者の運行管理者が行わなければならない業務として,【正しいものを1つ】選びなさい。なお, 解答にあたっては, 各選択肢に記載されている事項以外は考慮しないものとする。

1. 法令の規定により, 従業員に対し, 効果的かつ適切に指導及び監督を行うため, 輸送の安全に関する基本的な方針の策定その他の国土交通大臣が告示で定める措置を講ずること。

2. 休憩又は睡眠のための時間及び勤務が終了した後の休息のための時間が十分に確保されるように, 国土交通大臣が告示で定める基準に従って, 運転者の勤務時間及び乗務時間を定め, 当該運転者にこれらを遵守させること。

3. 法令の規定により, 死者又は負傷者（法令に掲げる傷害を受けた者）が生じた事故を引き起こした者等特定の運転者に対し, 国土交通大臣が告示で定める適性診断であって国土交通大臣の認定を受けたものを受けさせること。

4. 車両総重量が5トン以上又は最大積載量が3トン以上の普通自動車である事業用自動車について, 法令に規定する運行記録計により記録することのできないものを運行の用に供さないこと。

問4 一般貨物自動車運送事業者（以下「事業者」という。）の過労運転等の防止等についての法令の定めに関する次の記述のうち，【誤っているものを1つ】選びなさい。なお，解答にあたっては，各選択肢に記載されている事項以外は考慮しないものとする。

1. 事業者は，事業用自動車の運転者が疾病により安全な運転ができないおそれがある状態で事業用自動車を運転することを防止するために必要な医学的知見に基づく措置を講じなければならない。

2. 事業者は，運行指示書の作成を要する運行の途中において，運行の開始及び終了の地点及び日時に変更が生じた場合には，運行指示書の写しに当該変更の内容を記載し，これにより運転者又は特定自動運行保安員（以下「運転者等」という。）に対し電話その他の方法により，当該変更の内容について適切な指示を行わなければならない。この場合，当該運転者等が携行している運行指示書については，当該変更の内容を記載させることを要しない。

3. 事業者は，運転者，特定自動運行保安員及び事業用自動車の運行の業務の補助に従事する従業員（以下「乗務員等」という。）が有効に利用することができるように，休憩に必要な施設を整備し，乗務員等に睡眠を与える必要がある場合にあっては睡眠に必要な施設を整備しなければならない。ただし，寝具等必要な設備が整えられていない施設は，有効に利用することができる施設には該当しない。

4. 事業者は，乗務員等の身体に保有するアルコールの程度が，道路交通法施行令に規定する呼気中のアルコール濃度1リットルにつき0.15ミリグラム以下であっても，乗務員等が身体にアルコールを保有している場合は，事業用自動車の運行の業務に従事させてはならない。

問5 一般貨物自動車運送事業者（以下「事業者」という。）の運行管理者の選任等に関する次の記述のうち，【正しいものをすべて】選びなさい。なお，解答にあたっては，各選択肢に記載されている事項以外は考慮しないものとする。

1. 事業者は，事業用自動車（被けん引自動車を除く。）70両を管理する営業所においては，3人以上の運行管理者を選任しなければならない。

2. 運行管理者の補助者が行う補助業務は，運行管理者の指導及び監督のもと行われるものであり，補助者が行う点呼において，疾病，疲労，睡眠不足等により安全な運転をすることができないおそれがあることが確認された場合には，直ちに運行管理者に報告を行い，運行の可否の決定等について指示を仰ぎ，その結果に基づき運転者に対し指示を行わなければならない。

3. 事業者は，新たに選任した運行管理者に，選任届出をした日の属する年度（やむを得ない理由がある場合にあっては，当該年度の翌年度）に基礎講習又は一般講習

（基礎講習を受講していない当該運行管理者にあっては，基礎講習）を受講させなければならない。ただし，他の事業者において運行管理者として選任されていた者にあっては，この限りでない。

4. 国土交通大臣は，運行管理者資格者証の交付を受けている者が，貨物自動車運送事業法若しくはこの法律に基づく命令又はこれらに基づく処分に違反したときは，その運行管理者資格者証の返納を命ずることができる。また，運行管理者資格者証の返納を命ぜられ，その日から5年を経過しない者に対しては，運行管理者資格者証の交付を行わないことができる。

問6 貨物自動車運送事業の事業用自動車の運転者に対する点呼に関する次の記述のうち，【正しいものをすべて】選びなさい。ただし，同一事業者内の全国貨物自動車運送適正化事業実施機関が認定している安全性優良事業所（Gマーク営業所）である営業所間で行うIT点呼を除くものとする。なお，解答にあたっては，各選択肢に記載されている事項以外は考慮しないものとする。

1. 乗務途中の他の運転者から乗務を引き継いだ運転者に対しては，業務後点呼において，当該運転者が他の運転者から受けた法令の規定による通告の内容について報告を求めなければならない。

2. 運行管理者の業務を補助させるために選任された補助者に対し，点呼の一部を行わせる場合にあっても，当該営業所において選任されている運行管理者が行う点呼は，点呼を行うべき総回数の3分の1以上でなければならない。

3. 業務前及び業務後の点呼のいずれも対面により，又は対面による点呼と同等の効果を有するものとして国土交通大臣が定める方法で行うことができない業務を行う運転者に対しては，業務前及び業務後の点呼のほかに，当該業務の途中において少なくとも1回対面による点呼と同等の効果を有するものとして国土交通大臣が定める方法（当該方法により点呼を行うことが困難である場合にあっては，電話その他の方法）により点呼（中間点呼）を行わなければならない。当該点呼においては，当該業務に係る事業用自動車の法令に定める点検（日常点検）の実施又はその確認についての報告を求めなくてはならない。

4. 点呼を行い，報告を求め，確認を行い，及び指示をしたときは，運転者ごとに点呼を行った旨，報告，確認及び指示の内容並びに所定の事項を記録し，かつ，その記録を1年間保存しなければならない。

問7　次の自動車事故に関する記述のうち，一般貨物自動車運送事業者が自動車事故報告規則に基づく国土交通大臣への【報告を要するものをすべて】選びなさい。なお，解答にあたっては，各選択肢に記載されている事項以外は考慮しないものとする。

1. 事業用自動車の運転者が走行中に意識がもうろうとしてきたので直近の駐車場に駐車させ，その後の運行を中止した。後日，当該運転者は脳梗塞と診断された。
2. 事業用自動車が踏切を通過中，その先の道路が渋滞していたため前車に続き停車したところ，当該自動車の後部が踏切内に残った状態となり，そこに進行してきた列車と接触事故を起こした。
3. 事業用自動車の運転者がハンドル操作を誤り，当該自動車が車道と歩道の区別がない道路を逸脱し，当該道路との落差が0.3メートルの畑に転落した。
4. 高速自動車国道を走行中の事業用けん引自動車のけん引装置が故障し，事業用被けん引自動車と当該けん引自動車が分離した。

問8　一般貨物自動車運送事業者に対する事業改善命令に関する次の文中，A，B，C，Dに入るべき字句として【いずれか正しいものを1つ】選びなさい。

　　　 A 　は，一般貨物自動車運送事業の B かつ合理的な運営を確保するため必要があると認めるときは，一般貨物自動車運送事業者に対し，事業計画や運送約款を変更することを命じたり，貨物の運送に関し生じた C を賠償するために必要な金額を担保することができる D を締結することを命じたりすることができる。

A　1.　荷主　　　　　　　2.　国土交通大臣
B　1.　適正　　　　　　　2.　効率的
C　1.　事故　　　　　　　2.　損害
D　1.　保険契約　　　　　2.　保証契約

２．道路運送車両法関係

問９ 道路運送車両法に定める自動車の種別に関する次の文中，A，B，C，Dに入るべき字句として【いずれか正しいものを１つ】選びなさい。

　　道路運送車両法において，道路運送車両とは，自動車，原動機付自転車及び　A　をいう。道路運送車両法に規定する自動車の種別は，自動車の大きさ及び　B　並びに原動機の種類及び　C　又は定格出力を基準として国土交通省令で定められ，その別は普通自動車，小型自動車，軽自動車，　D　及び小型特殊自動車の５種類である。

A　1.　軽車両　　　　　　　2.　トロリーバス
B　1.　構造　　　　　　　　2.　総重量
C　1.　総排気量　　　　　　2.　乗車定員
D　1.　大型特殊自動車　　　2.　普通特殊自動車

問10 自動車の登録等に関する次の記述のうち，【正しいものをすべて】選びなさい。なお，解答にあたっては，各選択肢に記載されている事項以外は考慮しないものとする。

1.　登録自動車の使用者は，当該自動車が滅失し，解体し（整備又は改造のために解体する場合を除く。），又は自動車の用途を廃止したときは，その事由があった日（使用済自動車の解体である場合には解体報告記録がなされたことを知った日）から30日以内に，当該自動車検査証を国土交通大臣に返納しなければならない。

2.　自動車の所有者は，当該自動車の使用の本拠の位置に変更があったときは，道路運送車両法で定める場合を除き，その事由があった日から15日以内に，国土交通大臣の行う変更登録の申請をしなければならない。

3.　一時抹消登録を受けた自動車（国土交通省令で定めるものを除く。）の所有者は，自動車の用途を廃止したときは，その事由があった日から15日以内に，国土交通省令で定めるところにより，その旨を国土交通大臣に届け出なければならない。

4.　臨時運行許可の有効期間は，特にやむを得ない場合を除き３日を超えてはならない。

問11 自動車の検査及び検査証に関する次の記述のうち,【誤っているものを1つ】選びなさい。なお,解答にあたっては,各選択肢に記載されている事項以外は考慮しないものとする。

1. 国土交通大臣の行う自動車(検査対象外軽自動車及び小型特殊自動車を除く。以下同じ。)の検査は,新規検査,継続検査,臨時検査,構造等変更検査及び予備検査の5種類である。
2. 車両総重量8,990キログラムの貨物自動車運送事業の用に供する自動車の使用者は,スペアタイヤの取付状態等について,1ヵ月ごとに国土交通省令で定める技術上の基準により自動車を点検しなければならない。
3. 国土交通大臣は,一定の地域に使用の本拠の位置を有する自動車の使用者が,天災その他やむを得ない事由により,継続検査を受けることができないと認めるときは,当該地域に使用の本拠の位置を有する自動車の自動車検査証の有効期間を,期間を定めて伸長する旨を公示することができる。
4. 国土交通大臣は,継続検査の結果,自動車が道路運送車両の保安基準に適合しないと認めるときは,当該自動車の自動車検査証を使用者に返付しないものとする。

問12 道路運送車両の保安基準及びその細目を定める告示についての次の記述のうち,【正しいものをすべて】選びなさい。なお,解答にあたっては,各選択肢に記載されている事項以外は考慮しないものとする。

1. 自動車(被けん引自動車を除く。)には,警音器の警報音発生装置の音が,連続するものであり,かつ,音の大きさ及び音色が変化するものである警音器を備えなければならない。
2. 自動車の前面ガラス及び側面ガラス(告示で定める部分を除く。)は,フィルムが貼り付けられた場合,当該フィルムが貼り付けられた状態においても,透明であり,かつ,運転者が交通状況を確認するために必要な視野の範囲に係る部分における可視光線の透過率が60%以上であることが確保できるものでなければならない。
3. 貨物の運送の用に供する普通自動車及び車両総重量が8トン以上の普通自動車(乗車定員11人以上の自動車及びその形状が乗車定員11人以上の自動車の形状に類する自動車を除く。)の両側面には,堅ろうであり,かつ,歩行者,自転車の乗車人員等が当該自動車の後車輪へ巻き込まれることを有効に防止することができるものとして,強度,形状等に関し告示で定める基準に適合する巻込防止装置を備えなければならない。ただし,告示で定める構造の自動車にあっては,この限りではない。
4. 自動車の後面には,夜間にその後方150メートルの距離から走行用前照灯で照射した場合にその反射光を照射位置から確認できる赤色の後部反射器を備えなければならない。

3．道路交通法関係

問13　道路交通法に定める徐行及び一時停止に関する次の記述のうち，【正しいもの
を1つ】選びなさい。なお，解答にあたっては，各選択肢に記載されている事項以
外は考慮しないものとする。

1. 車両等は，道路のまがりかど附近，上り坂の頂上附近又は勾配の急な上り坂及び
　下り坂を通行するときは，徐行しなければならない。
2. 車両等の運転者は，身体障害者用の車が通行しているときは，その側方を離れて
　走行し，通行を妨げないようにしなければならない。
3. 車両等は，横断歩道等又はその手前の直前で停止している車両等がある場合にお
　いて，その停止している車両等の側方を通過して前方に出ようとするときは，徐行
　したうえ，前方に出た後に一時停止しなければならない。
4. 車両等の運転者は，高齢の歩行者でその通行に支障のあるものが通行していると
　きは，一時停止し，又は徐行して，その通行を妨げないようにしなければならない。

問14 道路交通法に定める灯火及び合図等についての次の記述のうち,【誤っている ものを1つ】選びなさい。なお,解答にあたっては,各選択肢に記載されている事 項以外は考慮しないものとする。

1. 車両（自転車以外の軽車両を除く。）の運転者は,左折し,右折し,転回し,徐 行し,停止し,後退し,又は同一方向に進行しながら進路を変えるときは,手,方 向指示器又は灯火により合図をし,かつ,これらの行為が終わるまで当該合図を継 続しなければならない。（環状交差点における場合を除く。）

2. 車両は,トンネルの中,濃霧がかかっている場所その他の場所で,視界が高速自 動車国道及び自動車専用道路においては200メートル,その他の道路においては50 メートル以下であるような暗い場所を通行する場合及び当該場所に停車し,又は駐 車している場合においては,前照灯,車幅灯,尾灯その他の灯火をつけなければな らない。

3. 車両の運転者が左折又は右折するときの合図を行う時期は,その行為をしようと する地点（交差点においてその行為をする場合にあっては,当該交差点の手前の側 端）から30メートル手前の地点に達したときである。（環状交差点における場合を 除く。）

4. 信号機の表示する信号の種類が赤色の灯火のときは,交差点において既に右折し ている自動車は,青色の灯火により進行することができることとされている自動車 に優先して進行することができる。

問15 道路交通法に定める停車及び駐車等についての次の記述のうち,【正しいもの をすべて】選びなさい。なお,解答にあたっては,各選択肢に記載されている事項 以外は考慮しないものとする。

1. 車両は,安全地帯が設けられている道路の当該安全地帯の左側の部分及び当該部 分の前後の側端からそれぞれ前後に5メートル以内の道路の部分においては,法令 の規定若しくは警察官の命令により,又は危険を防止するため一時停止する場合の ほか,停車し,又は駐車してはならない。

2. 車両は,法令の規定により駐車する場合に当該車両の右側の道路上に2.5メートル (道路標識等により距離が指定されているときは,その距離)以上の余地がないこ ととなる場所においては,駐車してはならない。

3. 車両は,踏切の前後の側端からそれぞれ前後に10メートル以内の道路の部分にお いては,法令の規定若しくは警察官の命令により,又は危険を防止するため一時停 止する場合のほか,停車し,又は駐車してはならない。

4. 車両は,消火栓,指定消防水利の標識が設けられている位置又は消防用防火水槽 の吸水口若しくは吸管投入孔から5メートル以内の道路の部分においては,駐車し てはならない。

問16 大型貨物自動車の貨物の積載制限(出発地の警察署長が許可した場合を除く。) 及び過積載に関する次の記述のうち,【誤っているものを1つ】選びなさい。なお, 解答にあたっては,各選択肢に記載されている事項以外は考慮しないものとする。

1. 警察署長は,荷主が車両の運転者に対し,過積載をして車両を運転することを要 求する違反行為を行った場合において,当該荷主が当該違反を反復して行うおそれ があると認めるときは,内閣府令で定めるところにより,当該荷主に対し,当該違 反をしてはならない旨を命ずることができる。

2. 荷主は,車両の運転者に対し,当該車両への積載が過積載となるとの情を知りな がら,積載重量等の制限に係る重量を超える積載物を当該車両に積載させるため, 当該積載物を引き渡す行為をしてはならない。

3. 自動車の使用者は,その者の業務に関し,自動車の運転者に対し,道路交通法第 57条(乗車又は積載の制限等)第1項の規定に違反して政令で定める積載物の重量, 大きさ又は積載の方法の制限を超えて積載をして運転することを命じ,又は自動車 の運転者がこれらの行為をすることを容認してはならない。

4. 運転者に応急措置命令が出された場合,車両の使用者が過積載を防止するため必 要な運行管理を行っていると認められないときには,警察署長は使用者に対し,過 積載を防止するため必要な措置をとることを指示することができる。

問17 次に掲げる標識のある道路における通行に関する各々の記述について，【誤っているものを1つ】選びなさい。

1.

歩行者，車両及び路面電車の通行を禁止する。

2.

標示板に表示される速度を超える速度で進行してはならない。

3.

標示板に表示される高さを超える高さ（積載した貨物の高さを含む。）の車両の通行を禁止する。

4.

車両は，法令の規定若しくは警察官の命令により，又は危険を防止するため一時停止する場合のほか，8時から20時までの間は駐停車してはならない。

4．労働基準法関係

問18 労働基準法（以下「法」という。）に関する次の記述のうち，【誤っているものを１つ】選びなさい。なお，解答にあたっては，各選択肢に記載されている事項以外は考慮しないものとする。

1. 使用者は，暴行，脅迫，監禁その他精神又は身体の自由を不当に拘束する手段によって，労働者の意思に反して労働を強制してはならない。

2. 労働者が，解雇の予告がされた日から退職の日までの間において，当該解雇の理由について証明書を請求した場合においては，使用者は，遅滞なくこれを交付しなければならない。ただし，解雇の予告がされた日以後に労働者が当該解雇以外の事由により退職した場合においては，使用者は，当該退職の日以後，これを交付することを要しない。

3. 使用者は，天災事変その他やむを得ない事由のために事業の継続が不可能となった場合又は労働者の責に帰すべき事由に基づいて解雇する場合においては，解雇の予告又は解雇予告手当の支払いをせずに労働者を解雇することができる。

4. 法で定める基準に達しない労働条件を定める労働契約は，その部分については，労働者が取り消すことができる。

問19 労働基準法（以下「法」という。）の労働契約等に関する次の記述のうち，【正しいものをすべて】選びなさい。なお，解答にあたっては，各選択肢に記載されている事項以外は考慮しないものとする。

1. 労働契約の締結に際し，昇給に関する事項については，使用者は労働者に対して書面を交付して明示しなければならない。

2. 労働者が，退職の場合において，使用期間，業務の種類，その事業における地位，賃金又は退職の事由（退職の事由が解雇の場合にあっては，その理由を含む。）について証明書を請求した場合においては，使用者は，遅滞なくこれを交付しなければならない。

3. 出来高払制その他の請負制で使用する労働者については，使用者は，労働時間にかかわらず一定額の賃金の保障をしなければならない。

4. 使用者は，労働者を解雇しようとする場合においては，法第20条の規定に基づき，少なくとも14日前にその予告をしなければならない。14日前に予告をしない使用者は，14日分以上の平均賃金を支払わなければならない。

問20 労働基準法（以下「法」という。）の定めに関する次の記述のうち，【誤っているものを1つ】選びなさい。なお，解答にあたっては，各選択肢に記載されている事項以外は考慮しないものとする。

1. 使用者の責に帰すべき事由によって労働者を休業させた場合においては，使用者は，休業期間中当該労働者に，その平均賃金の100分の60以上の手当を支払わなければならない。

2. 使用者は，その雇入れの日から起算して3ヵ月間継続勤務し全労働日の8割以上出勤した労働者に対して，継続し，又は分割した10労働日の有給休暇を与えなければならない。

3. 労働者が業務上負傷し，又は疾病にかかり療養のために休業した期間及び育児休業，介護休業等育児又は家族介護を行う労働者の福祉に関する法律に定める育児休業又は介護休業をした期間は，年次有給休暇（法第39条）取得のための出勤率の算定上，これを出勤したものとみなす。

4. 使用者は，各事業場ごとに賃金台帳を調製し，賃金計算の基礎となる事項及び賃金の額その他厚生労働省令で定める事項を賃金支払の都度遅滞なく記入しなければならない。

問21 労働基準法（以下「法」という。）の就業規則に関する次の記述のうち，【誤っているものを1つ】選びなさい。なお，解答にあたっては，各選択肢に記載されている事項以外は考慮しないものとする。

1. 常時10人以上の労働者を使用する使用者は，就業規則を作成し，労働基準監督署長に届け出なければならない。

2. 使用者は，法及びこれに基づく命令の要旨，就業規則，時間外労働及び休日労働に関する協定等を，常時各作業場の見やすい場所へ掲示し，又は備え付けること，書面を交付することその他の厚生労働省令で定める方法によって，労働者に周知させなければならない。

3. 使用者は，就業規則の作成又は変更について，当該事業場に，労働者の過半数で組織する労働組合がある場合においてはその労働組合，労働者の過半数で組織する労働組合がない場合においては労働者の過半数を代表する者の承認を得なければならない。

4. 就業規則で，労働者に対して減給の制裁を定める場合においては，その減給は，1回の額が平均賃金の1日分の半額を超えてはならず，総額が1賃金支払期における賃金の総額の10分の1を超えてはならない。

問22　下図は，貨物自動車運送事業に従事する自動車運転者の4週間の運転時間の例を示したものである。図の空欄A，B，C，Dについて，次の選択肢1〜4の運転時間の組み合わせを当てはめた場合，2日を平均し1日当たりの運転時間及び2週間を平均し1週間当たりの運転時間が「自動車運転者の労働時間等の改善のための基準」に違反せず，かつ，当該4週間の運転時間の合計が最少となるものとして，【正しいものを1つ】選びなさい。なお，当該4週間の運転時間は1人乗務のものとする。

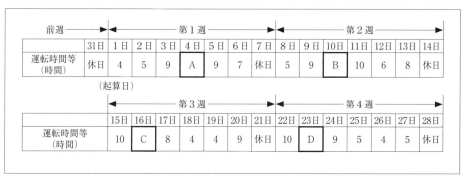

(注1) 2日を平均した1日当たりの運転時間については，当該4週間のすべての日を特定日とすること。
(注2) 2週間の起算日は1日とする。
(注3) 各労働日の始業時刻は午前8時とする。

| | | A (時間) | B (時間) | C (時間) | D (時間) | 2週間を平均した1週間当たりの運転時間 (時間) | | 第1週〜第4週の4週間を平均した1週間当たりの運転時間 (時間) |
						第1週〜第2週	第3週〜第4週	
選択肢	1	8	9	8	9	44.5	42.5	43.5
	2	8	8	7	9	44.0	42.0	43.0
	3	9	6	10	5	43.5	41.5	42.5
	4	10	5	6	7	43.5	40.5	42.0

問23 下表は，貨物自動車運送事業に従事する自動車運転者の1週間の勤務パターンを示したものであるが，「自動車運転者の労働時間等の改善のための基準」（以下「改善基準告示」という。）に定める拘束時間等に関する次の記述のうち，【正しいものをすべて】選びなさい。なお，本運行は，宿泊を伴う長距離貨物運送（1週間における運行が全て長距離貨物運送であり，かつ，一の運行における休息期間が，運転者の住所地以外の場所になる場合）には該当しないものとする。また，解答にあたっては，各選択肢に記載されている事項以外は考慮しないものとする。

曜日	始業時刻	～	終業時刻
月	8:00	～	20:00
火	8:30	～	23:30
水	7:30	～	23:00
木	9:00	～	24:00
金	8:30	～	20:00
土	9:00	～	18:00
日	公 休		

1. 火曜日の拘束時間は，改善基準告示に違反する。
2. 火曜日の勤務終了後の休息期間は，改善基準告示に違反しない。
3. 水曜日の拘束時間は，改善基準告示に違反しない。
4. 勤務終了後の休息期間について，この1週間の勤務パターンでは改善基準告示に違反する勤務が1回ある。
5. この1週間の勤務パターンは，1日の拘束時間が14時間を超える回数について，改善基準告示における目安に違反している。

5．実務上の知識及び能力

問24 運行管理に関する次の記述のうち，【適切なものをすべて】選びなさい。なお，解答にあたっては，各選択肢に記載されている事項以外は考慮しないものとする。

1. 運行管理者には，自動車運送事業者（以下「事業者」という。）に代わって法令に定められた事業用自動車の輸送の安全確保に関する業務を行い，交通事故を防止するという役割を果たすことが求められている。
2. 運行管理者は，貨物自動車運送事業法その他の法令に基づく運転者の遵守すべき事項に関する知識のほか，事業用自動車の運行の安全を確保するために必要な運転に関する技能及び知識について，運転者に対する適切な指導及び監督をしなければ

予

想

ならない。ただし，その実施については，個々の運転者の運転に関する技能あるいは過去の運転の経験等に応じて適切な時期に行えばよく，必ずしも継続的，計画的に行わなくてもよい。

3. 事業者が，事業用自動車の定期点検を怠ったことが原因で重大事故を起こしたことにより，行政処分を受けることになった場合，当該重大事故を含む運行管理業務上に一切問題がなくても，運行管理者は事業者に代わって事業用自動車の運行管理を行っていることから，事業者が行政処分を受ける際に，運行管理者が運行管理者資格者証の返納を命じられることがある。

4. 運行管理者は，事業用自動車が運行しているときにおいては，運行管理業務に従事している必要がある。しかし，1人の運行管理者が毎日，24時間営業所に勤務することは不可能である。そのため事業者は，複数の運行管理者を選任して交代制で行わせるか，又は，運行管理者の補助者を選任し，点呼の一部を実施させるなど，確実な運行管理業務を遂行させる必要がある。

問25 点呼の実施等に関する次の記述のうち，運行管理者の業務上の措置として，【適切でないものをすべて】選びなさい。なお，解答にあたっては，各選択肢に記載されている事項以外は考慮しないものとする。

1. 定期健康診断の結果，すべて異常なしとされた運転者については，健康管理が適切に行われ健康に問題がないと判断され，また，健康に問題があるときは，事前に運行管理者等に申し出るよう指導している。このため，業務前の点呼における疾病，疲労，睡眠不足その他の理由により安全な運転をすることができないおそれがあるか否かの確認は，本人から体調不良等の申し出があるときには行っている。

2. 業務前の点呼における酒気帯びの有無を確認するため，アルコール検知器を使用しなければならないとされているが，アルコール検知器を使用する理由は，身体に保有しているアルコールの程度を測定し，道路交通法施行令で定める呼気1リットル当たり0.15ミリグラム以上であるか否かを判定するためである。

3. 業務前の点呼において運転者の健康状態を的確に確認することができるようにするため，健康診断の結果等から異常の所見がある運転者又は就業上の措置を講じた運転者が一目で分かるように，個人のプライバシーに配慮しながら点呼記録表の運転者の氏名の横に注意喚起のマークを付記するなどして，これを点呼において活用している。

4. 運転者が営業所を早朝に出庫する場合の業務前の点呼については，運行管理者等が営業所に出勤していないため対面又は対面による点呼と同等の効果を有するものとして国土交通大臣が定める方法で実施できないことから，運行管理者等が営業所に出勤した後電話で実施している。

問26　事業用自動車の運転者の健康管理及び就業における判断・対処に関する次の記述のうち，【適切なものをすべて】選びなさい。なお，解答にあたっては，各選択肢に記載されている事項以外は考慮しないものとする。

1. 事業者は，法令により定められた健康診断を実施することが義務づけられているが，運転者が自ら受けた健康診断（人間ドックなど）であっても法令で必要な定期健康診断の項目を充足している場合は，法定健診として代用することができる。

2. 事業者は，深夜（夜11時出庫）を中心とした業務に常時従事する運転者に対し，法令に定める定期健康診断を1年に1回，必ず，定期的に受診させるようにしている。

3. 事業者が，自社指定の医師による定期健康診断を実施したが，一部の運転者からは当該医師による健康診断ではなく他の医師による健康診断を受診したい旨の希望があった。そこで，自社で実施した健康診断を受診しなかった運転者には，他の医師が行う当該健康診断に相当する健康診断を受け，その結果を証明する書面を提出させるようにした。

4. 事業者は，健康診断の結果，運転者に心疾患の前兆となる症状がみられたので，当該運転者に医師の診断を受けさせた。その結果，医師より「直ちに入院治療の必要はないが，より軽度な勤務において経過観察することが必要」との所見が出されたが，繁忙期であったことから，運行管理者の判断で短期間に限り従来と同様の乗務を続けさせた。

問27　交通事故の防止等に関する次の記述のうち，【適切なものをすべて】選びなさい。なお，解答にあたっては，各選択肢に記載されている事項以外は考慮しないものとする。

1. 大型トラックの原動機に備えなければならない「速度抑制装置」とは，当該トラックが時速100キロメートルを超えて走行しないよう燃料の供給を調整し，かつ，自動車の速度の制御を円滑に行うためのものである。したがって，運行管理者はこの速度を考慮して運行の計画を立てる必要があり，運転者に対しては，速度抑制装置の機能等を理解させるとともに，追突事故の防止等安全運転に努めさせる必要がある。

2. シートベルトの着用は，交通事故にあった場合の被害を大幅に軽減するだけでなく，衝突時の乗員の車外放出による被害を防止する効果があり，また，運転姿勢を正しく保てるため疲労を軽減できるなど，交通事故の防止にさまざまな効果をもたらす。

3. デジタル式運行記録計は，自動車の運行中，交通事故や急ブレーキ，急ハンドルなどにより当該自動車が一定以上の衝撃を受けると，その前後数十秒の映像などを

記録する装置，または，自動車の運行中常時記録する装置であり，事故防止対策の有効な手段の一つとして活用されている。

4. ふらつき注意喚起装置とは，急なハンドル操作や積雪がある路面の走行などを原因とした横転の危険を，運転者へ警告するとともに，エンジン出力やブレーキ力を制御し，横転の危険を軽減させる装置であり，交通事故の防止に役立っている。

問28 自動車の交通公害等に関する次の記述のうち，【適切でないものを1つ】選びなさい。なお，解答にあたっては，各選択肢に記載されている事項以外は考慮しないものとする。

1. エコドライブとは，駐停車中にエンジンを停止するアイドリングストップや急発進・急加速を避けた等速度運転などを励行する省エネルギー運転のことで，環境の保全のために必要なだけでなく，運行経費の削減や安全面の効果などをもたらすものである。

2. 「地球温暖化対策の推進に関する法律」は，地球温暖化対策に関し，温室効果ガスの排出の量の削減等を促進するための措置を講ずること等としており，その温室効果ガスとして，二酸化炭素・メタン・一酸化二窒素・代替フロンなどの7種類を定めている。

3. 自動車の排出ガスの中には，一酸化炭素，炭化水素，窒素酸化物等人体に有害な物質が含まれており，これらの排出ガスが大気を汚染する原因の一つとなっている。

4. パークアンドライドとは，旅客・貨物の輸送手段を，より環境汚染に与える影響の小さいものに転換することをいい，具体的には，トラックによる輸送の一部を内航海運や鉄道輸送に切り替えて，二酸化炭素の排出量を少なくするなどの取組みをいう。

問29　自動車の走行時に生じる諸現象とその主な対策に関する次の記述のうち,【適切なものをすべて】選びなさい。なお,解答にあたっては,各選択肢に記載されている事項以外は考慮しないものとする。

1.　一般的に車両全長が長い大型車が右左折する場合,ハンドルを一気にいっぱいに切ることにより,その間における車体後部のオーバーハング部分(最後輪より車両後端までのはみ出し部分)の対向車線等へのはみ出し量が少なくなり,対向車などに接触する事故を防ぐことができる。したがって,このような大型車の右左折においては,ハンドルを一気にいっぱいに切るような運転を心がける必要がある。

2.　自動車は,運転者が直接見ることが出来ない箇所に対して後写鏡やアンダーミラー等を備えるなどして,構造上の死角が少なくなるよう設計されているが,なお,死角は存在する。その他にも「前走車,対向車など他の交通による死角」,「道路構造,建物,樹木等道路環境による死角」,「夜間走行時の死角」等があるので,これらの死角の特性に十分注意した運転が必要である。

3.　ハイドロプレーニング現象とは,路面が水でおおわれているときに高速で走行するとタイヤの排水作用が悪くなり,水上を滑走する状態になって操縦不能になることをいう。これを防ぐため,日頃よりスピードを抑えた走行に努めるべきことや,タイヤの空気圧及び溝の深さが適当であることを日常点検で確認することの重要性を,運転者に対し指導する必要がある。

4.　制動距離とは,運転者が走行中に危険を認知して判断し,ブレーキ操作に至るまでの間に自動車が走り続けた距離をいう。自動車を運転するとき,特に他の自動車に追従して走行するときは,危険が発生した場合でも安全に停止できるような速度又は車間距離を保って運転するよう運転者に対し指導する必要がある。

問30　貨物自動車運送事業者の運行管理者は複数の荷主からの運送依頼を受けて,次のとおり4日にわたる2人乗務による運行計画を立てた。この2人乗務を必要とした根拠についての次の1～3の運行管理者の判断について,【正しいものをすべて】選びなさい。なお,本運行は,宿泊を伴う長距離貨物運送(1週間における運行が全て長距離貨物運送であり,かつ,一の運行における休息期間が,運転者の住所地以外の場所になる場合)には該当しないものとする。また,本問では,荷積み及び荷下ろしの時間は,運転中断の時間として扱うものとする。解答にあたっては,<4日にわたる運行計画>及び各選択肢に記載されている事項以外は考慮しないものとする。

＜4日にわたる運行計画＞

前　日	当該運行の前日は，この運行を担当する運転者は，休日とする。

始業時刻　出庫時刻
6時00分　6時30分

到着時刻　終業時刻
20時15分　20時30分

1日目	業務前点呼（営業所）	運転	荷積み	運転	休憩	運転	休憩	運転	荷下ろし	運転	業務後点呼	宿泊所
		1時間	1時間	3時間	1時間	2時間	15分	3時間	1時間30分	1時間		

始業時刻　出庫時刻
4時00分　4時30分

到着時刻　終業時刻
16時45分　17時00分

2日目	業務前点呼	運転	荷積み	運転	休憩	運転	中間点呼休憩	運転	荷下ろし	運転	業務後点呼	宿泊所
		1時間	1時間	1時間30分	15分	2時間30分	1時間	3時間	1時間	1時間		

始業時刻　出庫時刻
4時00分　4時30分

到着時刻　終業時刻
16時45分　17時00分

3日目	業務前点呼	運転	荷積み	運転	中間点呼休憩	運転	休憩	運転	荷下ろし	運転	業務後点呼	宿泊所
		1時間	1時間	3時間	1時間	2時間	15分	2時間	1時間	1時間		

始業時刻　出庫時刻
5時00分　5時30分

到着時刻　終業時刻
21時30分　22時00分

4日目	業務前点呼	運転	荷積み	運転	フェリー乗船	運転	休憩	運転	荷下ろし	運転	業務後点呼（営業所）
		1時間30分	1時間	2時間	3時間	2時間	1時間	3時間	1時間	1時間30分	

翌　日	当該運行の翌日は，この運行を担当する運転者は，休日とする。

1. 1人乗務とした場合，1日についての最大拘束時間及び休息期間が「自動車運転者の労働時間等の改善のための基準」（以下「改善基準告示」という。）に違反していると判断して，当該運行には交替運転者を配置した。

2. 1人乗務とした場合，すべての日を特定の日とした場合の2日を平均して1日当たりの運転時間が改善基準告示に違反していると判断して，当該運行には交替運転者を配置した。

3. 1人乗務とした場合，連続運転時間が改善基準告示に違反していると判断して，当該運行には交替運転者を配置した。

さくいん

2025年版 運行管理者〈貨物〉試験対策書籍

★基本テキストで詳しく学習したい方は・・・

合格テキスト＆問題集

A5判　定価2,530円（10%税込）

STEP 1 **基本の学習**
豊富なイラストで楽しくしっかり学習！

STEP 2 **理解度チェック**
50問の一問一答で復習！

STEP 3 **問題にチャレンジ**
「令和4年度CBT試験出題例」と「予想模試」で総仕上げ

★たくさん過去問を解きたい方は・・・

過去6回問題集

A5判　定価1,870円（10%税込）

STEP 1 **問題にチャレンジ**
令和3年度CBT試験出題例〜平成30年度第2回の過去問に挑戦

STEP 2 **解答・解説をチェック**
取り外し式の解答・解説を読んで理解を深める！

STEP 3 **繰り返して挑戦**
繰り返し過去問題に挑戦！知識の定着が図れる！

改善基準告示の改正に完全対応！
ユーキャンで目指せ 一発合格！

●法改正・正誤等の情報につきましては，下記「ユーキャンの本」
ウェブサイト内「追補（法改正・正誤）」をご覧ください。
https://www.u-can.co.jp/book/information

●本書の内容についてお気づきの点は
・「ユーキャンの本」ウェブサイト内「よくあるご質問」をご参照ください。
https://www.u-can.co.jp/book/faq
・郵送・FAXでのお問い合わせをご希望の方は，書名・発行年月日・お客様のお名前・
ご住所・FAX番号をお書き添えの上，下記までご連絡ください。
【郵送】〒169-8682　東京都新宿北郵便局　郵便私書箱第2005号
　　　　ユーキャン学び出版 運行管理者資格書籍編集部
【FAX】03-3350-7883
◎より詳しい解説や解答方法についてのお問い合わせ，他社の書籍の記載内容等に関しては回答
いたしかねます。

●お電話でのお問い合わせ・質問指導は行っておりません。

2025年版 ユーキャンの 運行管理者〈貨物〉合格テキスト&問題集

2010年11月26日　初　版　第1刷発行	編　者　ユーキャン運行管理者
2024年9月20日　第15版　第1刷発行	試験研究会
	発行者　品川泰一
	発行所　株式会社 ユーキャン 学び出版
	〒151-0053
	東京都渋谷区代々木1-11-1
	Tel 03-3378-1400
	編　集　株式会社 東京コア
	発売元　株式会社 自由国民社
	〒171-0033
	東京都豊島区高田3-10-11
	Tel 03-6233-0781（営業部）

印刷・製本　カワセ印刷株式会社

過去問題
予想 **＆**
模擬試験

解答／解説

過去問題〈令和4年度CBT試験出題例〉解答一覧

試験科目	問題	解答	試験科目	問題	解答
貨物自動車運送事業法関係	問1	1・3	道路交通法関係	問16	2
	問2	3		問17	3
	問3	3・4	労働基準法関係	問18	2・3
	問4	1・2		問19	2
	問5	2・3		問20	A-1 B-1 C-2 D-2
	問6	1		問21	1
	問7	A-2 B-1 C-1		問22	2・4
	問8	1・3		問23	ウ
道路運送車両法関係	問9	1	実務上の知識及び能力	問24	2・3・4
	問10	2・3		問25	2・4
	問11	A-1 B-2 C-2 D-2		問26	1・2・4
	問12	2		問27	2・3
道路交通法関係	問13	1		問28	2・4
	問14	1・4		問29	1・2・2
	問15	A-2 B-1 C-1		問30	1・3・5

☆得点を計算してみましょう。

	挑戦した日			挑戦した日	
	1回目	2回目		1回目	2回目
貨物自動車運送事業法関係	／8	／8	労働基準法関係	／6	／6
道路運送車両法関係	／4	／4	実務上の知識及び能力	／7	／7
道路交通法関係	／5	／5	計	／30	／30

過去問題〈令和4年度CBT試験出題例〉解答・解説

※問題を解くために参考となるページを「⮂」の後に記してあります。

1．貨物自動車運送事業法関係

問1　解答　1・3　　　　　　　　⮂P76, P79, P82, P83〜P84

〔解説〕2. 貨物自動車運送事業とは，**一般貨物自動車運送事業，特定貨物自動車運送事業**お
　よび**貨物軽自動車運送事業**をいいます。貨物自動車利用運送事業は含まれません。
　4. 一般貨物自動車運送事業の許可の取消しを受けた日から**5年**を経過していない者
　は，新たに一般貨物自動車運送事業の許可を受けることはできません。2年では
　ありません。

問2　解答　3　　　　　　　　　　⮂P131, P132, P134

〔解説〕一般貨物自動車運送事業者等は，補助者の選任については，**運行管理者の履行補助**
として業務に支障が生じない場合に限り，同一事業者の他の営業所の補助者を兼務
させても差し支えないとされています。

問3　解答　3・4　　　　　　　　⮂P97, P135〜P137, P140, P141

〔解説〕1. 乗務員等が休憩や睡眠のために必要な施設を**整備**し，適切に管理し，保守するこ
　とは，**事業者の義務**です。運行管理者の業務ではありません。なお，令和5年4
　月の法改正により，特定自動運行が認められたことに伴い，一部の文言が変更に
　なりました。
　2. 運行管理規程の**遵守**について，**運行補助者と運転者に対する指導および監督**を行
　うことは，**運行管理者の業務**です。しかし，運行管理規程を**定める**のは，**事業者**
　等の義務です。運行管理者の業務ではありません。

問4　解答　1・2　　　　　　　　⮂P100, P101, P103, P105

〔解説〕3. IT点呼の実施は，1営業日のうち連続する**16時間以内**とされていますが，同一事
　業所内のGマーク営業所と当該営業所の車庫間で行う場合には，時間制限はあり
　ません。
　4. 「運行上やむを得ない場合」とは，**遠隔地で業務を開始または終了するため，運**
　転者の所属する営業所で対面点呼が実施できない場合などをいいます。単に営業
　所と車庫が離れている場合などは，運行上やむを得ない場合とはいえません。

問5　解答　2・3　　　　　　　　　　　　　　　　　⮂P149

〔解説〕1. **死者**または**重傷者**を生じた事故については，**国土交通大臣への報告**を要します。
　そして，**14日以上の入院**を要する傷害，または**入院**を要する傷害で医師の治療を
　要する期間が**30日以上**のものならば，「重傷者」に含まれます。しかし，本肢の
　一般原動機付自転車の運転者は入院はしていないので，「重傷者」には該当せず，
　国土交通大臣への事故の報告を要しません。
　4. **10台以上**の自動車の衝突または接触を生じた事故，**10人以上**の負傷者を生じた事

3

故については，国土交通大臣への報告を要します。しかし，本肢の事故では，衝突した自動車は全部で4台であり，また負傷者は8人であるため，国土交通大臣への事故の報告を要しません。

問6　解答　1　　　　　　　　　　　　　　　　　　　　　⤴P97 ～ P98

〔解説〕　運転者が一の運行における最初の勤務を開始してから最後の勤務を終了するまでの時間（ただし，改善基準告示の規定に定める自動車運転者がフェリーに乗船している時間のうち休息期間とされる時間を除く）は，**144時間**を超えてはなりません。168時間ではありません。なお，令和6年4月の法改正により，一部の文言が変更になりました。

問7　解答　A-2　B-1　C-1　　　　　　　　　　　　　　⤴P127 ～ P128

〔解説〕　1. 事業者は，**高齢運転者のための適性診断**を，運転者が**65歳に達した日以後1年以内に1回**受診させ，その後**3年以内ごとに1回**受診させます。したがって，**A**には2が入ります。

2. 事業者は，**初任運転者に対する特別な指導**について，その貨物自動車運送事業者において**初めて事業用自動車に乗務する前**に実施します。ただし，**やむを得ない事情がある場合には乗務を開始した後1か月以内**に実施します。したがって，**B**には1が入ります。

3. 事業者が行う**初任運転者に対する特別な指導**は，安全運転の実技以外について**15時間以上**実施し，安全運転の実技は**20時間以上**実施します。したがって，**C**には1が入ります。

問8　解答　1・3　　　　　　　　　　　　　　　　⤴P92, P121, P125

〔解説〕　2. 事業者は，事業用自動車に貨物を積載するときに偏荷重（へんかじゅう）が生じないように積載するとともに，貨物が運搬中に荷崩れなどにより事業用自動車から落下することを防止するため，貨物に**ロープまたはシートを掛けるなど必要な措置**を講じなければなりません。車両総重量や最大積載量についての限定はありません。

4. 本肢の場合，**業務の記録には貨物の積載状況を記録**しなければなりません。これは**過積載による運送の有無**を判断するために記録するものなので，貨物の重量または貨物の個数，貨物の荷台等への積付状況などを，**可能なかぎりくわしく記録**させます。**運行指示書に「貨物の積載状況」が記録されている場合でも，業務の記録に当該事項を記録したものとはみなされません**。なお，令和5年4月の法改正により，一部の文言が変更になりました。

2．道路運送車両法関係

問9　解答　1　　　　　　　　　　　　　　⤴P163, P169, P172, P186

〔解説〕　本肢の場合，登録自動車の所有者は，**遅滞なく**，自動車登録番号標および封印を取り外し，自動車登録番号標について国土交通大臣の**領置**（りょうち）を受けなければなりません。30日以内，また，届け出るのではありません。

4

問10　解答　2・3　　　　　　　　　　　　　⤵P190, P192, P193

〔解説〕　1. 自動車は，指定自動車整備事業者の交付した有効な**保安基準適合標章を表示して**いるときは，自動車検査証の備付けや，検査標章の表示を**行わなくても**，運行の用に供することができます。

　　　　4. 自動車に表示されている検査標章には，その交付の際の**自動車検査証の有効期間の満了する時期**が表示されています。有効期間の起算日ではありません。

問11　解答　A-1　B-2　C-2　D-2　　　⤵P177～P178, P182, P183, P189

〔解説〕　1. 初めて自動車検査証の交付を受ける場合の自動車検査証の**有効期間**は，**車両総重量8 t未満**の貨物運送の用に供する自動車は**2年**とされていますが，**車両総重量8 t以上**であれば，初回から**1年**です。したがって，Aには1が入ります。

　　　　2. 日常点検において，「ディスク・ホイールの取付状態が不良でないこと」については，**車両総重量8 t以上**，または**乗車定員30人以上**の自動車に限り，点検しなければなりません。したがって，Bには2が入ります。

　　　　3. **日常点検の結果に基づき**，運行の可否を決定することは，**整備管理者**に与えられた権限です。したがって，Cには2が入ります。

　　　　4. 自動車の使用者は，日常点検や定期点検の結果，その自動車が保安基準に適合し**なくなるおそれがある状態**または**適合しない状態**にあるときは，保安基準に適合しなくなるおそれをなくするため，または保安基準に適合させるために，その自動車について**必要な整備**をしなければなりません。したがって，Dには2が入ります。

問12　解答　2　　　　　　　　　　　　　　　⤵P205, P209, P211

〔解説〕　自動車に備えなければならない**後写鏡**（バックミラー）は，取付部付近の，自動車の最外側より突出している部分の最下部が地上**1.8m以下**のものは，その部分が歩行者等に接触した場合に衝撃を緩衝できる構造でなければなりません。2.0m以下ではありません。

3．道路交通法関係

問13　解答　1　　　　　　　　　　　　　　　⤵P19～P20

〔解説〕　路側帯とは，**歩行者の通行の用に供し**，または**車道の効用を保つ**ため，歩道の設けられていない道路または道路の歩道の設けられていない側の路端寄りに設けられた帯状の道路の部分で，道路標示によって区画されたものをいいます。自転車の通行の用に供するためではありません。

問14　解答　1・4　　　　　　　　　　　　　⤵P34, P55

〔解説〕　2. 停留所において，乗客の乗降のため停車していた**乗合自動車**（バス）が，発進するために進路を変更しようとして手または方向指示器によって**合図をした場合**においては，その後方にある車両は，その速度または方向を急に変更しなければならないこととなる場合を除き，その合図をした乗合自動車の進路の変更を妨げてはなりません。

　　　　3. 車両等の運転者は，山地部の道路その他曲折が多い道路について**道路標識等によ**

り指定された区間における左右の見とおしのきかない交差点，見とおしのきかない道路のまがりかどまたは見とおしのきかない上り坂の頂上を通行しようとするときは，警音器を鳴らさなければなりません。

問15　解答　A-2　B-1　C-1　　　　　　　　　　　　　　　　　↪P71

〔解説〕　道路交通法第65条第1項では，「何人も，酒気を帯びて車両等を運転してはならない」と定め，同条第2項では，「何人も，酒気を帯びている者で，前項の規定に違反して車両等を運転することとなるおそれがあるものに対し，**車両等を提供してはならない**」としています。したがって，Aには2が入ります。

　また，同条第4項では，「何人も，車両（トロリーバス及び旅客自動車運送事業の用に供する自動車で当該業務に従事中のものその他の政令で定める自動車を除く。）の運転者が酒気を帯びていることを知りながら，当該運転者に対し，当該車両を運転して**自己を運送する**ことを要求し，又は依頼して，当該運転者が第1項の規定に違反して運転する車両に同乗してはならない」と定めています。したがって，Bには1が入ります。

　さらに，同法第117条の2の2第1項第3号では，「第65条（酒気帯び運転等の禁止）第1項の規定に違反して車両等（軽車両を除く。）を運転した者で，その運転をした場合において身体に政令で定める程度以上にアルコールを保有する状態にあったもの」に対して，3年以下の懲役または50万円以下の罰金に処することとしています。そして，この「政令で定める程度」とは，道路交通法施行令第44条の3で，「血液1ミリリットルにつき0.3ミリグラム又は**呼気1リットルにつき0.15ミリグラム**」と規定されています。したがって，Cには1が入ります。

問16　解答　2　　　　　　　　　　　　　　　　　　　　　　↪P23〜24

〔解説〕　本肢の貨物自動車は，大型自動車に当たります。道路標識等により最高速度が指定されていない**高速自動車国道の本線車道**における**大型貨物自動車**（トレーラ等を除く）の**最高速度**は，**90km毎時**とされています。100km毎時ではありません。なお，令和6年4月の法改正により，一部の文言が変更になりました。

問17　解答　3　　　　　　　　　　　　　　　　　　　　　　↪P28，P38

〔解説〕　車両等は，交差点またはその直近で**横断歩道の設けられていない場所**において歩行者が道路を横断しているときは，その**歩行者の通行を妨げてはなりません**。必ず一時停止しなければならないわけではありません。また，「努めなければならない」ではありません。

4．労働基準法関係

問18　解答　2・3　　　　　　　　　　　　　　⮑P217, P220, P224, P229

〔解説〕 1. 使用者は，労働契約の不履行について**違約金**を定めてはならず，**損害賠償額を予定する契約**もしてはなりません。たとえ労働者の同意が得られた場合でも，これらは認められません。

4. 解雇の予告の規定は，法に定める期間を超えない限りにおいて，①**日日雇い入れられる者**，②**2か月以内**の期間を定めて使用される者，③季節的業務に**4か月以内**の期間を定めて使用される者，④試の**使用期間中**の者については適用されません。本肢の記述は，②と③の期間が誤っています。

問19　解答　2　　　　　　　　　　　　　　　　⮑P233 ～ P234

〔解説〕 使用者は，労働時間が**6時間**を超える場合においては少なくとも**45分**，**8時間**を超える場合においては少なくとも**1時間**の休憩時間を労働時間の途中に与えなければなりません。本肢の記述は，それぞれの休憩時間が誤っています。

問20　解答　A-1　B-1　C-2　D-2　　　　　　　⮑P248 ～ P251

〔解説〕 1. 改善基準告示では，トラック運転者の**1年の拘束時間**は3,300時間以内，かつ，**1か月の拘束時間**は284時間以内が原則であるとしています。ただし，労使協定により，1年のうち**6か月**までは，1年の総拘束時間が3,400時間を超えない範囲内において，1か月の拘束時間を310時間まで延長することができます。したがって，Aには1が，Bには1が，Cには2が入ります。なお，令和6年4月の法改正により，一部の文言が変更になりました。

2. 改善基準告示では，**1日の拘束時間**は原則として，13時間以内としており，延長する場合であっても，**最大拘束時間は15時間**としています。したがって，Dには2が入ります。なお，令和6年4月の法改正により，一部の文言が変更になりました。

問21　解答　1　　　　　　　　　　　　　⮑P252 ～ 253, P256, P257

〔解説〕 2. 改善基準告示では，使用者は，業務の必要上やむを得ない場合には，当分の間，**2暦日についての拘束時間**が21時間を超えず，かつ，勤務終了後，**継続20時間以上の休息期間**を与える場合に限り，トラック運転者を隔日勤務に就かせることができるとしています（**隔日勤務の特例**）。22時間ではありません。なお，令和6年4月の法改正により，一部の文言が変更になりました。

3. 本肢の内容は，令和6年4月の改善基準告示の改正により，時間外労働協定に関する規定が変更されたため，不成立となります。

4. 改善基準告示では，**フェリーの乗船時間**は原則として**休息期間**として取り扱うとしています。拘束時間とする取扱いはありません。なお，令和6年4月の法改正により，一部の文言が変更になりました。

〔解説〕　1.改善基準告示では，**連続運転時間**は，原則として**4時間以内でなければならず**，**運転開始後4時間以内**，または**4時間経過直後に**，**30分以上の運転の中断**をしなければならないとしています。ただし，運転の中断は，**1回がおおむね連続10分以上とした上で分割する**こともできますが，1回が10分未満の運転の中断は，3回以上連続してはいけません。また，運転の中断時には，原則として**休憩を与えなければなりません**（なお本問では，「荷積み及び荷下しの時間は，運転中断の時間として扱うものとする」とあるので，荷積みおよび荷下しも運転の中断として扱います）。これをふまえて**2日目と3日目**の勤務状況を見ると，すべて運転開始後4時間以内または4時間経過直後には30分以上の運転中断をしているため，改善基準告示に違反していません。

しかし，**1日目**の勤務状況を見ると，4回目の運転以降では，合計4時間10分の運転の間に25分しか運転中断をしていません。また，**4日目**の勤務状況を見ると，4回目の運転以降では，合計4時間40分の運転の間に25分しか運転中断をしていません。したがって，**1日目および4日目**の勤務状況における連続運転の中断方法は，改善基準告示に違反しています。

なお，令和6年4月の法改正により，一部の文言が変更になりました。

3.改善基準告示では，**1日の運転時間について，2日を平均して9時間以内でなければならない**としています。そして，「特定日の前日＋特定日」と「特定日＋特定日の翌日」のそれぞれの運転時間の平均がいずれも9時間を超えている場合は，改善基準告示に違反していることになり，どちらか一方の平均が9時間以内であれば，改善基準告示に違反しないことになります。そこで，本問の勤務状況を見ると，**2日目を特定日とした場合**，「特定日の前日の運転時間（9時間）」＋「特定日の運転時間（10時間）」の平均は9.5時間，「特定日の運転時間（10時間）」＋「特定日の翌日の運転時間（9時間）」の平均は9.5時間となり，いずれも9時間を超えています。また，**3日目を特定日とした場合**，「特定日の前日の運転時間（10時間）」＋「特定日の運転時間（9時間）」の平均は9.5時間，「特定日の運転時間（9時間）」＋「特定日の翌日の運転時間（10時間）」の平均は9.5時間となり，いずれも9時間を超えています。したがって，2日を平均し1日当たりの運転時間については，改善基準告示に違反しています。

〔解説〕　改善基準告示では，1か月の拘束時間は284時間以内が原則ですが，労使協定があるときは，1年のうち6か月までは，1年の総拘束時間が3,400時間を超えない範囲内で，310時間まで延長することができるとしています。そして，この場合，1か月の拘束時間が284時間を超える月は連続3か月までとしなければならないとしています。これをふまえて本問の表1〜3の拘束時間を見ると，表1では，1年の総拘束時間は3,400時間まで延長できるので，8月（A）は274時間（3400－3126＝274）まで延長することができます。また，1か月の拘束時間が284時間を超える月は，6月，7月，9月，11月，12月となっています。そして，8月の拘束時間を268時間または274時間としても，284時間を超える月が連続3か月を超えることにはなりません。したがって，Aには268時間または274時間が入ります。

次に表2では，1年の総拘束時間は3,400時間まで，また，1か月の拘束時間は310

時間まで延長することができるので，11月（B）は310時間（3400−3081＝319までは不可）まで延長することができます。また，1か月の拘束時間が284時間を超える月は，6月，7月，8月，12月，1月，2月となっています。そして，11月の拘束時間を285時間または287時間とすると，284時間を超える月が11月，12月，1月，2月と連続3か月を超えることになります。したがって，Bには262時間が入ります。さらに表3では，1年の総拘束時間は3,400時間まで，また，1か月の拘束時間は310時間まで延長することができるので，2月（C）は310時間（3400−3059＝341までは不可）まで延長することができます。また，1か月の拘束時間が284時間を超える月は，7月，8月，12月となっています。そして，2月の拘束時間を305時間，308時間または310時間としても，284時間を超える月が連続3か月を超えることにはなりません。したがって，Cには305時間，308時間または310時間が入ります。なお，令和6年4月の法改正により，一部の文言が変更になりました。
以上より，A，B，Cの空欄に入る拘束時間の組み合わせは，A：274時間，B：262時間，C：310時間となり，ウが適合します。

5．実務上の知識及び能力

問24　解答　2・3・4　　　　　　　　　　　P119, P123, P125, P135

〔解説〕　運行管理者は，運転者が転任，退職その他の理由により**運転者でなくなった場合**には，ただちにその運転者の**運転者等台帳**に運転者でなくなった年月日および理由を記載して，これを**3年間保存**しなければなりません。1年間ではありません。なお，令和5年4月の法改正により，一部の文言が変更になりました。

問25　解答　2・4　　　　　　　P137, P263, P264, P279〜P280, P282, P293

〔解説〕　1. 時速36kmは，秒速10mに相当します（36km÷3,600×1,000＝10m）。空走時間が1秒間の場合，空走距離は，秒速10m×1秒＝10mです。**停止距離＝空走距離＋制動距離**なので，本肢の場合，停止距離は10m＋8m＝**18m**となります。13mではありません。

3. **異常気象**その他の理由により輸送の安全の確保に支障を生じるおそれがあるときに，**乗務員等**（運転者，特定自動運行保安員および事業用自動車の運行の業務の補助に従事する従業員）**に対する適切な指示**その他輸送の安全確保のために**必要な措置を講じること**は，**運行管理者が行わなければならない業務**です。本肢において，運行の中断，待避所の確保等について，すべて運転者の判断に任せている点は，適切ではありません。

問26　解答　1・2・4　　　　　　　　　　　P135, P275, P277

〔解説〕　**乗務員等の健康状態の把握**に努め，疾病，疲労，睡眠不足などの理由により安全に運行の業務を遂行またはその補助ができないおそれのある乗務員等を事業用自動車の運行の業務に従事させないことは，**運行管理者の業務**です。したがって，事業者は，運転者が運転中に心身の状態に異常を感じたときは，運行継続の可否を自らの判断で行うのではなく，**運行管理者に連絡**を取って，その指示を受けるように指導しなければなりません。

〔解説〕 1. 交通事故の再発を未然に防止するためには，発生した**事故の調査**や**事故原因の分析**は非常に重要なことです。事故惹起運転者の社内処分および再教育に特化した対策のみを講じることは，適切ではありません。

2. **適性診断**は，運転者の運転行動や運転態度が安全運転にとって好ましい方向へ変化するように動機づけを行うことにより，**運転者自身の安全意識を向上させる**ためのものであり，ヒューマンエラーによる事故の発生を未然に防止するための有効な手段となっています。運転に適さない者を運転者として選任しないようにするためのものではありません。

〔解説〕 1. 自動車の**夜間の走行時**において，自分の自動車と対向車のライトで，お互いの光が重なり合い，その間にいる歩行者や自転車が見えなくなることを，**蒸発現象**といいます。クリープ現象ではありません。

3. **遠心力**は，自動車の**速度の2乗に比例して**大きくなります。したがって，自動車がカーブを走行するとき，自動車の重量およびカーブの半径が同一であれば，速度を2分の1に落として走行すると遠心力の大きさは**4分の1**になります。2分の1ではありません。

〔解説〕 1. **車両総重量が8,000kg以上または最大積載量が5,000kg以上の貨物自動車**（トレーラ等を除く）の**高速自動車国道での最高速度は時速90km**であり，本問の運行計画で使用する貨物自動車の最大積載量は6,000kgなので，これに該当します。本問の運行計画ではE料金所からF料金所までの140kmを2時間で走行するので，この間の平均速度は時速70kmとなり，また，G料金所からH料金所までの175kmを2時間30分（2.5時間）で走行するので，この間の平均速度は時速70kmとなります。したがって，いずれも最高速度内で余裕があるので，本問の高速自動車国道の運転時間の設定は適切です。

2. 改善基準告示では，**1日の運転時間について，2日を平均して9時間以内**としています。つまり，「特定日の前日＋特定日」と「特定日＋特定日の翌日」のそれぞれの運転時間の平均がいずれも9時間を超えていれば，改善基準告示に違反していることになり，どちらか一方の運転時間の平均が9時間以内であれば，改善基準告示に違反しないことになります。そして，本問の運行計画における運転時間の合計は，30分＋1時間＋2時間＋1時間＋1時間＋50分＋2時間30分＋50分＋30分＝10時間10分となります。

本問の運行当日を特定日とした場合，「特定日の前日＋特定日」の運転時間の平均は（8時間30分＋10時間10分）÷2＝**9時間20分**，「特定日＋特定日の翌日」の運転時間の平均は（10時間10分＋8時間30分）÷2＝**9時間20分**となるので，**いずれも9時間を超えています**。

したがって，2日を平均して1日当たりの運転時間は改善基準告示に違反しています。

3. 改善基準告示では，**連続運転時間**は，原則として**4時間以内**でなければならず，**運転開始後4時間以内，または4時間経過直後に，30分以上の運転の中断**をしな

ければならないとしています。ただし，運転の中断は，1回がおおむね連続10分以上とした上で分割することもできますが，1回が10分未満の運転の中断は，3回以上連続してはなりません。また，運転の中断時には，原則として休憩を与えなければなりません（なお本問では，「荷積み及び荷下ろしの時間は，運転中断の時間として扱うものとする」とあるので，荷積みおよび荷下ろしも運転の中断として扱います）。これをふまえて当該運行の連続運転時間について見ると，復路のC地点〜D地点までの運行において，50分＋2時間30分＋50分＝4時間10分の連続運転時間があり，4時間を超えています。しかし，その間に15分の休憩しかありません。

したがって，当該運行の連続運転時間の中断方法は改善基準告示に違反しています。なお，令和6年4月の法改正により，一部の文言が変更になりました。

問30　解答　1・3・5 ➡P135, P201, P277

〔解説〕① 本問の事故は，トラック運転者の居眠り運転により生じたものであり，それには，月1回のミーティングで，交通事故を惹起した場合の社会的影響の大きさや疲労などによる交通事故の危険性などについての指導・教育が不足していたことが原因となっていると考えられます。したがって，本記述のような対策は，同種事故の再発防止対策として，最も直接的に有効なものと考えられます。

② 本問の運転者は，事業者の行う定期健康診断を受診しており，特に指摘はなかったとのことなので，この事故は運転者の疾病が要因となったものではありません。したがって，本記述のような対策は，同種事故の再発防止対策として，最も直接的に有効なものとは考えられません。

③ 改善基準告示によると，原則として，勤務終了後の休息期間は，継続11時間以上与えるよう努めることを基本とし，継続9時間を下回ってはならないとされています。しかし，本問の運転者は，事故日前日は早朝5時に業務を終了し，事故当日の正午にはすでに業務を開始しているので，明らかに休息期間が9時間を下回っています。また，事故日前1か月間の勤務において，拘束時間および休息期間について複数回の改善基準告示違反があったとされています。このように運転者には疲労がたまっており，それが事故の原因（居眠り運転）になっていると考えられるので，運行管理者が，改善基準告示を遵守して，点呼の際，適切な運行指示を行っていれば事故を未然に防げたと考えられます。したがって，本記述のような対策は，同種事故の再発防止対策として，最も直接的に有効なものと考えられます。

④ 本問の運転者は35歳であり，65歳以上の運転者が対象となる適齢診断の受診と事故の原因とは関係がないと考えられます。したがって，本記述のような対策は，同種事故の再発防止対策として，最も直接的に有効なものとは考えられません。

⑤ 運転者が疲労と寝不足から居眠り運転をしたことが事故の原因になっていると考えられるので，運行管理者が点呼の際に運転者の体調や疲労の蓄積などをきちんと確認し，運転者を交替させる措置を取っていれば，事故を未然に防ぐことができたと思われます。したがって，本記述のような対策は，同種事故の再発防止対策として，最も直接的に有効なものと考えられます。

⑥ 本問の事故は，トラックの整備不良が原因となったものではありません。また，保安基準が要求する速度抑制装置は，トラックの速度を時速90kmに制限するも

のですが，事故を起こしたトラックは時速80kmで走行していたので，速度抑制装置を備えていたとしても作動はしませんでした。したがって，本記述のような対策は，同種事故の再発防止対策として，最も直接的に有効なものとは考えられません。

なお，令和5年4月の法改正により，「乗務」が「業務」のように一部の文言が変更になりました。

以上より，本問の同種事故の再発防止対策として，最も直接的に有効と考えられるものは，①，③，⑤になります。

予想模擬試験　解答一覧

試験科目	問題	解答	試験科目	問題	解答
貨物自動車運送事業法関係	問1	3	道路交通法関係	問16	4
	問2	A-1　B-1　C-2　D-2		問17	2
	問3	3	労働基準法関係	問18	4
	問4	2		問19	2
	問5	1・2・4		問20	2
	問6	2・4		問21	3
	問7	1・2・4		問22	3
	問8	A-2　B-1　C-2　D-1		問23	1・5
道路運送車両法関係	問9	A-1　B-1　C-1　D-1	実務上の知識及び能力	問24	1・4
	問10	2・3		問25	1・2・4
	問11	2		問26	1・3
	問12	3・4		問27	2
道路交通法関係	問13	4		問28	4
	問14	4		問29	2・3
	問15	3・4		問30	1・3

☆得点を計算してみましょう。

	挑戦した日			挑戦した日	
	1回目	2回目		1回目	2回目
貨物自動車運送事業法関係	／8	／8	労働基準法関係	／6	／6
道路運送車両法関係	／4	／4	実務上の知識及び能力	／7	／7
道路交通法関係	／5	／5	計	／30	／30

※問題を解くために参考となるページを「➡」の後に記してあります。

1．貨物自動車運送事業法関係

問1　解答　3　　　　　　　　　　　　　　➡P82, P84, P88, P130

〔解説〕　一般貨物自動車運送事業者（その事業の規模が国土交通省令で定める規模未満であるものを除く）は，**安全管理規程**を定め，国土交通省令で定めるところにより，国土交通大臣に**届け出**なければなりません。これを**変更**しようとするときも，同様とされています。国土交通大臣の認可を受けるのではありません。

問2　解答　A-1　B-1　C-2　D-2　　　　　　　　　　　　➡P98

〔解説〕　貨物自動車運送事業輸送安全規則第3条第5項では，「貨物自動車運送事業者は，**酒気を帯びた状態**にある乗務員等を事業用自動車の運行の業務に従事させてはならない」と定められています。また，同条第6項では，「貨物自動車運送事業者は，乗務員等の健康状態の把握に努め，疾病，疲労，睡眠不足その他の理由により**安全に運行**の業務を遂行し，又はその補助をすることができないおそれがある乗務員等を事業用自動車の運行の業務に従事させてはならない」と定められています。さらに，同条第7項では，「一般貨物自動車運送事業者等は，運転者が長距離運転又は夜間の運転に従事する場合であって，**疲労等**により安全な運転を継続することができないおそれがあるときは，あらかじめ，当該運転者と交替するための運転者を配置しておかなければならない」と定められています。

したがって，Aに1，Bに1，Cに2，Dに2が入ります。

問3　解答　3　　　　　　　　　　　　　➡P123, P135, P137

〔解説〕　1.「法令の規定により，従業員に対し，効果的かつ適切に指導及び監督を行うため，輸送の安全に関する基本的な方針の策定その他の国土交通大臣が告示で定める措置を講ずること」は，**事業者の義務**であり，運行管理者の業務ではありません。

2. 休憩または睡眠のための時間および勤務が終了した後の休息のための時間が十分に確保されるように，国土交通大臣が告示で定める基準に従って，運転者の**勤務時間および乗務時間**を定め，運転者にこれらを遵守させることは，運行管理者が行わなければならない業務ではなく，**事業者の義務**です。

4. 車両総重量が7t以上または最大積載量が4t以上の普通自動車である事業用自動車について，法令に規定する**運行記録計**により記録することのできないものを運行の用に供さないことは，運行管理者の業務です。本肢は，車両総重量と最大積載量の基準値が誤っています。

問4　解答　2　　　　　　　　　　➡P97, P98, P116〜P117

〔解説〕　運転者等が運行指示書を携行した運行の途中において，運行の開始および終了の地点および日時に変更が生じた場合，①**運行指示書の写しに変更内容を記載**し，②運転者等に対し，**電話その他の方法で変更内容について適切な指示**を行い，③運転者

等が携行している**運行指示書に変更内容を記載**させなければなりません。

問5　解答　1・2・4 　　　　　　　　　　　　　　⤴P131, P132, P142, P147～P148

〔解説〕　運行管理者として「**新たに選任した者**」とは，当該事業者において**初めて選任され
た者**のことをいい，当該事業者において**過去**に運行管理者として**選任されていた者**
や**他の営業所**で**選任されていた者**は含まれません。つまり，他の事業者において運
行管理者として選任されていた者であっても，当該事業者において運行管理者とし
て選任されたことがなければ，運行管理者として選任された者は，「**新たに選任し
た者**」に該当することになります。したがって，他の事業者において運行管理者と
して選任されていた者であっても，当該事業者において初めて運行管理者として選
任された者には，**基礎講習**または**一般講習**を受講させなければなりません。

問6　解答　2・4 　　　　　　　　　　　　　⤴P100～P105, P111～P113, P132

〔解説〕　1. **乗務を終了**して他の運転者と交替するときは，交替する運転者に対し，その乗務
にかかる事業用自動車，道路および運行の状況について**通告**しなければなりませ
ん。そして，この通告の内容は，**業務後点呼**の際に，**通告したはじめの運転者**に
対して報告を求めなければなりません。乗務を引き継いだ後の運転者に対して報
告を求めるのではないので，注意してください。

　　　　　3. **中間点呼**における報告事項は，①運転者に対する酒気帯びの有無，②運転者に対
する疾病，疲労，睡眠不足その他の理由により安全な運転をすることができない
おそれの有無の2つです。**日常点検の実施**またはその確認についての報告は必要
とされていません。

問7　解答　1・2・4 　　　　　　　　　　　　　　　　　　　　⤴P149～P150

〔解説〕　自動車が**転落**した事故については，**国土交通大臣への報告**が必要です。ここで「**転落**」
とは，道路外への転落で，その**落差**が**0.5m以上**ある場合をいいます。しかし，本肢
の事故では道路との落差が0.3mの畑に落ちているので，「転落」には該当せず，国
土交通大臣への報告を要しません。

問8　解答　A-2　B-1　C-2　D-1 　　　　　　　　　　　　　　　　　⤴P155

〔解説〕　**国土交通大臣**は，一般貨物自動車運送事業の**適正**かつ**合理的**な運営を確保するため
必要があると認めるときは，一般貨物自動車運送事業者に対し，事業計画や運送約
款を変更することを命じたり，貨物の運送に関し生じた**損害**を賠償するために必要
な金額を担保することができる**保険契約**を締結することを命じたりすることができ
ます（事業改善命令）。
したがって，Aに2，Bに1，Cに2，Dに1が入ります。

２．道路運送車両法関係

問９　解答　A-1　B-1　C-1　D-1　　　　　　　　　　⤴P163

〔解説〕　道路運送車両法において，道路運送車両とは，**自動車，原動機付自転車**および**軽車両**をいいます。道路運送車両法に規定する自動車の種別は，自動車の**大きさ**および**構造**ならびに**原動機の種類**および**総排気量**または**定格出力**を基準として国土交通省令で定められ，その別は**普通自動車，小型自動車，軽自動車，大型特殊自動車，小型特殊自動車**の５種類とされています。

したがって，Aに１，Bに１，Cに１，Dに１が入ります。

問10　解答　2・3　　　　　　　　　　⤴P170, P172, P174, P191

〔解説〕　1. 登録自動車の使用者は，当該自動車が滅失し，解体し，または自動車の用途を廃止したときは，その事由があった日から**15日以内**に，当該**自動車検査証**を国土交通大臣に**返納**しなければなりません。30日以内ではありません。

4. 臨時運行許可の有効期間は，特にやむを得ない場合を除き**５日**を超えてはなりません。３日ではありません。また，有効期間が満了したときは，その日から**５日以内**に臨時運行許可証と臨時運行許可番号標（仮ナンバー）を返納します。

問11　解答　2　　　　　　　　　　⤴P179, P188〜P193

〔解説〕　**車両総重量8,000kg**以上または**乗車定員30人**以上の自動車のスペアタイヤの取付状態等については，**３か月ごと**に定期点検整備が義務づけられています。１か月ごとではありません。

問12　解答　3・4　　　　　　　　　　⤴P204〜P206, P209

〔解説〕　1. 自動車（被牽引自動車を除く）には，**警音器の警報音発生装置の音**が，**連続する**ものであり，かつ，**音の大きさおよび音色が一定なもの**である警音器を備えなければなりません。

2. 自動車の前面ガラスおよび側面ガラスにフィルムが貼り付けられた場合，貼り付けられた状態において，透明であり，かつ，運転者が交通状況を確認するために必要な視野の範囲に係る部分の**可視光線透過率が70％以上**であることが確保できるものでなければなりません。60％以上ではありません。

3. 道路交通法関係

問13　解答　4　　　　　　　　　　　　　　　　　　　　⮕P26〜P28
〔解説〕　1. 車両等は，**道路のまがりかど付近**，**上り坂の頂上付近**，**勾配の急な下り坂**を通行するときは，徐行しなければなりません。しかし，勾配の急な上り坂を通行するときは，徐行する必要はありません。
　　　　　2. この場合は，**一時停止**し，または**徐行**して，身体障害者用の車の通行を妨げないようにしなければなりません。
　　　　　3. 前方に出た後ではなく，前方に出る**前**に一時停止しなければなりません。

問14　解答　4　　　　　　　　　　　　　　　⮕P34, P38, P55, P269
〔解説〕　交差点ですでに右折している車両等（多通行帯道路等通行一般原動機付自転車，特定小型原動機付自転車および軽車両を除く）はそのまま進行できます。ただし，青色の灯火によって進行している車両等の**進行妨害**をしてはなりません。

問15　解答　3・4　　　　　　　　　　　　　　　　　　　⮕P41, P42
〔解説〕　1. 車両は，安全地帯が設けられている道路の**当該安全地帯の左側の部分**および当該部分の前後の側端からそれぞれ**前後に10m以内**の道路の部分においては，法令の規定もしくは警察官の命令により，または危険を防止するため一時停止する場合のほか，停車し，または駐車してはなりません。5mではありません。
　　　　　2. 車両は，法令の規定により駐車する場合に当該車両の右側の道路上に**3.5m**（道路標識等により距離が指定されているときは，その距離）以上の余地がないこととなる場所においては，原則として駐車してはならないとされています。2.5mではありません。

問16　解答　4　　　　　　　　　　　　　　　　　　　　⮕P45〜P47
〔解説〕　警察官から運転者に**応急措置命令**が出された場合，車両の使用者が過積載を防止するため必要な運行管理を行っていると認められないときに，車両の使用者に対し，過積載を防止するため必要な措置をとることを**指示**することができるのは，警察署長ではなく**公安委員会**です。**過積載の防止**に関する命令や指示は，**警察官→運転者**，**警察署長→荷主**，**公安委員会→車両の使用者**に対して行うので，覚えておきましょう。

問17　解答　2　　　　　　　　　　　　　　　　　　　　⮕P64〜P67
〔解説〕　選択肢2の道路標識は，自動車の**最低速度**を指定しています。**最高速度**を指定する道路標識では，数字の下の線がないので，間違えないようにしましょう。

4．労働基準法関係

問18 解答 4 ➡P217, P224, P225

〔解説〕 労働基準法で定める基準に達しない労働条件を定める労働契約は，その部分については**無効**となるのであり，取り消すことができるのではありません。この場合，労働契約のなかで無効となった部分は，**労基法で定める基準によること**になります。

問19 解答 2 ➡P219～P220, P223～P224, P229

〔解説〕 1. 労働契約の締結に際し，**労働契約の期間**などに関する事項については，**書面を交付して明示**しなければなりませんが，昇給に関する事項は，書面を交付することは要求されていません。

     3. 出来高払制などの**請負制**で使用する労働者については，使用者は，**労働時間に応**じ，一定額の賃金の保障をしなければなりません。

     4. 使用者は，労働者を解雇しようとする場合には，少なくとも**30日前に解雇予告**をしなければならず，**30日前**に予告をしない使用者は，**30日分以上の平均賃金**（解雇予告手当）を支払わなければなりません。14日ではありません。

問20 解答 2 ➡P229, P235, P245

〔解説〕 使用者は，その雇入れの日から起算して**6か月**間継続勤務し全労働日の**8割以上**出勤した労働者に対して，継続し，または分割した**10労働日**の有給休暇を与えなければなりません。3か月ではありません。

問21 解答 3 ➡P242～P245

〔解説〕 使用者は，就業規則の作成または変更について，その事業場に，労働者の過半数で組織する労働組合がある場合においてはその労働組合，労働者の過半数で組織する労働組合がない場合においては労働者の過半数を代表する者の**意見を聴かなければなりません**。就業規則の作成・変更については，労働組合等の承認を得ることまでは要求されていないので，注意しましょう。

問22 解答 3 ➡P253～P254

〔解説〕 改善基準告示では，運転者の1日の運転時間について，2日（始業時刻から起算して48時間）を平均して**9時間**を超えてはならず，1週間の運転時間については，2週間を平均して**44時間以内**（2週間で88時間以内）とされています。なお，1日の運転時間が改善基準告示に違反しているかどうかは，特定の日を起算日として2日ごとに区切り，その2日間の平均で判断しますが，「特定日の前日と特定日の運転時間の平均」と「特定日と特定日の翌日の運転時間の平均」が，**いずれも9時間を超えている場合**には改善基準告示に違反していることになります。また，1週間の運転時間については，起算日から2週間ごとに，2週間を平均した1週間当たりの運転時間が**44時間を超える**と改善基準告示に違反することになります。

     1. 第1週～第2週の運転時間の平均が44.5時間であり，44時間を超えるので，改善基準告示に違反しています。

     2. 1日の運転時間および1週間の運転時間について改善基準告示に違反する点はなく，4週間の運転時間の合計は，43.0時間×4＝172.0時間となります。

3. 1日の運転時間および1週間の運転時間について改善基準告示に違反する点はなく、4週間の運転時間の合計は、42.5時間×4＝170.0時間となります。

4. Aに10時間が入るので、4日を特定日とした場合、3日と4日の平均が、（9時間＋10時間）÷2＝9.5時間、4日と5日の平均が（10時間＋9時間）÷2＝9.5時間となり、いずれも9時間を超えているので、改善基準告示に違反しています。

　以上より、改善基準告示に違反していないのは、選択肢2と3になり、そのうち、4週間の運転時間の合計は選択肢3が最少となるので、正解は3となります。

問23　解答　1・5

➡P250～P253

〔解説〕改善基準告示では、宿泊を伴う長距離貨物運送に該当しない場合の1日の拘束時間は原則として、**13時間以内**とされており、延長する場合であっても、1日の拘束時間の限度（**最大拘束時間**）は15時間とされています。また、これを延長する場合には、1日の拘束時間が**14時間を超える回数**は、**1週間に2回以内**が目安で、**14時間を超える日が連続**することは望ましくありません。ここで、「1日」とは始業時刻から起算して24時間のことをいうので、翌日の始業時刻がその日の始業時刻よりも早いときは、その差の時間もその日の拘束時間に加えられることになります。

1. 火曜日の拘束時間は、23時30分－8時30分＝15時間に、翌日水曜日の7時30分から8時30分までの1時間を加えるので、15時間＋1時間＝16時間となります。したがって、最大拘束時間の15時間を超えているので、改善基準告示に違反しています。

2. 改善基準告示では、宿泊を伴う長距離貨物運送に該当しない場合の1日の休息期間は、勤務終了後、**継続11時間以上与えるよう努めることを基本**とし、**継続9時間を下回ってはならない**のが原則です。火曜日の終業時刻（23時30分）から、翌日水曜日の始業時刻（7時30分）までは、（24時－23時30分）＋7時30分＝8時間しかなく、継続11時間以上の休息期間を与えておらず、また、継続9時間も下回っているので、改善基準告示に違反しています。

3. 水曜日の拘束時間は、23時－7時30分＝15時間30分です。翌日木曜日の始業時刻は水曜日の始業時刻よりも遅いので、翌日分の拘束時間は含まれません。したがって、最大拘束時間の15時間を超えているので、改善基準告示に違反しています。

4. 月曜日の勤務終了後の休息期間は、（24時－20時）＋8時30分＝12時間30分
　火曜日の勤務終了後の休息期間は、8時間
　水曜日の勤務終了後の休息期間は、（24時－23時）＋9時＝10時間
　木曜日の勤務終了後の休息期間は、（24時－24時）＋8時30分＝8時間30分
　金曜日の勤務終了後の休息期間は、（24時－20時）＋9時＝13時間
　土曜日は、翌日が公休なので、十分に休息期間があります。
　以上より、火曜日と木曜日は、継続11時間以上の休息期間を与えておらず、また、継続9時間も下回っているので、改善基準告示に違反しています。水曜日の休息期間は10時間であり、継続11時間以上ではありませんが、継続9時間は下回っていないので、改善基準告示に違反していません。

5. 月曜日の拘束時間は、20時－8時＝12時間
　火曜日の拘束時間は、16時間
　水曜日の拘束時間は、15時間30分
　木曜日の拘束時間は、（24時－9時）＋（9時－8時30分）＝15時間30分

金曜日の拘束時間は，20時 － 8時30分＝11時間30分

以上より，1日の拘束時間が**14時間を超える回数**が，火・水・木の**3回**あることになり，**1週間に2回以内の目安を超えており**，また**連続しているので**，この1週間の勤務パターンは，1日の拘束時間が14時間を超える回数について，改善基準告示における目安に違反しています。

5．実務上の知識及び能力

問24　解答　1・4　　　　　　　　　　　　　　　　P124，P134～P139，P280

〔解説〕　2.本肢のような運転者に対する指導・監督の実施については，国土交通省告示に基づき，**継続的，計画的**に行わなければなりません。

　　　　3.事業者が，事業用自動車の定期点検を怠ったことが原因で**重大事故**を起こしたことにより，行政処分を受けることになった場合であっても，運行管理者に当該重大事故を含む運行管理業務上に一切問題がなければ，**運行管理者資格者証の返納**を命じられることはありません。

問25　解答　1・2・4　　　　　　　　　　　　　　　　P100～P105，P111～P113

〔解説〕　1.業務前の点呼では，「**疾病，疲労，睡眠不足その他の理由**により**安全な運転**をすることができないおそれの有無」は，**必須の確認事項**です。たとえ定期健康診断の結果，すべて異常なしとされた運転者については健康管理が適切に行われ健康に問題がないと判断され，また，健康に問題があるときは，事前に運行管理者等に申し出るよう指導している場合でも，本人から体調不良等の申し出があるときにだけ行うことは適切ではありません。

　　　　2.業務前点呼の確認事項である「酒気帯びの有無」は，道路交通法施行令で定める呼気1L当たり0.15mg以上であるか否かではなく，**アルコールが検知されるか否か**によって判定されます。

　　　　4.点呼は，対面または対面による点呼と同等の効果を有するものとして国土交通大臣が定める方法（以下「対面点呼」）ですることが原則ですが，運行上やむを得ない場合は，電話その他の方法によることが認められます。「運行上やむを得ない場合」とは，**遠隔地で業務を開始または終了**するため，運転者等の所属する営業所で対面点呼が実施できない場合などをいいます。選択肢4のように，出庫が早朝で，点呼を行う者が営業所に出勤していない場合などは，運行上やむを得ない場合とはいえません。

問26　解答　1・3　　　　　　　　　　　　　　　　P275～P277

〔解説〕　2.**深夜業**などの特定業務に常時従事する労働者に対しては，当該業務への**配置替えの際および6か月以内ごとに1回**，定期に，定期健康診断と同じ内容の健康診断を実施しなければなりません。

　　　　4.**心臓病などを原因とする運転中の突然死**による事故は増加傾向にあるので，健康診断の結果，運転者に心疾患の前兆となる症状がみられたことには**慎重な対応が必要**です。医師より「より軽度な勤務において経過観察することが必要」との所見が出ているのに，従来と同様の乗務を続けさせたことは，適切ではありません。

問27　解答　2　　　　　　　　　　　　　　　　　　　⟳P201, P275～P278

〔解説〕 1. 大型トラックの原動機に備えなければならない「速度抑制装置」は，そのトラックが時速90kmを超えて走行しないよう燃料の供給を調整し，かつ，自動車の速度の制御を円滑に行うためのものです。

3. デジタル式運行記録計とは，自動車の速度や運行距離，運行時間などを自動的に記録する装置です。本肢の記述は，ドライブレコーダーについての説明です。

4. 本肢の装置は「車両安定性制御装置」です。なお，これに対し，「ふらつき注意喚起装置」とは，運転者の低覚醒状態（通常と居眠りの中間，いわゆる眠気のある状態）や低覚醒状態に起因する挙動を検知し，運転者に注意を喚起する装置のことをいいます。

問28　解答　4　　　　　　　　　　　　　　　　　　　　　⟳P284～P286

〔解説〕 パークアンドライドとは，都市部などの交通渋滞の緩和のため，通勤などに使用されている自動車等を郊外の鉄道駅やバス停に設けた駐車場に停車させ，そこから鉄道や路線バスなどの公共交通機関に乗り換えて移動する方法のことをいいます。これは，交通渋滞の緩和だけでなく，二酸化炭素などの排出ガスの削減効果も期待できるものです。選択肢4の記述は，モーダルシフトの説明です。

問29　解答　2・3　　　　　　　　　　　　　　　　　　⟳P263～P264, P268

〔解説〕 1. 車両の全長が長い大型車の場合，右左折時に本肢のようにハンドルを一気にいっぱいに切ると，車体後部が振られてしまい，車体後部のオーバーハング部分の対向車線等へのはみ出し量が多くなってしまい，対向車などと接触する事故に繋がるおそれがあります。したがって，このような大型車の右左折においては，ハンドルを一気にいっぱいに切らないような運転を心がける必要があります。

4. 本肢の記述は，空走距離とその主な対策に関するものです。制動距離は，ブレーキが効き始めてから自動車が停止するまでの距離のことをいいます。

問30　解答　1・3　　　　　　　　　　　　　　　　　　⟳P250～P254

〔解説〕 1. 改善基準告示では，宿泊を伴う長距離貨物運送に該当しない場合の1日の拘束時間は原則として，13時間以内とされており，延長する場合であっても，1日の拘束時間の限度（最大拘束時間）は15時間とされています。また，これを延長する場合には，1日の拘束時間が14時間を超える回数は，1週間に2回以内が目安で，14時間を超える日が連続することは望ましくありません。ここで，「1日」とは始業時刻から起算して24時間のことをいうので，翌日の始業時刻がその日の始業時刻よりも早いときは，その差の時間もその日の拘束時間に加えられることになります。これをふまえて1日目の拘束時間について見ると，始業時刻6時00分から終業時刻20時30分までの「14時間30分」に，翌2日目の4時00分から6時00分までの「2時間」を加えた「16時間30分」となり，最大拘束時間の15時間を超えているので，改善基準告示に違反しています。

次に，宿泊を伴う長距離貨物運送に該当しない場合の1日の休息期間は，勤務終了後，継続11時間以上与えるよう努めることを基本とし，継続9時間を下回ってはならないのが原則です。これをふまえて1日目の勤務終了後の休息期間について見ると，終業時刻の20時30分から翌2日目の始業時刻の4時00分までの「7時

21

間30分」となり，継続11時間以上の休息期間を与えておらず，また，継続9時間も下回っているので，やはり改善基準告示に違反しています。

2. 改善基準告示では，運転者の**1日の運転時間**について，2日（始業時刻から起算して48時間）を平均して**9時間以内**とされています。「**特定日の前日＋特定日**」と「**特定日＋特定日の翌日**」のそれぞれの運転時間の平均がいずれも9時間を超えていれば，改善基準告示に違反していることになります。これをふまえて，それぞれの日の運転時間を計算すると，1日目は10時間，2日目は9時間，3日目は9時間，4日目は10時間なので，各日の運転時間が改善基準告示に違反するか否かは以下のようになります。

1日目を特定日とすると，「1日目の前日（休日）と1日目の運転時間の平均」が（0時間＋10時間）÷2＝5時間，「1日目と2日目の運転時間の平均」が（10時間＋9時間）÷2＝9.5時間であり，「特定日の前日と特定日の運転時間の平均」については，9時間を超えていないので，改善基準告示に違反していません。

2日目を特定日とすると，「1日目と2日目の運転時間の平均」が（10時間＋9時間）÷2＝9.5時間，「2日目と3日目の運転時間の平均」が（9時間＋9時間）÷2＝9時間であり，「特定日と特定日の翌日の運転時間の平均」については，9時間を超えていないので，改善基準告示に違反していません。

3日目を特定日とすると，「2日目と3日目の運転時間の平均」が（9時間＋9時間）÷2＝9時間，「3日目と4日目の運転時間の平均」が（9時間＋10時間）÷2＝9.5時間であり，「特定日の前日と特定日の運転時間の平均」については，9時間を超えていないので，改善基準告示に違反していません。

4日目を特定日とすると，「3日目と4日目の運転時間の平均」が（9時間＋10時間）÷2＝9.5時間，「4日目と4日目の翌日（休日）の運転時間の平均」が（10時間＋0時間）÷2＝5時間であり，「特定日と特定日の翌日の運転時間の平均」については，9時間を超えていないので，改善基準告示に違反していません。

3. 改善基準告示では，連続運転時間は，**原則として4時間以内**でなければならず，**運転開始後4時間以内**，または4時間経過直後に，**30分以上**，運転を中断しなければなりません。ただし，運転の中断は，1回が**おおむね連続10分以上**とした上で分割することもできますが，1回が**10分未満**の運転の中断は，**3回以上連続**してはいけません。また，運転の中断時には，原則として**休憩**を与えなければなりません（なお本問では，「荷積み及び荷下ろしの時間は，運転中断の時間として扱うものとする」とあるので，荷積みおよび荷下ろしも運転の中断として扱います）。これをふまえて2日目から4日目までの運行状況を見ると，すべての運転が連続4時間以内であり，なおかつ，運転後には30分以上の運転中断をしているため，改善基準告示に違反していません。

次に，1日目の運行状況を見ると，まず，1時間の運転後に1時間の運転中断（荷積み）をして，続いて3時間の運転後に1時間の運転中断（休憩）をしているので，ここまでは問題ありません。しかし，3回目の運転以降の運行状況を見ると，2時間の運転後の休憩は15分であり，その後に3時間の運転を行っているので，合計5時間の運転の間に15分の中断時間しかとっていないことになります。したがって，1日目の運行計画における連続運転時間は，改善基準告示に違反しています。